◎特定年龄健康丛书

# 老干部保健手册

本书编写组 编著

中医古籍出版社

# 序言

老干部在人生岁月中积累了丰富的经验和广博的知识，是社会的宝贵财富，是社会主义物质文明和精神文明的创造者、继承者和传播者。不少老干部从工作岗位上离开后仍然在不同的岗位上发挥所长，为国家和人民不辞辛劳地工作着。我国有着几千年尊老、养老的优良传统，在社会主义制度下，这种优良传统得到了进一步的发扬。如何使这些为国家、为人民做出过巨大贡献的老干部健康长寿、安享晚年，是全社会都应该关心的问题。

老干部，都有着特殊的生活经历，饱经沧桑，身体各系统有着不同程度的损伤，有些甚至患有数种疾病。兰州地区某医院提供的离退休老干部的病史及检查结果表明：受检的786名老干部中无躯体疾病的143人，患病人数643人，占总人数的81.8%；其中患四种以上疾病的人数为247人，患病率为31.4%，而患一种疾病的人数为106人，患病率13.5%。大多数老干部同时患有两种以上疾病。常见疾病患病率依次为：高血压病42.9%、冠心病35.5%、糖尿病21.2%、消化系统疾病19.5%。因此，老干部的健康状况令人堪忧。

基于以上认识，我们编写了《老干部保健手册》一书。本书共分八章，针对老干部的生理、心理及生活特点，从老干部的常见心理障碍的防治，常患身心疾病的防治，饮食、运动及日常保健等各方面作了全方位的介绍，内容详尽，通俗易懂，有较强的针对性和实用性。可以说本书既是一部老干部防病保健的指导手册，又是一部内容全面的老年健康宝典。

关注老干部健康，让他们安享健康快乐的晚年已成为全社会的共识。在老干部幸福安度晚年的时候，我们更应该关注他们的健康。我们恳切地期望，通过本书唤起社会各界多多关爱老干部，关注老干部的身心健康。同时，也期望广大老干部通过阅读此书更加关爱自己，热爱生活，珍惜健康和生命，增强在面临健康问题时的自我选择和决断能力。

需要说明的是，虽然老干部有着诸多共性，但毕竟老干部每个人的经历、境况、体质等方面千差万别，本书或许存在不能完全满足老干部个体的情况，甚至不当或瑕疵之处，恳请广大读者提出宝贵意见，以利于本书的完善。本书在编写过程中，参考了有关资料，在此谨致谢忱。

编　者

2006 年 12 月

# 目 录

## 第三章　老干部常见的心理障碍

# 第一章

# 老干部的生理与心理特点

- 老年人的年龄界限与
  我国老年人口状况
- 老干部的生理特点
- 老干部的心理特征

# 第一节　老年人的年龄界限与我国老年人口状况

## 一、老年人的年龄界限问题

老年人究竟是从哪一年龄阶段开始，由于各国情况不同，目前，世界上还没有一个普遍认可的标准。西方国家一般以65岁以上为老年人，1964年我国第一届老年学与老年医学会议明确规定，男女都以60岁以上为老年人。1980年亚太地区第一届老年学学术会议也规定，60岁以上为老年人，“年过花甲”即称为老年人。老年期是一个相当长的时期，不同时代有着不同的阶段划分。在我国古代，50岁就为老年人，如《周礼·曲礼》上曾将老年期分为5个阶段：“五十曰艾，六十曰耋，七十曰耆，八十、九十曰耄，百岁曰期颐。”《说文解字》上则从70岁算起，将老年期分为四个阶段：“七十曰老”、“八十曰耋”、“九十曰鲐背”、“百年曰期颐”。

随着现代社会医疗水平的提高和人类生活条件的改善，人类寿命普遍延长。世界卫生组织根据实际情况，对老年人的年龄界限作了如下划分：65岁至74岁为青年老年人，75岁至90岁为老年人，90岁至120岁为长寿老年人。由于我国一般60岁办理离退休手续，所以我们倾向于60岁以上为老年人。

## 二、我国老年人口状况及趋势

### （一）我国老年人口状况

根据国家统计局第五次人口普查资料，2000 年我国老年人口的基本情况有如下五点。

1. 老年人口的总况

2000 年，全国总人口为 124 261 万人，60 岁以上的老年人口达到 12 998 万人，80 岁以上人口达到 1 199 万人。

男性老年人口有 6 338 万人，占全部老年人口的 48.76%，女性老年人口有 6 660 万人，占 51.24%。

2 942 万老年人居住在城市，占全部老年人口的 22.63%；1 499 万老年人居住在城镇，占 11.53%；8 557 万老年人居住在农村，占 65.83%。

2. 人口老龄化

2000 年，全国 60 岁以上人口占总人口的 10.46%，此时我国人口的年龄结构已经进入了“老年型”。80 岁以上人口占 60 岁以上人口的比例达到 9.22%。

60 岁及以上老年人口占总人口的比例，市为 10.05%，镇为 9.02%，农村达到了 10.92%。

3. 老年人口的婚姻状况

2000 年，老年人口中，有配偶率为 67.32%，丧偶率为 30.36%，未婚率仅为 1.66%，离婚率只有 0.66%。男性老年人口有配偶率为 77.39%，女性为 57.75%；男性老年人口的丧偶率为 18.45%，女性为 41.68%；男性老年人口的未婚率为 3.18%，女性为未婚率为 0.21%；男性老年人口的离婚率为 0.97%，女性为0.36%。

4. 老年人口的家庭状况

2000年，有65岁及以上老年人的家庭户占全国家庭户总数的20.09%。在全国一人家庭户中，65岁以上单身老人户占27.71%，超过1/4。在全国二人家庭户中，只有一对老年夫妇户占13.41%。

5. 老年人口的受教育程度

2000年，60岁以上人口的文盲、半文盲率达到47.54%。在15岁以上文盲、半文盲人口中，58.81%为60岁以上人口。

老年人口中，小学程度的老年人占36.82%，初中程度的老年人占9.46%，高中程度的老年人占4.12%，大学以上程度的老年人占2.05%。

男性老年人口的文盲、半文盲率为28.43%，女性则达到65.73%。

城市老年人口的文盲、半文盲率为31.08%；镇其次，为41.63%，高出10.55个百分点；而农村老年人口的文盲、半文盲率达到54.24%，超过城市水平23.16个百分点。

(二) 我国人口老龄化的七大特征

全国老龄工作委员会办公室发布的研究报告指出，我国1999年进入了老龄社会，目前是世界上老年人口最多的国家，占全球老年人口总量的1/5。

我国人口已经进入快速老龄化阶段，人口老龄化的压力开始显现。

据《中国人口老龄化发展趋势预测研究报告》指出，与其他国家相比，我国的人口老龄化具有以下主要特征。

1. 老年人口规模巨大。2004年底，我国60岁及以上老年人口为1.43亿，2014年将达到2亿，2026年将达到3亿，2037年超过4亿，2051年达到最大值，之后一直维持在3亿至4亿的规模。

2. 根据联合国预测，21世纪上半叶，我国将一直是世界上老年人口最多的国家，占世界老年人口总量的1/5。21世纪下半叶，我国也还将是仅次于印度的第二老年人口大国。

3. 老龄化发展迅速。65岁以上老年人占总人口的比例从7%提升到14%，发达国家大多用了45年以上的时间，我国只用27年就可以完成这个历程，并且将长时期保持很高的递增速度，居于老龄化速度最快国家之列。

4. 地区发展不平衡。我国人口老龄化发展具有明显的由东向西的区域梯次特征，东部沿海经济发达地区明显快于西部经济欠发达地区。最早进入人口“老年型”行列的上海（1979年）和最迟进入人口老年型行列的宁夏（2012年）比较，时间跨度长达33年。

5. 城乡倒置显著。目前，我国农村的老龄化水平高于城镇1.24个百分点，这种城乡倒置的状况将一直持续到2040年。到21世纪后半叶，城镇的老龄化水平将超过农村，并逐渐拉开差距。这是我国人口老龄化不同于发达国家的重要特征之一。

6. 女性老年人口多于男性。目前，老年人口中女性比男性多出464万人。2049年将达到峰值，多出2 645万人。21世纪下半叶，多出的女性老年人口基本稳定在1 700万~1 900万人。多出的女性老年人口中50%~70%都是80岁及以上年龄段的高龄女性人口。

7. 老龄化超前于现代化。发达国家是在基本实现现代化的条件下进入老龄社会的，属于先富后老或富老同步，而中国则是在尚未实现现代化，经济尚不发达的情况下提前进入老龄社会的，属于未富先老。

发达国家进入老龄社会时的人均国内生产总值一般都在5 000 ~ 10 000美元以上，而中国目前人均国内生产总值才刚刚超过1 000美元，仍属于中等偏低收入国家行列，应对人口老龄化的经济实力还比较薄弱。

专家指出，2030年 ~ 2050年，中国人口老龄化将达到高峰期。

## 第二节　老干部的生理特点

随着年龄的增加，老干部的身体形态和机能均发生了一系列变化，主要表现在：（1）机体组成成分中代谢不活跃的部分比重增加，比如65岁与20岁相比，体脂多出部分可占体重的10% ~ 20%；而细胞内水分却随年龄增长呈减少趋势，造成细胞内液量减少，并导致细胞数量减少，出现脏器萎缩。（2）器官机能减退，尤其是消化吸收、代谢功能、排泄功能及循环功能减退，如不适当加以调整，将会进一步促进衰老过程的发展。

总的说来，老干部身体发展的特点是各器官的生理功能开始衰退，体弱多病。器官功能的退化使老干部感觉功能下降，耳聋眼花；肌肉的萎缩，使老干部形体缩小、个子变矮、肌力下降、力量减弱。此外，老干部的心血管系统的调节功能减弱，心律容易不齐，血压易升高，毛细血管变脆易破裂出血；肺活量降低，呼吸减弱；胃肠道的消化功能减弱，影响食欲和胃口；免疫系统的整体抗病能力下降，使老干部易感冒发热。

老年人在外观上有许多显著的生理变化，如头发变白，稀疏脱落；皮肤多皱褶，弹性降低；颜面和手背等外露部分出现“老年斑”、“老年痣”；牙龈萎缩，牙齿松动脱落；面型改变，步履缓慢，弯腰驼背等。同时，机体的不稳定性增高，反应迟钝。体内水分减少，结缔组织中纤维成分增高，出现脏器萎缩、重量减轻、组织器官的储备能力减弱、适应能力和抵抗能力降低等现象。

下面着重介绍老干部内脏系统、神经系统和睡眠等生理周期的改变。

## 一、五脏功能的衰退

不同的脏器具有不同的功能，不同脏器的虚损也有不同的表现。对老年人来说，人体各个脏器的功能均出现不同程度的衰减。早在古代，《灵枢·天年》篇就曾明确论述了人在40岁以后五脏日益虚损的情况。虽不能完全照搬，一概而论，但毫无疑问，人在步入中年迈向老年或进入老年后，身体会出现以五脏为核心的功能性的逐步衰退和虚损。

### (一) 心

在临床上或日常生活中，许多老年人总感到心悸、胸闷、气短、乏力、不耐久劳、夜寐不安、容易惊醒、眩晕等，而做心电图等检查则又往往是正常的。其实这就是老年人的心脏功能不断衰退的表现。我们知道，心脏在人的整个生命活动中的作用最为重要，其作用就如泵一样，不停地工作，供应全身各部所需要的血液，以发挥各项功能；另一方面其他脏器的功能正常与否也会直接或间接地影响到心脏。因此心脏最容易出现衰退。如果心脏这个泵开始出现老化，供血的功能减退，既会出现心脏本身的不适，如心悸、胸闷、睡眠障碍等，又会引起全身性的不适，如乏力、眩晕等。这也就是我们通常所说的心力不济。因此，我们平时要重视对心脏的保养。

（二）肺

肺主要涉及到人的呼吸功能、免疫功能，并与人体的水液代谢有一定的关系。由于老干部肺的通气功能、抵御外力的能力开始减退，因此，其耐缺氧能力较差，平时容易外感，且不易恢复，对季节交替、气候变化的适应性变差，易发生呼吸道病变。

（三）脾

中医非常重视脾在人体生命活动中的作用，喻其为“后天之本”。因为脾是人出生以后人体各项功能活动所需营养物质的直接来源，并且脾还参与人体的水液代谢。人到中年以后，特别是进入老年后，脾的功能出现不同程度的衰减，主要表现在两个方面：其一，脾对食物尤其是一些不易消化吸收的食物的消化吸收能力减退，引起气血等营养物质的不足，难以供应全身，从而影响到人体的整个生命活动，导致全身性的衰退。其二，由于脾的运化功能减退，其对水湿的运化和调节能力也会下降，进而聚湿为痰为饮。因此脾的虚损，主要表现为食欲减退，或饮食无味，或口味异常，常伴有腹胀，不易消化，大便不调以及肌肉弹性的下降，舌苔腻等。

（四）肝

肝与人体许多功能有关，如人的精神情志活动、食物的消化吸收、气血的运行、运动平衡、月经生育以及解毒等。同时与躯体的爪甲、关节、筋膜以及五官中眼的功能有关。老干部普遍存在着肝脏功能活动的衰减和异常，主要表现在两个方面：

其一是肝的物质不足，若肝血亏虚，肝阴虚损，使肝失所养，则出现胁痛、目涩目糊、入夜抽筋、爪甲无华；其二是肝的功能衰退和失常，其表现是多方面的，如对食物的消化吸收调节障碍，则出现食欲不振、腹胀、嗳气、大便失调；如气血运行失调，则出现胁痛胁胀、月经不调；如对精神情志活动调节不佳，既可表现为肝气郁结的心情不舒，郁郁寡欢，抑郁焦虑等，又可表现为肝火上炎的烦躁易怒，失眠等；如对气机的调节失调，则表现为眩晕、头胀等。

(五) 肾

肾与人体的许多功能和生命活动有关，如人的生长发育、生殖能力、水液代谢、呼吸功能以及人的寿命的长短、衰老进程的早晚等。在老干部中肾亏的现象十分普遍，而且随着年龄增长而增多。据统计，肾虚的出现率在 30～40 岁为 40%，40～49 岁为 60%，以后每增长 10 岁，肾虚比例递增 10%，80 岁以上则为 90%以上。人在进入老年以后，普遍会出现精力不济、体力下降、发疏发白、牙齿松动脱落、记忆力下降、性欲减退、生殖力下降乃至丧失，腰膝酸软、听力减退、耳鸣、夜尿频多等，这些表现都与肾亏有关。

综上所述，老干部普遍存在着五脏虚损，当然不一定每个人同时出现五脏都虚损，或虚损的程度一致，但毫无疑问，老干部往往存在多脏器、多功能的衰减和衰退。

## 二、神经系统的变化

老干部的大脑皮质开始萎缩，脑回变窄，脑沟变宽，使得整个大脑的功能下降，包括大脑调节内脏的功能和大脑的心理功能都普遍下降。大脑调节内脏的功能下降使得老干部的躯体、内脏不适感增加，内脏的功能进一步减弱；大脑的功能下降，使得老干部的认知能力、思维能力、整个的智力水平都开始下降。

老年神经系统形态的生理性老化改变包括：脑萎缩、神经细胞消失、树突的变化、脂褐素增加和线粒体形态结构的改变等。

（一）脑萎缩

脑的重量减轻是脑的最明显的老年性变化。脑量在20～30岁时最重，以后逐渐减少；60岁后变化明显，重量可减少50～150g；80岁时，最多可减少17%。最近的影像学研究表明，脑所占颅内容积的比率20岁时最高，以后递减；40岁减少开始加速，结果表现为脑回变窄及脑沟加宽、加深等皮质的变化，其主要发生在皮质的额叶，其次是顶叶和颞叶。相比之下，白质的减少更为显著，70～90岁时白质体积减少约9%以上，而皮质只减少2%～3%。

另外，脑体积的减少，男女之间可能有差别。根据影像学研究，女性50岁时已有明显的脑萎缩，而男性在60岁时才出现，病理结果与此相似。女性脑重量的明显减轻首先出现在60岁时，而男性直到70岁才出现。

（二）神经细胞消失

脑的萎缩当然是其构成细胞的减少所致，其中最重要的是神经细胞的消失。神经细胞是分裂终末细胞，一旦消失，便不能再生，也就是说，神经细胞出生后不能再增加而是逐渐减少。20岁以后每日有10万个神经细胞消失，60岁时就有365×40×10万个即14.6亿个神经细胞消失。

神经细胞的消失普遍存在于脑，但其程度却因部位不同而有差异。通过研究大脑皮质神经细胞数量从青年到老年的变化，发现神经细胞数目的减少以颞上回、额上回、中央前回以及纹状区最明显，其次为中央后回和颞下回。细胞丢失过程可能发生在两个时期：在65~75岁，细胞丢失的速度很快，丢失量约为27%；而在75~85岁，速度减慢，丢失量约为13%。小脑浦肯野细胞，每年丢失量约为2.5%，且大部分发生在60岁以后。另外，脊髓腰、骶段运动神经细胞和后根神经节的感觉细胞的丢失在60岁以前几乎为零；在60岁以后，平均丢失量为25%。

（三）树突的变化

随着年龄的增加，皮质功能受到损害的另一个原因可能是树突的变化。正常情况下，皮质神经细胞的受体95%在树突，树突的远端和基底部都随年龄发生质的变化，即树突的分支数减少、树突及树突棘的分支复杂性降低。

然而，并不是所有的变化都如此令人悲观。最近10年的研究表明，正常老化过程中，脑可能存在对老化的适应性补偿功能。有研究发现，40~60岁年龄组与70~80岁年龄组老人相比，后者的大脑皮质和海马的某些区域的树突分支明显增生，这种变化可延续到100岁高龄的老年人。由此可见，衰老中的皮质，不仅含有退化趋向死亡的神经元，而且还有正在生长中的神经元，这种代偿性的树突增生可能是老年人皮质没有明显萎缩的原因，但是轴突并不存在这种代偿性的增生现象。

（四）脂褐素增加

脂褐素一般存在于细胞溶酶体内，由60%的蛋白质、20%的脂质和10%的糖等组成。它是由于溶酶体功能降低，不能将摄入细胞的大分子物质分解成可溶性分子排出而形成的。也有人认为是溶酶体缺少某些脂类代谢所需要的酶而造成的。

神经细胞浆内脂褐素随年龄的增长而在神经元中呈直线型增加，它的增加可以反映神经系统衰老的组织学特征，是增龄的标志。

（五）线粒体形态结构的改变

随着增龄，线粒体平均体积增大。老年人线粒体总体积下降，是由于线粒体数量减少所致。线粒体平均体积增大，可能是对线粒体数目减少的一种代偿性改变。与增龄有关的线粒体数目减少是由于线粒体蛋白质合成衰退所致。

## 三、老干部睡眠等生理周期的变化

众所周知，睡眠是人类最重要的生理现象之一，睡眠使人得到休息，让白天活动所消耗的精力得以恢复，以利于明天新的工作和一切活动。人的一生大约有 1/3 的时间是在睡眠中度过，由于年龄的不同，老年人与儿童、成年人的睡眠是各不相同的。

正常情况下睡眠和觉醒是一个自动的生物节律。一般都是白天觉醒，从事各种活动，晚间睡眠以恢复白天活动的精力，这是包括人在内的大多数动物所共有的生物周期。如经常倒夜班的人，往往把原来应该睡眠的时间变成紧张工作的时间，把原来觉醒的时间当作睡觉时间，这种改变，使人该工作的时候迷迷糊糊，该入睡的时候又睡不着，引起种种不适。

神经系统有一部分叫做“上行性网状结构系统”或“边缘系统”。这是许多神经纤维在脑深部的结构，它的功能是把各种内、外环境中活动的信息综合后，发送到大脑皮质的各个部位。这种信息并不要求大脑对之作出即刻的反应——反射。而只类似于我们生活中的“情况通报”，让这些神经系统的高级部位“了解”体内、外发生的各种活动而已。而这些不断发至大脑皮质的冲动就维持了大脑皮质的觉醒状态或警觉状态。因而也叫做“上行激活系统”，由此上行的冲动如果强烈，大脑的兴奋程度就高，轻微刺激就可以引起反应；由此上传的冲动如果弱，大脑的兴奋程度就低，即使看起来是醒着，也会出现视而不见、听而不闻、反应不敏锐的情况。

老干部一般易患嗜眠症或失眠症。

老干部患嗜眠症可能有两个原因。一是上行网状结构上传的激活冲动减弱了，这是老化带来的整体兴奋减退的一部分，重的表现为嗜睡，轻的表现为迟钝、无欲，他会呆呆坐着，眨巴着眼，或者面无表情地躺着，叫一声还可能不理睬你，但他也确实并没有在想什么。另外还有一个原因是“脑供血不足”。大脑是人体最重要的器官，在直立活动中又处于人体最高的位置，最容易因为各种原因而供血不足。故正常人脑的供血量是实际需要的两倍，以保证即使因为种种原因而供血不足时也能维持正常的功能。进入高龄期后，动脉有不同程度的硬化，供血不同程度地减少，这两个因素结合起来，在安静时就很易入睡。

针对上述情况，改善的办法有两个。一是老有所为，经常有事想，有事做，有兴趣，经常接触各种事物，增加一些兴奋，以保持上行激活系统的兴奋性，延缓其减弱过程；二是经常进行体育锻炼，使全身的血管维持相当的紧张程度，避免一安静下来，周围的血管张力就降低，致使血压降低、脑子的供血不足的情况。

失眠症一般发生在中年后期或进入老年期后。表现为易早醒，往往在半夜或清晨两三点钟醒来后再也不能入睡，在床上辗转反侧，到天亮时再迷迷糊糊地睡上一会儿；同时睡眠的深度变浅了，即使睡了也不很深，有轻微响动都会被吵醒，往往睡睡醒醒，因此有的人觉得他是整夜未睡。由于睡眠浅，所以白天易感到昏沉无力，精神不振，有些人甚至心神不定。

这些都是老年人睡眠的正常现象。大多数老年人都如此，不必焦虑，这不会影响到身体健康。夜晚睡不深，当然白天会感到倦怠无力，老是想瞌睡。这时就要见缝插针地去补充睡眠，当感到想睡时就不要硬撑，尽可能放下手中的工作，坐下来闭着眼睛“睡”一会儿。这种睡觉时间很短，有时只要2~3分钟，即可收到消除疲劳的效果，因此有人称这样的短暂睡眠为“充电式睡眠”。如果手中的事不能放下，待做完事后立即睡一下，或者白天在生活与工作中寻找机会睡一下。

其次，也可以用其他方法“提神”，比如散步、听音乐、下棋等活动都是使大脑得到积极休息的方法，这要根据各人的生活习惯和兴趣而定。生活规律是最重要的，晚上早点睡，早晨即使醒得早也很正常，醒来后即起床活动。

早醒是个正常的现象，一般不必吃药，最重要的是正确认识这种现象，不必为此焦虑。如果真正出现“通宵不眠”的情况，那么肯定是有原因的，不是环境不安静，就是身体上不舒服或者心情不舒畅等，要找出原因，加以克服。即使需要服药，也要在医师指导下服用，不要自己随意乱服。

总之，老化是一个渐进的过程。但是，只要注意保健，就可延缓衰老。在现实生活中，老化现象存在着很多个体差异，“心理年龄”和“生理年龄”未必一致。如有的人年龄不大，却未老先衰；而有的人年龄虽很大，却老当益壮。

## 第三节　老干部的心理特征

人到老年，生理活动的变化、生活环境的变迁，不可避免地产生一系列的心理变化。其变化特征主要有以下几点。

### 一、智力特征

智力是一种潜在的、非单一的能力，它是一种知觉分析和理解信息能力的复杂的混合体。这种智力到老年后，随着年龄的进一步增长而下降，但其严重程度差异很大，且与心理因素有密切关系，有的因信心不足，自认为有减退，而实际情况并不严重。一般老年人的记忆和计算能力会显著下降，而词汇和一般常识并不受很大影响。记忆减退以近事遗忘为主，刚做过的事或讲过的话记不起来，以致经常找东西甚至怀疑被窃，而随意谴责他人；由于远事记忆衰退不明显，所以常唠叨往事，留恋过去，讲话啰嗦重复，而对新事物不容易接受，学习新知识、掌握新技能的能力下降，遇到不熟悉的工作时容易感到疲乏、沮丧与激怒。总之老年人在记忆力、计算力、言语能力和空间构图能力方面比中年人有明显的下降，但在定向力方面则无显著变化。

### 二、记忆特征

老年人由于年龄原因，人体结构与功能日趋老化，各系统功能均有所减退，记忆力减退就是比较突出也比较普遍的现象。对近期发生的事记不清，刚刚做过的事情一会儿就忘记了。有些老年人很幽默地自称为“老糊涂”，且自己能接受此现象，认为人老了，记忆力减退可以理解。其实，影响记忆力的原因，除生理功能改变外，还与社会心理因素有直接的关系。

老年人因感觉不灵敏、注意力下降，从而使得刺激记忆的内容减少；尤其是退休的老年人，接触的人和事物有限，不再承担工作任务等，易产生空虚无聊感，从而情绪不振，也会影响记忆；在生活事件中，丧偶或配偶生病等重大事件会使老年人的心理问题更为严重，记忆也随之锐减；此外，高血压、高血脂等心血管疾病所引起的记忆力障碍，也呈上升趋势。

值得注意的是，无论是哪种原因引起的记忆力下降，均应引起重视，因为记忆力障碍会给家人及患者带来诸多不便。为延缓记忆减退和减轻衰退程度，发现后应及时就医，明确诊断，及时治疗。当然，并非所有老年人都有记忆障碍。一般来说，善于用脑、勤于思考的人，意志坚强、性格开朗、心情舒畅、发愤图强的人，往往到了老年仍然保持完整的记忆力。在我们周围有许多七八十岁的老人耳聪目明，反应灵敏，仍然从事着自己热爱的工作和事情，孔子曰：“学而不已，盖棺乃止；学而不厌，诲而不倦。”老年人也应持有良好的生活态度，努力学习，严格要求自己，加强记忆力锻炼，是能够防止或延缓记忆力减退的。

## 三、性格特征

一般而言，人的性格并不会因老年而发生巨大的改变，老年人性格的变化常发生于对某些事件的反应上，如退休、丧偶、失去独子、收入减少及疾病等。但没有一种性格类型普遍适合于所有老年人，据各国学者对老年人性格类型的研究，基本上归结为以下几个类型。

（一）快乐型

这类老年人通常身体健康，长寿者较多，他们能顺应退休后的角色，热爱自身，热爱生活，常用自己感兴趣的活动来度过闲暇时间。

（二）慈祥型

这类老年人性情平和、胸怀宽广、乐于助人，人际关系较好、很善于控制和调节自己的情绪，精神生活充实，有利于心理生理健康。

（三）自恨型

也有人将此类老年人称之为孤独型。这一类老年人性格内向者居多，他们总是认为别人不愿和他们交流，因而处处孤独闭塞，很少向外表露自己，对一切事情持悲观态度，是一种典型的适应不良行为型。

（四）暴躁型

这类老年人性格外向、脾气急躁，时常为小事而与他人争吵，结果在性格上由于别人的“敬而远之”而使他们日益孤独和怪僻，情绪不稳，易患心血管类疾病，有损身心健康。

（五）猜疑型

此类老年人亦可称作忧郁猜疑型。这类老年人平时少与他人接触交往，对现状不满，郁郁寡欢，忌妒心重。猜疑心理的发展，是一种精神老化现象，是由于老年人感知能力衰退而引起对外界再认识的困难。

## 四、情感特征

### (一) 心理平衡能力减弱，情绪不稳定

随着年龄增长，脑动脉逐渐硬化并伴有脑神经细胞老化脱失，调节机能减退，自我控制能力差，情绪容易波动。其情绪激动程度与所遇到的不随心事件的严重程度并不相对应，易出现焦虑抑郁反应，也容易产生伤感情绪。

### (二) 容易产生固执、猜疑、妒忌等不良心理

由于长年的生活养成，老年人的个性心理特征更加明显，他们倾向于固执地坚持自己的习惯、观点和爱好，不赞成别人的意见和看法，更无法轻易改变自己。由于习惯心理、定型个性而对一切变化和新事物常常惴惴不安，极力反对，盲目排斥。随着判断和理解能力的下降，常使一些想法变得突出而顽固，严重的可发展成为妄想。由于不自觉地坚持自我中心和自我防卫态度，因而对什么都表示怀疑。又由于自尊心的明显增强，对周围人产生不信任感，常计较他人的言语举动，猜疑对方怀有恶意。有的甚至由怀疑发展到妄想，总以为别人要谋财害命，以致心神不宁，也有的因此而变得抑郁或悲伤，甚至自杀。有的气量变狭小，计较琐碎小事，容易生气，见到他人健康幸福而产生妒忌心理。老干部离开数十年辛勤工作的环境，常因工作解除、生活清闲而感到空虚，因余力无处发挥而感惆怅，因离开工作集体而形成一种失落感。家庭生活环境也发生变化，子女的独立门户、丧偶、丧子等都会使老干部产生孤独感；老干部还因生活能力下降、社交圈缩小、失去同伴而产生沮丧感。新的生活、新的适应都摆在老干部面前。

(三) 产生自老心理

自老心理是主观上觉得“自己已经上了年纪，成为老人了”的心理状态，即意识到自己老了。首先，是身心状态的变化、感觉能力的降低。如步履艰难、牙齿脱落、易疲劳且恢复缓慢、气力衰弱、性欲减退、食量减少、工作效率降低等。其次，是社会环境的改变。如退休、子女分居、亲人死亡等。再次，别人把自己奉为老人，在生活上处处当老人对待，口口声声“老师傅”、“老前辈”，极易使老干部产生迟暮之感。衰老感一经产生，就意味着一个人精神已经老化，失去了生活的积极性。由此可导致意志衰退、情绪消沉，进而加速生理上的衰老和心理功能的降低，或导致、暗示出新的疾病。“畏老老转迫，忧病病缠身”。衰老感是老干部心理生理老化的加速剂。

总之，老年期的情感活动不同于青、壮年，人到老年，不仅是对人生的总结，而且也是对疾病的总结。不少老干部都患有这样或那样的疾病，有的疾病到老年期则见加重，诸如脑动脉硬化、高血压、冠心病、脑中风等容易使老干部产生孤独、焦虑不安、抑郁等情绪，使老干部变得很暴躁，易发脾气，同时情感活动亦很脆弱，稍有不适则伤心流泪。此外，老干部容易回顾过去，往往对过去的岁月追思不已，缅怀死去的亲人、朋友以及逝去的光阴。有坎坷经历的回忆，会增加忧愁、烦恼，亦可导致抑郁情绪的出现。因此，老干部要善于控制自己的情绪，调节自己的情感。

综上所述，人到老年阶段有其独特的心理变化。其心理既受身体功能退化的影响，又与其所处的社会环境密切相关。这些心理变化特点与老干部的健康状况有着十分密切的关系。但在现实生活中，这些心理变化没有引起老干部自身及其家人的注意，直到严重反常的阶段才被其本人或家人所重视，但往往已经迟了。因此，老干部自己和家人以及社会各方都应当更多地了解和关注老年人的心理变化，谋求老干部高水平的、全面的健康，使老干部在辛劳一辈子后能愉快舒畅、安享晚年，这具有重要的现实意义。

# 第二章

# 老干部的心理保健

- 老干部的心理调适
- 离、退休的心理适应
- 婚姻家庭中的心理卫生保健
- 心理健康与长寿

# 第一节　心理卫生常识

## 一、心理健康的一般标准

与生理健康相比，心理健康的评价标准是一个新课题，不像生理健康的标准那样具体、准确和明显。对于心理健康状况的划分，心理学家们作出了比较深入的研究，指出了不同的评价标准。但心理健康与否、正常与否的界限具有相对性，很难形成绝对客观一致的划分标准。正因为如此，心理卫生界对于心理健康的标准尚没有形成统一定论，只形成了一些基本共识。

1946年第三届国际心理卫生大会曾为“心理健康”下过这样的定义：“所谓心理健康，是指在身体、智能以及情感上与他人的心理健康不相矛盾的范围内，将个人心境发展成最佳的状态。”同时，本次大会还具体明确心理健康的标志是：(1)身体、智力、情绪十分调和；(2)适应环境，在人际关系中能彼此谦让；(3)有幸福感；(4)在工作和职业中能充分发挥自己的能力，过有效率的生活。

综合各方面的论述，我们认为，老年人心理健康的标准有如下几点。

1．感、知觉尚好，稍有衰退者，可通过戴眼镜、助听器等方法弥补，判断事物不常发生错觉。

2．记忆良好，能轻松地记住一读而过的7位数字。

3．逻辑思维健全，说话不颠三倒四，回答问题条理清晰。

4．想像力丰富，不拘泥于现有的框框，做的梦常新奇有趣。

5. 情感反应适度，积极的情绪多于消极的情绪，对事物能泰然处之。

6. 意志坚强，办事有始有终，能经得起悲伤和挫折。

7. 态度和蔼可亲，能知足常乐，能制怒。

8. 人际关系良好，乐于助人，也受他人欢迎。

9. 保持学习的兴趣，能坚持在某一方面不倦地学习。

10. 有正当的业余爱好，如养鱼、下棋、种花等。

11. 与大多数人的心理活动基本保持一致。

12. 保持正常的行为，能坚持正常的生活、学习、工作和活动。能有效地适应社会环境变化。

## 二、心理卫生保健的内容

心理卫生保健事业的兴起与社会的发展、生产力的提高、文化科学技术的进步是密切相关的。古人管仲云：“衣食足而后知荣辱。”随着人们物质生活水平的改善，加强人们精神生活的建设已成为当前的一项重要任务。

心理卫生保健的内容十分广泛。就总体而言，它既包括社会不同群体的心理卫生保健，如家庭、学校、工厂、矿山、部队等；又包括不同年龄阶段的个体心理卫生保健，如儿童、少年、青年、中年和老年的心理卫生保健。

美国是世界上较早开展心理卫生保健工作的国家，重视儿童和青年的发育期及老年人的心理卫生保健工作，加强心理卫生保健和心理障碍的防治工作，让病人置于家庭和社会中进行治疗和处理；并重视培训专业人员和健全各级防治机构等。日本在这方面也做了许多工作，先后制订了精神卫生法、精神发育不全福利法，对此类病人实行福利措施；成立了特殊教育学会、日本临床—心理学会等专门机构；并吸收欧美的经验，走日本自己的预防之路，在社会上积极开展心理卫生保健周活动，主要宣传普及有关心理障碍及心理卫生保健的知识，开展启蒙教育活动。我国心理卫生保健工作是由西欧传入与普及的。在建国前，除一些大城市建立了少数设备简陋的精神病院外，真正的心理卫生保健工作并未得到发展，大量的病人无医可就。由于专业人员的奇缺，根本谈不上预防保健，更缺少心理卫生保健知识的宣传普及，人们对心理障碍病人存在严重的歧视和偏见。到20世纪40年代，我国才创建了心理卫生保健协会，但并未从事任何有效的活动。建国后，党和政府对此较为重视，先后制定了各种规划，提出对心理障碍病人要采取群防群治、中西医结合，以及躯体治疗和心理治疗并举的对策。近10多年来，我国心理卫生保健事业得到了前所未有的快速发展。上海、北京、湖南、南京及中国人民解放军相继成立了心理卫生保健研究机构。有关的青少年犯罪、婚姻问题、老年心理问题、自杀问题及军事人员的心理卫生保健，正引起社会各界的普遍关注。

## 三、心理卫生保健的作用

众所周知，人是心理、躯体的统一整体，而大脑又是人的“总司令部”，在大脑皮质的指挥下，人体各器官、组织协调一致地活动。人的生理活动会影响心理活动，当生理发生障碍时则会引起心理的异常；相反，心理活动也会影响生理功能，当心理发生障碍时，可致生理的不适，甚至出现病理性改变。如一个人长时间悲观失望、焦虑不安、忧郁烦恼，则易引起免疫功能下降，而易感染某种疾病，并易加快衰老的进程。反之，如一个人生活充实，满怀信心，情绪稳定，那么，生理功能活动就可能处于正常状态，吃得饱、睡得香、精力充沛。可见，心理卫生保健直接关系到人的心理、躯体健康。因此，要想心身健康和健康长寿，就必须注重心理卫生保健。

我们每个人都生活在社会这个大环境中，与各种各样的人和事打交道，会遇到各种各样的矛盾，因此心理也无时不在发生着变化。一个人的心理状况，不仅会影响周围人的情绪，而且对其家庭幸福乃至身体健康，都会产生巨大影响。近年来，随着心身医学的发展，人们逐渐认识到，人的心理状况与疾病是密切相关的。假如一个人诉说身体不适，除了要考虑他有什么躯体性疾患之外，还要了解一下，是否有某种社会心理因素在推波助澜。

心理不仅对人们的选择趋向发生作用，对人们的好恶爱憎也产生作用，还对人们的成功失败产生影响，更影响着人们的健康甚至寿命。越来越多的科学研究证明，某些癌症、冠心病、高血压和精神疾病，都与心理因素关系密切。西方发达国家十分注重对人的心理学研究，因为他们已从中得益很多。随着我国工业化的迅速发展，人们的生活节奏在加快，竞争日益激烈，人的心理障碍也在剧增，而与心理因素有关的心身疾病也日益增多。

## 四、老干部的卫生保健原则

基于老干部的生理特点、心理状况及其社会变化，我们可以设计一套增进老干部卫生保健的提纲，它从理论和实践上都应具有一定的指导意义。其原则有如下四点。

(一) 提高心身健康水平、增强体质

随着衰老和体弱多病，名誉地位已不再像以前那样有现实意义了。有个健康的身体，行动方便，能随心所欲地参加家务劳动和社会活动，那才是老干部最大的幸福。体弱多病，给老年人带来种种躯体不适，如疼痛、便秘、食欲不好、消化不良和睡眠障碍等，可导致焦虑及朝不保夕的不安全感。由于患病、行动不方便，不但与社会交往减少，甚至料理个人生活也很困难。因久病引起某些儿孙的厌烦冷淡；医药费用的开支加重，致使实际生活水平下降，这些都可增加老干部的孤独、寂寞、与世隔绝、悲观失望、自叹自怜和厌世之感。处于此情此景，哪有幸福愉快可言。

对老干部的幸福来说，其健康的自我评价，比实际的健康状况更具重要意义。这种自我评价包括两个标准，即实际健康水平的高低和老干部对疾病不适感的态度。自我健康评价高的老干部，其晚年幸福高于自我评价低者，而自我健康评价低的老干部，由于对疾病的过分担心、焦虑、病感的增强、对死亡的恐惧，而整日忧心忡忡，十分不利于自身的心身健康。在老干部心身健康的实践指导中，应实事求是，指导老干部正确评价自己的健康状况，对健康应持乐观态度。

健康的好坏还影响老干部的认识活动。健康不良者，多有日益衰老和死亡临近感，因之悲观、绝望甚至想早死了事。由于健康不良的影响，老干部自感跟不上社会发展的步伐，自暴自弃，称自己是思想僵化、知识老化、血管硬化，即将火化的“四化”干部，足见其悲观消极的态度。

健康对老干部幸福的影响比经济水平的高低更重要。我们发现，即使是低收入的老干部，如其对自我健康评价高，则其晚年的幸福感也高，“乐天安命，怡然自得”。相反，富裕的老干部，如对自我健康评价低，虽然钱多，却不一定感到幸福。

因此，应加强老年医学的研究，特别是对老干部的常见病和多发病的研究，并改善老干部的卫生保健措施，以提高老年病的防治水平。

（二）维持与社会接触

国内的调查表明，有1/3的老人不愿意退休，健康的退休老人中，有50%希望继续工作。老人深感社会生活的重要性，他们通过各种方式，走向社会，保持与人交往，从社会生活中寻找友谊、精神寄托和生活的动力。老干部希望通过新的社会角色身份，发展自我实现，以补偿他们社会活动范围的缩小。老干部参加社会工作，是人生价值观的体现，他们力图摆脱衰老的限制，回归社会，在继续学习、工作和与人交往中摆脱空虚感和孤独感，以求得精神上的充实与愉快。同时，社会对老干部成就的肯定，以及对老干部的尊重，都会增强老干部的自尊心和荣誉感。所以，为他们提供发挥余热的机会，使他们对社会有贡献、有作为，有精神充实的愉快，这是老干部心理卫生中不可缺少的内容之一。

（三）家庭和睦

生活有子女体贴照料，有病能及时诊治，经济上有保障，父慈子孝，就会使老干部感到温暖。家庭成员间和睦，友爱互助，而使老干部备享天伦之乐。有些家庭，尊老传统受到破坏，子女对老干部的生活不闻不问，把老干部选为勒索和役使对象，老干部在精神上备受折磨，出现焦虑、抑郁，并有万念皆空、前景渺茫之感。在这种不愉快的逆境中，假如老伴尚存在，还可相依为命，互相照应体贴。一旦老伴去世，孤单一人，实难适应这种悲惨凄凉的晚景。所以，帮助丧偶老干部在自愿的前提下重组家庭，对于孤寡老干部的心理卫生也是一个主要环节。

(四) 生活富于艺术

为了更好地安排晚年生活，提高生活情趣，应坚持如下原则。

1．生命在于运动。老人不能太清闲，只要不过分劳累和紧张，生活安排得张弛有度，对心身健康有好处。

2．爱劳动。从家务劳动做起，也可做些力所能及的社会义务劳动，并体会其中乐趣。

3．培养兴趣和爱好。根据自己的文化水平、爱好和条件，自由选择。琴、棋、书、画或栽花、养鸟、钓鱼、体育锻炼等，都可以培养老人对生活的热爱，既可体会人生的乐趣，又可陶情冶志，养生益寿。

4．交朋友。相互多联系，在人与人交往中，可以交流思想、抒发感情、互相安慰鼓励、交流生活的经验。这种交朋友活动，可以减少孤独空虚和消沉之感，体会到人间有友谊，无处不温暖。

5．活到老，学到老。要关心国家大事，读书、看报，不断更新知识。有造诣的知识分子，尚可在晚年著书立说，总结一生经验。

6．不可沉溺于某种爱好。通宵达旦地打牌、下棋，或久看电视，自不量力地过劳旅游，都是应当禁忌的。

## 五、老干部的心理卫生问题

### (一) 退休后的社会适应

退休后，老干部从有明确的工作任务、每天有较多人际关系交往的社会性环境，一下子退到狭小的家庭圈子里，生活的内容和节律都发生很大变化。这时，很多老干部会产生烦躁、抑郁、自卑情绪，感到无所事事而又无所适从。此时，必须尽快调整心态，首先要从思想认识上去解决问题。一旦摆正了位置，建立了新的生活秩序，就可渐渐习惯下来。退休生活必须以新的内容来充实，这样才能使人消除失落、空虚和孤独感。

### (二) 搞好家庭关系

老干部退休后的主要生活范围是家庭。因此，家庭的结构、家庭成员彼此间的关系、老干部在家庭中的地位等，都对老干部的心理状态有着明显的影响。家庭和睦与夫妻恩爱是老干部长寿的重要原因。夫妻间互相尊重、互相关心、互相帮助是至关重要的。尤其是在生活出现曲折（如患病、经济出现困难）时，更要同舟共济，携手共进。家庭中，成员要尊重彼此的人生观、价值观和生活方式，这样才能消除隔阂，融洽关系。

### (三) 克服对疾病和衰老的恐惧感

人到老年，机体各器官会发生一系列的生理变化，如皮肤松弛、脂肪增加、老年斑出现、头发变白、性功能衰退等，这些都是客观现象、自然规律，疾病的发生也是情理中的事，过分的担心和恐惧，只能加快老化过程。正确的做法是加强锻炼，加强营养，预防疾病的发生，减缓机体的衰老步伐。一旦发生疾病，要及时配合治疗，以使机体尽快康复。

# 第二节　心理健康与身体健康

心理健康与身体健康有着极其密切的关系，这一点，在上古时代人们就有了比较明确的认识。《庄子·在宥》指出：“抱神以静，形将自正。”《素问·上古天真论》说：“精神内守，病安从来。”这两句话从心理稳定和平衡的角度分别论述了精神与健康、精神与疾病的关系。所以，我国传统文化和医学历来提倡养心健身、修德延年的思想。

现代社会，人们通过大量的医疗实践和科学研究，逐步揭示了心理与生理之间的内在联系，为人类从精神角度入手，防病治病、延年益寿，打下了坚实的理论基础，提供了有力的实践指导。作为一个现代人，对精神健康与机体健康的关系应当有比较深刻的了解。

## 一、心理因素与疑病症

俗话讲，疑心生鬼怪。世界上原本没有鬼和怪，但若你思想上认定有，在某些因素诱导下，说不定有一天你真会在某一特定场合下撞见“鬼”。对于疾病也是如此，有的人本来没有病，由于某种原因，心理上怀疑自己患了某种病，越疑越像，越像越疑，以至于真的像重病缠身，陷入不能自拔的痛苦之中。这就是所谓“疑病症”。

疑病症的患者大多性格敏感多疑而又过于关心自己的健康状况。医学上常将其归于神经症类疾病（旧称“神经官能症”），包括神经系统功能失调的疾病。此类疾病，主要是精神因素起作用，临床表现多种多样，其特点是：根据目前的检查技术不能发现与其症状相应的形态方面或病理方面的变化。通常有神经衰弱、癔病、强迫神经症及心血管神经症、胃肠神经症等内脏器官神经官能症。这类病药物治疗难以奏效，通过心理治疗，一般都能痊愈。

## 二、心理因素与猝死

猝死，亦称“急死”。指的是外表健康的人，在某些外因作用下（情绪刺激、疲劳等）突然发生非暴力死亡。引起猝死的情绪刺激，可能是兴奋，如有人在玩扑克时因大胜而送命；也可能是动怒或惊恐。

生理学家们认为，一桩突发性事件可以激起生物机体两种类型的应急反应：一类是“迎击”或“逃脱”；一类是蜷缩或静守。前者动员机体能量迅速作出反应，后者保存机体之精力。就像穿过马路时，遇到急驰而来的汽车，抑或快速奔跑穿过，抑或站立不动，让汽车擦身而过。有关研究者认为，这两种矛盾的机制若同时触发，特别是对原来就存在心脏疾患的病人，可能导致心脏功能紊乱，甚至引起具有致命危险的心搏节律异常。但在相同的刺激下，为什么有的个体会猝死，有的个体会安然无恙呢？这主要是因为个体的精神承受力不同。

事实上，对突发事件承受力的大小，既决定于自身体质的强弱，也决定于精神坚韧的程度。作为机体极端表现的猝死，其实并非像它表面看起来那样是突如其来的。有关的医学报告认为，猝死通常是一系列应激事件链条中的最后一环。早在死者去世前数月之间，他们大多已表现出某种程度的精神紧张、忧郁沮丧、消极悲观、愁绪重重。中国成语中有“心力交瘁”

一词，这里的心，就是指精神。猝死者死前常常处于这种精神与体力都难以支撑的心力交瘁的状态，而且起主导作用的是精神方面：高度紧张或极端消沉。可见人们在日常生活中要特别注意培养自己的心理素质，不急不躁，随遇而安，以宁静、平和、无烦恼的心理状态待人处事，做到得意淡然，失意泰然，避免乐极生悲和忧愁伤身。

## 三、心理因素与疾病的发生发展

现代医学的进一步研究证明，心理因素与免疫机能密切相关，持续的精神不振会使免疫机能降低，机体杀伤、吞噬病原微生物的能力减弱，干扰素水平低下，这些变化会使呼吸道防御机能暂时减退，从而给呼吸道病毒以“可乘之机”，使发生感冒的机会大大增加。美国哈佛医学院的研究人员证实，分泌型免疫球蛋白下降与身心紧张程度密切相关，而唾液和鼻黏膜中的这种分泌型免疫球蛋白能对抗感冒病毒。专家们研究发现，长期精神紧张、悲观孤僻、忧郁沮丧、逃避现实，即精神负担较重的人，感冒发病率是正常人的3～5倍。

由于心理因素影响到机体的免疫系统的状态和内分泌功能，所以，精神因素不仅能降低人对感冒、结核等传染性疾病的抵抗力，而且会影响到人体对多种非传染性疾病的抵抗力。有关资料显示，个人性格、精神状态，对于像类风湿关节炎这类疾病有明显影响。长期处于精神紧张状态，会削弱机体对疾病发生的抵抗力。现在，越来越多的医生相信，由精神因素引起的疾病数目比躯体症状上表现出来的还要多。暴怒、悲愤、悲哀、沮丧等负面情绪能削弱人们对疾病的抵抗力，欢乐、喜悦、温情等正面情绪能保护或恢复人的健康。

上述情况，把人们引入了一个被称作“精神免疫”学的医学新领域。它启示我们，在某些情况下，导致抗病力减退的并非是那些漂浮于我们四周的种种致病因子或环境因素，而在于自身。因此，应当肯定地指出，心胸豁达、情绪乐观，是防病强身不可忽视的一个重要方面。

## 四、心理因素与疾病的治疗效果

心理因素不仅影响到疾病的发生发展，而且还会直接影响到已患疾病的治疗效果。病人心里想什么、相信什么不相信什么、情绪怎样，这些心理因素对疾病的控制与治疗会产生直接的影响。

心理学认为，每一个患有严重疾病的人都患有两种疾病，第一种是诊断出来的躯体疾病，第二种是心理上的疾病。大量的医疗实践已证明，人在和疾病斗争的过程中，精神力量的巨大作用不容忽视。尤其是对于像癌症这种严重疾病，心理因素对治疗效果具有举足轻重的影响。临床实践表明，癌症病人保持愉快的情绪，有利于增加免疫细胞的活力，从而抵制肿瘤的生长。此外，良好的精神状况还可增进食欲，改善体质，进一步提高疗效，提高癌症病人的生存质量，有时甚至可使癌症自愈。

相反，不良的情绪会加速病情的恶化。有一些病人，尤其是平时健壮从未生过重病的人，在求医诊断确定患严重疾病之后，病情会急剧恶化。这是因为：一方面这些病人对这“突如其来”的疾病缺乏足够的精神准备，思想压力过大；另一方面，人的机体和疾病又具有一种按预定方向发展的倾向性。患有恶性病的诊断，对许多人来说，无异是一种“死亡”的宣判。当病人在思想上以死亡的厄运代替了生存的信心时，这些人的精神和情绪就会发生崩溃性的变化。在这种心理状态下，体内免疫系统就会进一步削弱乃至丧失，病情随之就会加剧恶化。

总而言之，在与病魔作斗争的过程中，病人的情绪和心态是绝对不可轻视的。能否创造一种良好健全的心理环境，对于能否有效地与顽疾周旋，直至战胜之，具有极其重要的作用。我们切不可因病而丧失信心和勇气，只要有“死到临头何所惧”的无畏精神，就可能在医生的积极救护下，从死亡线上起死回生。若是惊慌失措、恐惧不安、抑郁绝望，甚至被等待死亡的消极精神状态所笼罩，即使病情不是像病人想像得那么严重，也会因机体本身受病人精神的高度压抑，把外界药物的治疗作用大大抵消或降低，其后果将是不堪设想的。

现代研究表明，心理状态不仅影响治疗效果，甚至可以直接利用心理想像治疗。美国科学家对威胁人类的顽症——癌症实施信念疗法，让患者安静地想像癌肿部位正在接受化疗或放疗，想像射线和药物不断将癌细胞杀死。每天想像 3 次，每次 30 分钟。结果发现，接受试验的患者存活期明显地延长了。159 位被医生宣布活不到一年的癌症患者，经过想像疗法治疗，平均存活期延长了 20 多个月。因此，科学家们相信，随着科学技术和医学的进一步发展，以及对大脑功能的进一步认识与掌握，人类必将更多地依赖良好的情绪、稳定的心理、积极的思维、乐观的感情、坚定的信念，通过想像消除疾病，“想”出健康。

## 五、精神压力与心身疾病的产生

心身疾病，即是指由于精神、情绪负担过重而引起的神经官能症、心脏病、高血压、胃肠溃疡、哮喘、肠道痉挛、皮肤病等。此病在西方发达国家的发病率，远远高于发展中国家；在城市的发病率，又远远高于农村。随着社会经济的发展和科学技术的进步，现代人们工作与生活的节奏将越来越快、越来越紧张。而紧张的工作将会使人们的精神、情绪负担越来越重，如果处理不当，心身疾病的发病率将会提高。面对这种情况，从心理保健角度看，老干部了解怎样预防心身疾病，是大有必要的。

（一）持续的高强度精神压力是心身疾病发生的重要原因

医学和心理学研究表明，偶然的精神压力不会给人们的健康带来严重的影响。因为人的机体生理机能有惊人的稳定性。这种机能稳定性是与生俱来的，它使人能应付各种复杂、紧张的生活情境。大多数人在短期的高度紧张工作、遇到严重挫折、亲人突然死亡等事件之后，情绪与生理上的过重负担会逐渐消除，机体也就恢复了正常工作。

人有很强大的抵抗力。生理学研究证明，在人的任何一个机能系统中，使机体的生理指标恢复正常的影响力的总和，始终大于导致失常的影响力的总和。例如，当人因为体力或情绪负担过重而血压升高之后，由于机体固有的保持体内环境恒定状态的作用力，各个系统会通过自我调节使血压恢复正常。因此，从理论上说，只要生理、心理过重负担是暂时的而不是长期的，那么任何人都不会患高血压、消化道溃疡、糖尿病等机能失调造成的疾病。我们说，偶然的精神压力不可怕，其道理正在于此。但持续高强度的精神压力，对人体健康极为不利。因为高强度的精神压力，使人的精神处于一种应激状态。这种应激状态是人的一种特殊的心理状态，它使人的神经系统处于高度紧张状态。在应激状态下，心血管与呼吸系统的工作将失去常态，并发生血液的生物化学变化和皮肤的电变化。这时，人的行为受到干扰，举止表现出失调和盲目性，言语失去连贯性，姿态也会失常。在强烈的应激状态下，人的注意力难以集中，注意力的转移和分配感到困难，知觉和记忆可能出现错误，过去形成的习惯性动作受到阻滞。

当应激状态持续下去的时候，由于特殊的化学反应机制，使大脑受到持续的刺激，各机能系统的活动就越来越紧张，接着是个别器官工作的紊乱。起先，由于人体具有自我调节功能，局部紊乱还能补偿。后来，自我调节系统抵抗不住强大的刺激，体内环境的恒定状态被破坏，人就会突然患病或死亡。

### （二）摆脱精神压力，预防心身疾病的方法

综上所述，摆脱压力、放松情绪，是预防心身疾病的必由之路。由于人们生活在现实社会中，遇到矛盾和问题、产生一定的精神压力是难以避免的。我们每个人所能做的，就是面对各种精神压力，积极锻炼自己对付应激状态的能力，增强心理的承受力和稳定性。具体可以从以下几个方面努力。

第一，及时舒缓紧张状态。人的精神在经历短期高度紧张状态之后，最好有一段相应的舒缓状态。

第二，主动转移注意力。就是在情绪剧烈波动时，不沉湎其中，而转入其他，如体育活动中去。骑车、散步、爬山、做徒手操，都可以使不良情绪明显减弱。

第三，寻求抵消不良情绪的活动。当压力过大或情绪不好时，有意识地去做自己喜爱的事，如织绒线、做缝纫、听音乐、欣赏收藏物、读书、写作等。这些活动是摆脱不良情绪的特殊而可靠的“避难所”。当我们采取这些方法产生一些愉快的感受

时，它们会直接影响细胞与机体组织的物质代谢，提高生理的灵活性，因而十分有效地减轻情绪紧张的影响。

第四，做事量力而行。做事要量力而行，不要有过分超过自己智慧与能力的不切实的目标与要求，这也是减少精神压力的一条佳途。

第五，加强个性培养。不论什么人，防止精神紧张的最好办法是注重个性的培养与锻炼，要培养自己淡泊名利的思想，锻炼自己不怕困难的意志品质。如果一个人养成了坚忍不拔、坦然对待名利、刚强对待困难挫折的品质，他就能够在各种生活情境中掌握自己，哀伤、苦闷、个人得失就很难压倒他。

## 六、情绪状态与人的生理健康

实践证明，良好的情绪是健康体魄的基础，而不良情绪则是导致各种疾病发生的罪魁祸首。任何不良的，特别是恶劣的情绪，如消沉、沮丧、失望、嫉妒、痛苦、忧愁、焦虑、恐怖等，若持续时间较长，或反反复复出现，都会损害人体健康，极易导致身体虚弱乃至患上多种疾病。同时，这些情绪也是引起未老先衰的重要因素。但不少人，对情绪与健康的关系认识不够，不注意在日常生活中优化自己的情绪、保持良好的心境，以致给自己的健康造成了损害。

N·科幸斯是加利福尼亚大学医学院精神病和行为科学系的副教授，长期致力于情绪与健康关系的研究。他曾就情绪与健康的关系问题对《美国新闻与世界报道》的记者发表了谈话，这个谈话深入浅出地揭示了情绪对健康的重大影响。现摘编部分内容，希望老干部朋友能从中获得有益的启示。

（一）人人都是自己的良医

人的情绪在疾病的发生和治疗过程中，都起着不可思议的作用；你的日思夜想、你的主观意识，以及你对事物的应激能力等，都能损害或增强机体的免疫功能。被誉为医学之父的希波克拉底曾说过："人的情绪便是自己疾病的良医。"大约2 000年前罗马的盖伦医生便观察到，患乳腺癌的妇女常常有忧郁史。这些都说明了精神因素的重要性，可是并非人人都懂得这个道理。

（二）诊断书有时是病情恶化的促进剂

N·科幸斯曾详细研究了300例恶性肿瘤病人，令人惊异的是，一旦病人得知诊断结果，病情便开始恶化。诊断书简直成了"死亡宣判书"。他还观察到，由于检查错误而被误诊为癌症的人，精神上也处于崩溃的边缘，好像末日即将来临。

在洛杉矶的一场足球比赛中，发生了这样一件事，当时有6个观众发生腹痛，而分别找到球场的医生，医生认为他们是喝了看台下的自动售货机出售的软饮料而造成了急性食物中毒症。这位医生出于好心在广播中宣布这种饮料对健康有危害，请大家不要喝，因为已有一些观众发生了中毒云云。话音刚落，体育场立刻变成了一片呕吐和呻吟的海洋，有200多人立刻因"食物中毒"被送往医院。几十分钟后，卫生检验机关经过认真的检查，郑重宣布这种饮料完全符合卫生标准，没有任何毒性之后，每个人的"中毒"症状竟都奇迹般地消失了，球赛正常进行。

这段插曲是精神因素导致疾病的实例，不堪想像的是：假如那位好心的医生不是说中毒，而是说可能会引发癌症，结果又会是另一番景象。

(三) 85%的疾病是自我限定的

《新英格兰医学杂志》主编曾说:“85%的疾病是美国人自找的。”我们机体中有一套完善的抗病“卫队”,但他们的应变能力或抗病能力只有在人的情感变动的有限范围中才能发挥作用。当然,我们必须正视并非自我带来的另外那15%的病,这些病是真正需要医生来治疗的。尽管如此,创造一个有利于治疗这15%疾病的精神环境也是相当重要的。假如充满不安、恐惧、沮丧,那么这15%的病谁也医不好。如果除了疾病之外,机体内部还不得不对付精神因素带来的生理反应的紊乱,则我们就处在了双重的危险之中。

## 第三节 老干部的心理调适

### 一、老干部怎样减轻心理压力

心理压力即精神压力,现代生活中每个人都有所体验。心理压力可来自于各个方面,总的来说有社会、生活和竞争三个压力源。如家庭生活的负担,工作的繁重,人际关系的紧张…….虽然这是社会文明时代产生的一种自然形态,但是,久而久之往往会造成某种障碍或生理机能失调,看上去也类似于病态。因此,就必须学会应付和减轻心理压力。

(一) 正视现实

许多因为生活或工作上的不如意而感到烦恼的人,常常会有一种共同的心态,即不能接受某些既成的事实。此时任何委屈、愤怒、抱怨、不服气对改变这一现实都是无济于事的,要想改变现状，唯一正确的办法就是正视现实，承认差距，找到不足，继续努力。看起来，当我们面对各种不理想的现实时，最合理的反应方式就是把注意力放在如何改变它的方向上，而不应该在这一事实是否合理上纠缠不休。如果能够做到这一点，我们就能从许多无谓的烦恼中摆脱出来了。

（二）合理宣泄

面对压力或产生挫折时，心中淤积的消极情绪会对身心造成极大的伤害。因此，采取合理宣泄的方式将其释放出去，是一种自我保健的有效措施。这就像水库里的水如果太多就会有冲垮堤坝的危险，此时为了保证大坝的安全就要通过泄洪道把多余的水释放出去一样。合理的宣泄方式通常有以下四种方式。

1. 找人倾诉。这是最常用的也是最合理的一种宣泄方式。人们经常会有这样的体会，当有了烦恼和委屈时，如果没有人可以倾诉一番，即使不能得到他们的指点也能感到轻松许多。

2. 自我宣泄。这是独自一人时可以采用的宣泄方式，包括一些对社会和他人没有危害的退化行为，如在没人的地方放声大哭，或在空旷的地方大声喊叫，甚至可以对一些废弃物进行摔打等，都能起到宣泄的作用。

3. 音乐调节。采取听音乐或唱卡拉 OK 的方式可以释放心中的郁闷情绪。

4. 运动调节。参加体育活动也可以达到释放消极情绪的目的。

（三）学会放弃

当有些目标虽经多次努力仍然无法实现时，就应该考虑是否到了放弃的时候了。学会放弃并不是一件容易的事，因为我们从小就被教育做事要执著，要坚持不懈、有始有终。一旦放弃原定目标似乎就是退却、认输，总觉得不大光彩。但古人说得好："君子有所为有所不为。"人生的历程就是不断作出选择的过程，选择就要有所取舍，选择与放弃是共存的。

有时，放弃之所以不容易还同人们贪婪的本性有关，对于许多不可能兼得的东西迟迟不能割舍，这样引起的挫折和压力实际是来自于自己内心的双趋或双避式动机冲突。鱼与熊掌兼得在生活中几乎是不可能的，可有时人们似乎偏偏不愿正视这一点，于是引起许多不必要的烦恼。

所以，当我们想得到的东西没有得到时，首先要做的事不是抱怨，而是问一问自己：是不是付出了相应的代价？如果没有付出相应的代价，就应该平静地接受这一结果。

（四）自我放松

自我放松是指通过自我调节使自己的精神得以松弛。使自己得到放松的方法有很多，下面介绍几种简便易行的常用方法：

1. 聊天。没有固定话题的聊天可以营造一种轻松的气氛，从而使紧张的心情得到松弛。因此，抽点空闲与同事或朋友一起闲聊，是使自己精神放松的一种好形式。

2. 购物。这是老年女性调节情绪的一种常用方法，效果奇佳。当然，前提是要有一定的经济基础作保证。

3. 看戏或听音乐。这也是一种行之有效的放松绝招，可以使神经换一种兴奋方式，而且屡试不爽。

4. 小型聚会。如有条件，邀请几个亲朋好友在家中来个小型聚会，或品茗聊天，或烫酒小酌，气氛轻松、心情愉快，是调节情绪的灵丹妙药。

5. 体育锻炼。选择散步、游泳、太极拳等适合自己的锻炼方式长期坚持，能对身心健康起到十分显著的促进作用。

## 二、老干部怎样培养健康的心理

怎样才能培养健康的心理，是一个非常重要的人生课题。研究证明，一个人的心理形成是由先天素质和后天环境相互作用的结果。我们健康心理的形成与日常生活中的培养至关重要，要培养一个人的健康心理，我们可以从以下几个方面做起。

### (一) 培养稳定的心理，防止过激反应

稳定的心理是心理健康的重要标志。它不仅反映一个人对社会环境和自然环境的适应性，还反映了中枢神经系统活动的协调性。一定的刺激会引起相应的情绪反应，而所谓的过激反应则是指并不强烈的刺激（或微小的刺激），即可引起明显的、过于强烈的反应，以致给社会、家庭及本人带来非常不利的影响，有时甚至使自己陷入困境。培养稳定的心理，防止过激反应的途径有以下三种。

1. 培养健康的性格。要把自己培养成一个性格坚定、顽强、乐观、开朗、豁达的人。在任何情况下，不论遇到什么挫折都能虚怀若谷，泰然处之，而不至于产生过激反应。

2. 提高自身修养。凡事想开些，既不要斤斤计较，与别人过不去，也不要自寻烦恼，与自己过不去；对人对己都要宽宏大量，这样才能有稳定的心理，以不变应万变。

3. 用“平心法”进行自我训练。所谓平心法，是一种使自我心情保持平衡的方法，通过调节可使心情处于最佳状态，充分发挥机体的潜能，有效地维护心理健康。具体方法为有如下三种。

⑴ 努力使自己做到“恬淡虚无”，这是我国传统的养生之道。当一个人能进入“清心寡欲”的境界时，就能经受住诸如金钱、名利、权势的诱惑，真正使自己的心情平静下来。

⑵ 培养并保持自己的兴趣爱好，追求并寻找五彩缤纷的精神世界，充实自己的人生，不做物质世界的奴隶。

⑶ 切忌感情用事，掌握自我控制情绪的技巧，理智地处理各种问题，自觉主动地应付各种情况，避免过激反应。

### (二) 保持心理平衡

在现实生活中，不如意的事常有，烦恼的事常在。如果处理不当，很容易引起心理失衡，导致心理和躯体上的疾病。

要保持心理平衡，需要注意以下几点。

1. 坦率交谈。找一位能相互交心的亲密知己，将你的喜怒哀乐尽情地向他倾诉，彼此交流思想，感情共鸣，“君忧我悲，君喜我亦乐”，因同情而引起相互流泪，因高兴而相对开怀大笑，不让内心积存任何不良情绪。

2. 暂时逃避。如果你遇到了紧张的刺激或遭到挫折、困难、失败而陷入深深的自我烦恼之中，一个有效的办法是不妨暂时离开你所厌烦的情境，转移一下注意力，把思想情感转移到其他活动上去。当心理失衡时，去“忘我”地热衷于一件你最喜欢做的事情，这样就会把你的坏情绪转移或替换掉。

3. 对人谦让宽容。如果一个人总是好自我表现，干什么都想抛头露面，那就会忙碌不堪。如果你经常地甘当配角和后台工作人员，那就会感到时间充裕，就会享受到从紧张里解放出来的乐趣。对别人要宽宏大量，不要苛求他人，不要所有的事都让别人一定得按照你的想法去做。对别人的批评、责难要合情、合理，给别人一个考虑反省的机会，否则会增加自己的烦恼、焦虑等不良情绪。

4. 在同一时间内只做一件事。美国某心理学家研究发现，忧虑、精神崩溃等疾病，常常是因为患者同时面对很多急需处理的事情，精神压力太大而引起的。所以为了减少心理负担必须记住：在同一时间内只做一件事。当你面临难题时，先解决一个，而且要从最容易解决的问题下手。有了成功就会有信心，成功越多、越大，信心就会越足、越强。

5. 避免超乎常态的行为，不要做力不从心的事。每个人都有自己的抱负，有些人把自己的抱负定得太高，超过自己能力所及，于是整天郁郁不得志，认为自己倒霉，这无疑是自寻烦恼。为避免挫折感，应把生活目标定在自己能力范围之内，学会欣赏自己已经取得的成就。

6. 娱乐。适当的娱乐是消除心理压力的有效方法。如果你能制订出一份既愉快而又切实可行的休养身心的计划，那么在这个时间还没有到来之前，你的心情会是愉快的、有盼头的；在实施计划时更是身心放松、心情舒畅。

### （三）增强自信心

在人的一生中，总会有失意的时候，而当此时，一些人常常会丧失自信心。那么如何才能增强自信心呢？

1. 注意自己的仪表修饰。出门时，对着镜子修饰自己的仪表仪态，使自己的外表处于上佳状态。一个好的仪表，是你增强自信心的基础。

2. 与人建立友谊。使自己身边有一个荣辱与共、心心相印的朋友，这可使你在任何时候都能找人倾诉，而不再感到孤独。

3. 以诚待人。在任何时候都要给人以诚实可信的感觉。油嘴滑舌或华而不实，反而会使人厌烦而疏远你，不利于增强你的自信心。

4. 不要过多去责难别人。对别人要求过高，总爱责难别人，实际上是一种缺乏自信心的表现。不管你是口头上批评人家，还是在心里指责别人，都可能会成为习惯，应尽量克服。

5. 避免使自己身陷不利的环境中。当你处于不利的境地时，虽然人们可能会对你表示同情，甚至帮助你，但他们同时会感到地位比你优越而瞧不起你。

6. 克服自卑心理，避免过分谦虚。不要总是觉得自己不如别人，应善于发现自己的长处，并加以利用，这样有助于增强自信心。另外，过分的谦虚反而使人产生敌意，应注意避免。

（四）培养幽默感

幽默是人消除烦恼的良方，是减轻精神和心理压力的有效方法之一。在困难或危难之时它常常能帮助你化险为夷。生活中我们总会遇到挫折或失败而导致心理的失衡，幽默可以淡化或消除你不良的情绪，重新建立良好的心态。

幽默是一种影射手法，机智而又敏捷地指出别人的缺点或优点，在微笑中否定或肯定，使人们乐于接受。但幽默绝不是油腔滑调，也不同于嘲笑和讽刺，它不会使人产生受嘲弄时的痛苦感。那么，怎样培养自己的幽默感呢？

首先，要丰富自己的知识面。因为幽默是建立在丰富知识的基础上的，是个人智慧的体现。有深广的知识面，才能使自己谈资丰富，妙语连珠。不妨从名人趣事、民间趣闻中撷取幽默的浪花，来丰富自己的幽默感。

其次，要陶冶自己的高尚情操、乐观精神。因为，幽默常常是宽容精神的体现，要善于体谅、关心别人。乐观精神又是产生幽默感的基础，很难想像一个成天愁眉苦脸、忧心忡忡的人会有好的幽默感。

再次，要使自己具有审时度势、细致深刻的环境洞悉能力。即能迅速地捕捉事物的本质，以恰当的比喻、诙谐的言语，使人们产生愉快、轻松的感觉。

当然，当遇到重大原则性问题时，不能迁就、怕得罪人，但处理问题时不妨多一点灵活性、幽默感。

（五）关心别人

关心别人是一种交际的需要，是一种获得友谊的渠道。当别人遇到困难时你助上一臂之力；当别人遭受打击时你给他一番抚慰；在别人寻求理解时你捧出一片真心善解之意。这是一种美德，它将使你得到别人的尊敬和爱戴。

那么，怎样关心别人呢？

1. 设身处地思考

也就是学会“换位思考”，完全从对方的立场来思考：他最渴望什么？最需要什么？要了解被关心者的心理状态：他忧从何来，烦在何处，难在哪里？是需要物质帮助，还是需要心理抚慰？

2. 选择适当的方式

在关心帮助他人时要具体分析，做到因人制宜、因地制宜、对症下药。例如，当别人遇到挫折需要安慰时，你可以找他谈一谈，帮助其分析原因，总结经验，寻找良策，并给予鼓励，使他走入柳暗花明的新天地。也可以写一封充满感情、渗透哲理、颇为关心的劝慰信，使对方从自我烦恼的漩涡中解脱出来。当别人生病卧床时，你可以送一束康乃馨，使他羸弱的身心为之一震，既欣赏到大自然的芬芳艳丽，又明白你的美意而对病愈康复充满信心。同样，一盒英雄交响曲的音带，可以使徘徊于坎坷征途上的人领悟人生的真谛，从深沉激昂的乐曲声中获得力量，奔向光明。

3. 真心诚意实施

对他人的关心帮助不能附加任何条件，也不该贪图回报。“施恩图报非君子”，说的正是这个道理。关心帮助他人应该是毫无私心、真心诚意的。切忌需要别人时再去关心他人，用不着人家就抛在脑后。有时你的关心会使对方不理解或曲解，这时你应该宽容大度，不计较对方，不能一见对方有误解，就放弃对他的关心和帮助，而要用真诚的心、善意的行动去打动对方。心诚则灵，对方最终会明白你的善意。

如果关心帮助他人已成为你的自觉行动，并由此养成良好的习惯，你就为自己营造了一个良好的人际空间。愿天下所有人都有一颗关心别人的爱心。愿大家都生活在互相关心、互相照顾、充满爱意的环境里。

## 三、老干部怎样克服消极有害的心理

### （一）怎样正确对待心理创伤

突发的、强烈的精神刺激，如自然灾害、亲人死亡等等，会使人的心理发生一系列改变，从而出现各种反常行为。如情感变得平淡、麻木或脆弱、多疑，对周围失去兴趣，甚至导致严重的精神错乱，引起反应性精神病等。那么，如何正确对待或处理心理创伤呢?

在通常情况下，人都有一定的心理承受能力，这与个人的文化修养、性格、心理素质等相关。通常的心理创伤无须治疗，在事情过去数天或数月后可自行消除——“时间是医治心理创伤的最好良药”。但对于严重的心理障碍者，必须采取适当的药物及心理治疗，个别还须住专科医院治疗。治疗采取适当的药物，如镇静剂及抗焦虑药（剂量由精神科医生或心理医生掌握调节）。另外，可以用小组讨论的方法，即将几个受同一种打击的人组成一个小组，大家互相介绍自己受打击后的心理感受，相互鼓励，树立对生活的信心，从而尽快从心理创伤中恢复过来，重新适应生活。要培养一种稳定的心理素质，处惊不乱、善于调节自己的情绪及生活节奏。对于心理创伤可以有以下几种处理方法。

1. 鼓励宣泄情绪

不要劝当事人“不要去想了”，这是有害的。应该让当事人适当发泄情绪，如回想灾难发生过程、哭泣、述说内心感受，都是很好的宣泄方式。

2. 调整心理防卫机制

尽可能鼓励当事人减少酗酒、自伤、逃避的消极方式，改以较积极的方式来面对伤痛。

3. 及早就医

假如已经出现严重失眠、食不下咽、无端惧怕的症状，应尽快到精神科、心理科门诊就医。

### （二）怎样摆脱紧张情绪

现代生活的一个最大特点就是高速性，因为现代人的时间观念变了，生活节奏大大加快。于是人们的心理节奏日趋紧张，精神负荷日益加重，很容易发生心理过激反应。除了引起失眠、易怒、烦躁、疲乏等情绪变化外，还可能导致发生高血压、冠心病、心肌梗塞、糖尿病、溃疡病等严重后果。

在不可避免的快节奏生活中，如何摆脱和控制紧张情绪，是每一个现代人，包括每个老年人必须面对的问题。这就要有乐观的情绪、开阔的心胸，更重要的是通过主观努力，对自己的生活节律加强控制和调整，改变不良生活习惯，在快中求慢，紧张中求松弛，避免人为的紧张。

1. 学会做时间的主人

要合理安排每天的工作、学习和生活，实事求是地制定出每日、每周，甚至每月的工作计划及需要完成的目标。养成尽可能在限定时间内完成计划、任务的良好习惯，掌握时间的主动权，尽量避免由于时间安排与实际活动的冲突而造成的手忙脚乱。俗话说：一步慢，步步慢，事情也会越积越多，造成心理压力增加而惶惶不可终日。

2. 学会适当留有余地

应在每天工作生活的时间安排上计算提前量，养成遇事提前行为的好习惯。例如，你清晨起床、洗漱、用早餐然后赶车准8时上班，恰好要用去一个半小时的时间。若6时半起床时间刚好够用，那么，你不妨6时即起床，这样留有半个小时的余裕，可使做事从容，也能在上班途中如遇到堵车等意外时能不急不躁，减少心理压力。其他如访友、看球赛、看电影也应当如此。

3. 正确估量自己

(1) 具有专业技能的老干部，离、退休后总想再发挥余热，找点事干干，这完全可以理解。但现代社会充满着激烈竞争，每个人的能力总是有限的，所以要实事求是地估计和衡量自己。制订的目标不能超出自己能力的范围，否则会造成情绪过度紧张。如果目标订得合理，就能取得一定的成功，你就心情舒畅，从容自在。

(2) 即使这样，人的一生也不可能不遇到困难和挫折，因此在遇到困难时不灰心，面对挫折时不气馁，有勇气和信心战胜逆境就显得很可贵。

(3) 在遇到困难挫折而心情不愉快时，最好找亲友知己发泄心中的苦闷和烦恼，等心情平静时再冷静思考，理清思路，找出解决难题的方法，这样就能很快摆脱挫折造成的紧张情绪。

4. 放松训练法

老干部由于高血压、头痛、神经症及其他病症而造成紧张、焦虑是常有的事，除使用药物对症治疗外，可采用放松训练来控制和消除紧张心理。这个方法经过大量临床实践，现在比较正规和完善，已被广泛应用。

此法是通过有意识地控制身体某一部位肌肉的紧张和放松，体会放松时的舒服感觉，从而达到消除紧张心理的目的。

训练时自己宽衣，安静地躺在床上。先深呼吸 20 次，然后用意念控制，按如下顺序开始操练：

先绷紧额部的肌肉，然后放松；

再绷紧眼部的肌肉，然后放松；

绷紧两颊的肌肉，然后放松；

绷紧嘴部的肌肉，然后放松；

绷紧颈部的肌肉，然后放松；

绷紧双肩的肌肉，然后放松；

绷紧两上臂的肌肉，然后放松；

绷紧两前臂的肌肉，然后放松；

双手握拳肌肉绷紧，然后放松；

绷紧胸部的肌肉，然后放松；

绷紧腹部的肌肉，然后放松；

绷紧背部的肌肉，然后放松；

绷紧腰部的肌肉，然后放松；

绷紧两大腿的肌肉，然后放松；

绷紧两小腿的肌肉，然后放松；

绷紧双脚的肌肉，然后放松。

按此顺序做完后，可重复再做，次数由自己定，每次训练半小时以上。经过这样的训练，紧张心理会慢慢减轻或消失。

5. 环境调节法

如果因某种环境因素而导致心理紧张，可以换个环境来改善情绪。如到亲戚、朋友家小住一段时间，或外出旅游等。

6. 以理胜情法

如果是因家庭人际造成的心理紧张，可以理智地分析家庭矛盾的根源，排除自己在对待矛盾根源认知上的偏差，用理智的分析来消除不良情绪反应。

7. 自我暗示法

当老干部因患某种慢性疾病而紧张不安时，要反复提醒、暗示自己，慢性疾病需要长期的调治，只要乐观、顽强，病魔就会逐渐去除。

（三）如何战胜孤独

孤独并不是指一个人独来独往。有些心理学家认为，真正的孤独，往往产生于那些与人有密切接触，却没有情感和思想交流的人。事实上，如果你对周围一切缺乏了解，或无法与周围世界沟通，你就会品尝到孤独的滋味。战胜孤独有以下六种途径。

1. 克服自卑感。一个人若觉得自己不如他人，必然就不敢与别人接触，这就是自卑心理造成的一种孤独状态。要战胜孤独，首先要战胜自我，冲破自卑心理组成的茧，发现自己的优点，展现自己的长处，让心里充满自信。

2. 确立正确的人生目标。要想从根本上克服孤独，最好给自己确立一些正确的人生目标和培养某种爱好。一个懂得自己为什么活着的人，是不会感到寂寞的；同样，一个热爱生活、有所追求的人，也是不怕寂寞的。

3. 加强与外界的交流。当老干感到孤独的时候，可以请几个朋友聚一聚，将烦恼、痛苦向好朋友倾诉。当然，跟朋友的联系不应该只是在自己感觉到孤独的时候，而应在平时多注意交流感情，建立友谊。要知道，别人也会因孤独而需要友谊及温暖。

4. 多为别人着想。当老干部跟周围的人格格不人，无法进入周围热烈的气氛时，会不自主地觉得自己很孤单或遭冷落。要打破这种尴尬的局面，唯有忘却自我，抛弃自私、狭隘的思想，多为别人着想，多想为别人做些什么，这样才会融入环境，战胜孤独。

5. 正确对待孤独。孤独有时并不全是坏事，一些习惯了孤独的人，懂得如何充分地享受孤独提供给他的宁静、闲暇的时光。所以说，懂得享受短暂孤独的人，是一个战胜孤独的高手。

6. 培养兴趣爱好。战胜孤独的最高境界是享受孤独。享受孤独的方法既可以是从事创造性的活动，如写作或搞发明创造，也可以是养花、养鸟、养宠物，或者从事收藏等一些自娱自乐的情趣活动。由此看来，培养一两项独处时的兴趣爱好，将有助于你提高战胜孤独的能力。

### （四）如何克服疑虑的毛病

一些人常常会莫名其妙地产生一些疑虑，如出门旅游时担心船、火车出事，坐飞机时担心飞机失事，身体偶有不适，便怀疑患绝症等。有时虽然明知无必要，但又难以自控和消除疑虑，这就是所谓的习惯性疑虑。

人体如同一部机器，运行的时间越长，损耗就越大，整体功能越弱。人到老年，无疑躯体疾病的发生率会有所提高。如今，随生活水平的提高，人们的健康意识不断增强，老干部大都十分注自己的健康，体育锻炼已是他们自觉的行动。一旦机体出现异常，老干部都会主动去医院检诊，可有的老干部虽经检查并未发现异常，却仍不能消除疑虑，变得过分关心自己的身体，这其实是一种疑病心理的表现，其原因主要有以下几种：

1. 环境的影响。某单位一幢老干部宿舍，一年当中相继有四位老干部先后去世。这幢楼里有位老干部经常去医院探望病人或参加追悼会，久而久之便于无形中背上了精神包袱，认为同龄人相继离世了，自己也快差不多了，从此便感到全身不适，并渐渐怀疑自己也得病了，整天惶恐不已。这说明环境的影响对疑病是很重要的。有的老干部长年体质较弱，患有多种慢性病，他们大多对周围环境、身边亲人的言行比较敏感，一有“异常”便会胡思乱想，疑虑重重。

2. 连续患病。在某一阶段连续患病，常可造成老干部心绪不稳，使他们过分关注身体状况，对疼痛变得异常敏感。稍有不适，便怀疑自己又患了什么病。即使去医院检查结果正常，也总是疑病不已，感觉不适。

3. 喜欢对书入座。有的老干部阅读了不少医学书刊，了解了一些医学常识、医学进展，保健意识强，发现身体异常能及时去医院看病。这本身是一件好事，但如果一味把自己的不适对“书”入座，敏感多疑，草木皆兵，那就不好了，久而久之便可形成疑病心理，对自己的心身健康造成不利影响。

克服疑虑的关键是学会自我控制。这里介绍几个方法，有兴趣者不妨一试。

(1) 转移引起疑虑的想像。出现疑虑时，尽可能将自己的注意力转移到某件令人愉快的事情上去。如坐飞机时，可以将注意力转移到对高空奇境、一流服务的感受上去，而不要费心去想飞机会不会掉下来。做到这一点，忧虑就能被淡化，至少可以不同程度地被削弱。当然，这种“想像转移”并非一次就能完全奏效的，应反复地进行训练，随时进行实践。

(2) 脱敏疗法。生活中，常有这种情形：一个人如果在某一化工厂工作时间长了，便会嗅不到化工厂的某种气味，所谓“入鲍鱼之肆，久而不闻其臭”。心理学将据此原理而引出的疗法称为脱敏疗法，即对有习惯性疑虑者，有意识地每天安排一些时间，故意去想像疑虑的事，久而久之可能会因厌烦而摆脱疑虑。

(3) 刺激疗法。可以用一橡皮筋绑于手腕上，当进入疑虑状态时，就用手狠狠地拉动橡皮筋弹击皮肤，刺激一下手腕，或用其他“疼痛”刺激来克服疑虑。实践证明，此方法对部分病人效果很明显。

对于有疑病心理的老年人，除了应该有保健意识、感觉不适时应及时去医院就医、有病应积极配合医生治病外，无病时则不要胡思乱想，自己吓唬自己。平时应积极参加体育锻炼，参与集体活动，培养一种自信、科学的生活态度，并注意养成广泛的爱好，愉快地安度晚年。

### (五) 如何摆脱生活中的困扰

在日常生活中，人们常常会遇到一些使人感到紧张或不愉快的事情，有些事虽然不大，但如果处理不当，就能耗费许多精力，并使人感到不安。心理学家认为，在遇到使人感到烦恼的事时，采取以下方法来处理，有助于摆脱困扰。

1. 不要老是把难题抛在一边，它们不会自己解决或消失，到头来你还是不得不去处理它们。

2. 不要做出给以后带来麻烦的决定，最好一开始就面对现实。例如，对于一个邀请，假如知道到时不能出席，那么一开始就不要接受。

3. 人无远虑，必有近忧。遇事要早作安排，有备才能无患。

4. 碰到难题时，不要存在侥幸心理或胡思乱想，要去搞清真实情况，然后想办法处理。

5. 如果你对无法避免的压力感到烦闷，可进行一些文体活动去缓解它。

6. 当悲剧降到你头上时，不要压抑自己的感情。

（六）如何克服老年期的固执个性

人格的力量是巨大的，许多伟人之所以干出伟大的事业，重要的一点就是他们具有完善的人格、巨大召唤力。所谓完善的人格大致具备以下特征。

1. 有积极进取的人生态度；

2. 有大无畏的拼搏精神；

3. 对未来的成就充满希望；

4. 享有良好的人际关系；

5. 有信心和懂得运用信心；

6. 愿意与人分享自己的成就；

7. 愿意以博爱的精神去工作；

8. 胸襟博大，能容人容物；

9. 有良好的自律性；

10. 有了解他人和世事的智慧。

人在进入老年后，个性也往往发生一些变化，出现一些毛病，这些毛病主要表现为遇事过分小心、谨小慎微、固执刻板等。老干部个性上的毛病，往往会影响他们晚年的生活质量。

老干部从自己多年工作的岗位上退下来，多少会有些失落感、茫然感，这种心态一般而言是完全可以理解的，但若长期如此，则会导致个性的改变，表现为做事固执己见，听不进别人的意见，在处理家庭琐事时，常常不能与家人意见一致，以致产生多种矛盾，引起家庭成员的不和。长此以往，无疑对老人自身的心理和生理都会有所伤害。因此，老干部要学会调整自己的心态，克服固执的毛病。

1. 合理安排离、退休后的生活，找回以前的业余爱好。老干部可以坚持早起锻炼；适当做些家务，如打扫卫生、买菜、烧饭等；每天练书法、气功；与朋友下棋、打牌，或到老年娱乐中心娱乐等。一旦生活变得充实，老干部的情绪便可得到调整，日复一日，年复一年，生活乐趣是无穷的。

2. 心情开朗是健康长寿的法宝。老干部不要吃老本，倚老卖老，要学会大度，学会随和。一个人无论过去职务多高、权力多大，离开了岗位，到了老年，都是一个普普通通的人，不应发号施令，给家人和社会增添不必要的麻烦。遇事大度，待人随和，会给人以亲近感、亲切感。老干部能为家庭处理重大事务出谋划策，并能分担子女生活中的后顾之忧，便定能成为合格的一家之主，为大家所欢迎。与此同时，生活在这样欢乐的家庭环境中，老干部常有的一些个性毛病也自可避免。

# 第四节　离、退休的心理适应

## 一、离、退休综合征的概念及产生原因

所谓离、退休综合征，就是指一个人离、退休之后所产生的各种心理不适应症状。它直接损害离、退休老干部的心身健康，加速衰老过程，因此必须及时发现，并有效地加以控制和消除。

### （一）离、退休综合征的主要表现

1. 抑郁症状。患者心情忧伤、郁闷、沮丧，精神消沉、萎靡不振，有强烈的失落感、孤独感、衰老无用感，对未来生活感到悲观失望，自信心下降，茫然不知所措，不愿主动与人交往，害怕见陌生人，有时连亲朋好友也疏于联系。行为退缩，兴趣减退，对过去很感兴趣的业余活动也感到索然无味。懒于做事，严重时连力所能及的家务事也不愿做。

2. 焦虑症状。患者感到惶惶不安、心烦意乱，做事缺乏耐心、急躁冲动，容易发怒，有时自己也感到莫名其妙，自己想控制也控制不住。难以长时间静坐，总忍不住要做些小动作。严重者还会产生紧张、恐惧感，并伴有出汗、心慌等躯体症状。

3. 躯体不适症状。患者常常出现头痛、晕眩、失眠、胸闷憋气或胸痛、腹部不适、周身疲乏、四肢无力等症状，但到医院去做相应的检查，并无其他躯体疾病，或者即使存在某种躯体疾病也不能解释这些症状。

此外，一些患者还可能出现其他的不适症状。

（二）离、退休综合征的产生原因

1. 离、退休前后生活境遇反差过大

不同的人在离、退休前后所发生的生活境遇变化是有差异的，有的甚至差异很大。一般来说，普通老百姓退休前后所发生的生活境遇变化不是很大，因而比较安于退休后的生活，不容易产生不适应症状。而离、退休前身居要职的各级领导干部则不同。在离、退休前他们有较高的社会地位和较大的职业权力，其生活重心是工作和事业；而离、退休后不可避免地出现社会地位的下降和职业权力的丧失，生活重心也被迫转移到家庭和生活琐事上。离、退休前后生活境遇的变化如此之大，使得他们一时难以适应，因而易产生严重的心理失调，并可能出现上述某些症状。

2. 离、退休前缺乏足够的心理准备

离、退休人员的心理变化虽然早在离、退休之前就已经开始萌动，但有一些人对离、退休后面临的环境、生活内容的变化、角色的转变以及心理活动的变化和调节等问题考虑不周，即只是非正式或非系统地偶尔想到这些问题。还有一些人尽管在思想上有比较充分的准备，但老年人的心理特点往往导致他们在思维上、感情上、行动上明显滞后，因而也仍然会出现心理上的不适，尤其是容易出现消极的、不良的情感反应。

3. 离、退休后缺乏“个人支撑点”

每个人在社会中都扮演着一系列的社会角色，如儿子、丈夫、父亲、厂长、工程师、球迷、市民等，每一种角色活动又构成了他的独特的生活内容。在这众多的角色及其角色活动（即生活内容）中，有一种或几种角色及其角色活动对他本人来说是至关重要的。因为这些角色及其角色活动构成了他赖以生存和发展、并维持最基本的心理平衡的“个人支撑点”。一旦丧失了这些“个人支撑点”，就会造成心理失调，甚至是心理崩溃。有些人，尤其是一些领导干部，在离、退休之前一心扑在工作上，职业角色和职业活动构成了他的“个人支撑点”，个人的一切尊严、价值及喜怒哀乐都维系于此。而离、退休之后，原先的“个人支撑点”不复存在了，但又没有及时构筑新的“个人支撑点”，于是原先的心理平衡被破坏，出现了前所未有的失落、空虚、压抑、忧郁、懊丧、焦虑、痛苦等一系列心理反应。

4. 适应能力差或个性缺陷

个人适应能力差是导致出现离、退休综合征的又一重要原因。有些离、退休老干部由于个性上的原因而难以顺应离、退休带来的生活变化。一般来说，性格固执、刚愎自用、急躁、怪僻、过度内向、智力（能力）水平低下，以及具有黏液质和抑郁质等气质类型的人适应能力较差，所以在环境发生剧烈变化的情况下容易出现心理失调。

5. 社会支持缺乏

社会支持是一个心理学概念，是指一个人出现心理问题时，一切有利于个人解决心理问题的社会因素。例如亲朋好友的主动关心、单位领导和同事的继续关怀都有利于离、退休老干部解决心理问题，组织离、退休老干部参加集体活动或倡导尊老敬老风尚均有利于他们宣泄和缓解不良情绪。当离、退休老干部社会支持缺乏时，有些心理问题就会逐渐变为心理失调，导致离、退休综合征。

6. 失去价值感

离、退休只是离开了原来的工作岗位，并没有离开社会。但许多离、退休老干部会突然感到个人的社会价值感失去，并由此滋生无能无用、无望无助的负性情绪。如果不能及时调整视角，就难以驱散心理阴影，久而久之也会导致心理失调。其实，离、退休并无损于个人的社会价值，只是换了一种生活方式而已。相反，如果反向思维，积极对待，及时调整就会发现，以前忙于职业工作使自己的潜能没有时间发挥，现在从繁忙的日常事务中解放出来，发挥潜力、创造生活、体现价值、享受生活恰恰是正逢其时。

## 二、离、退休老干部的心理特点与自我调适

对一些刚刚离、退休的老干部，由于生活环境发生了巨大的变化，势必在心理上引起震荡，少数会出现主体意识极端化——心理失调的现象。对于离、退休后的心理变化，大部分老干部都能随着时间的延伸，通过自我调节而逐渐适应。但也确有一部分人不能很好地进行自我调节，以致一些本来身体不错的老干部，一退下来便疾病缠身，很快走向了人生尽头。因此，离、退休老干部应当正确分析离、退休后的心理变化特点与原因，采取有效措施加以自我调养，使自己健康长寿。

### （一）离、退休老干部心理变化的主要特点与原因

离、退休老干部的心理变化，呈现多样化的特点，个体差异很大。有的心情烦躁，坐卧不宁，性子急，耐性差；有的爱发牢骚，喜欢自夸，常常看不惯这、看不惯那；有的固执死板、性情孤僻，说什么就干什么，一旦形成成见就不易改变；有的表现为孤苦伶仃、寡言少语，总觉得离、退休后大势已去，已成无用之人，生活无味；有的兴趣狭窄、不爱活动，无所事事，呆坐家中，郁郁寡欢，有的不相信人，好疑心，总觉得年轻人不如自己；有的喜欢攒东西，好积钱，吝啬不堪；有的说话颠

三倒四、絮絮叨叨，和年轻人的活泼性格合不来；有的特别关心自己，过分注意自己的身体健康，害怕死亡的到来……

造成上述心理波动的原因主要有如下几点。

1. 对生活方式的改变不习惯。老干部在职时工作一般都比较繁忙，休息后突然变得闲散起来，似乎自己已经“没有用”了，致使精神上失去依托，有“空虚失落感”。

2. 对环境突变不适应。有部分老干部在职时是领导或负责人员，客观上有一种心理优势，加之社会上有些人“势利眼”，台上台下不一样对待，老干部休息后就很容易产生孤独寂寞感。此外，老干部退休后，对家庭持有一种亲和心理。他们并不满足于“有饭吃”“有衣穿”，他们害怕孤独，害怕无人关心过问自己，害怕自己会遭到别人嫌弃。他们在退休后，亲和心理便油然而生，期望与其他家庭成员亲热和睦，期望得到其他家庭成员越来越多的关心、爱护、尊敬和信任。否则，部分老干部会产生不满情绪和晚年孤独感。

3. 退休老干部在退休后的第一个五年中，仍希望能继续参加工作，为社会再作贡献，特别是那些长期习惯于积极而有规律的在职生活，一下子转到慢节奏的退休生活的老干部，往往会因生活紧张程度的突然降低，而感到心理上的无所适从，无所事事。有的老知识分子不愿在退休后把自己的主要精力消磨在家务事上，有的体力劳动者不愿过清闲的退休生活。有些性格好强的老人会因其退休前“壮志未酬”而感到失望，退休后成就心理就变得更强烈，一旦不能如愿，就会诱发一些不健康的心理行为。

4. 刚退休后的老干部，都会产生抚助子女的心理需要，主动承担起家务劳动、教育第三代和照看门户的重任。但随着年龄的增高，老干部的劳动能力和自理能力降低，慢慢地便由扶助需要变化为求助需要，如陪伴就医、煎药护理、帮助洗澡擦背、理发洗（梳）头等。如果他们的这种求助心理得不到一定程度的满足，就会产生忧郁、消极和怨恨情绪以及家庭遗弃感。

5. 老年失偶、离婚者为了避免老年孤独，会产生求偶心理。但由于老人再婚常带来激烈的家庭矛盾和社会舆论，这就使得不少有情老人终不能成眷属，即使再婚了也可能由于受不住来自各方面的压力和偏见而被迫分离。旧的传统习俗和封建礼教使孤独老人不能很好适应这一心理变迁，因而产生一些不健康的心理行为。

6. 缺乏社交和兴趣。老干部的心理变化，还与他们的社会交往有关。多方面交往的老干部，在心理上的异常改变不会有多大；只有那些兴趣狭窄的人，由于其活动范围小，常常会感到寂寞和孤独，情绪上容易激动或抑郁，而这些精神状态对老干部的健康和长寿都是不利的。

### （二）离、退休老干部自我心理调适措施

针对上述离、退休老干部的心理变化特点与原因，离、退休老干部应当依据自己心理变化的特点与原因，主动调适心理，以保持乐观的情绪，促进身心健康。一般来讲，离、退休老干部应当从以下几个方面加以注意。

1. 积极参加社会公益活动，避免寂寞孤独。寂寞和孤独，对老干部来说是最难受的事，离、退休老干部对家人的依恋心理增加，不希望家人忽视他们在家中的地位，希望得到更多关心照顾以及思想交流，但现代生活节奏快，工作压力大，儿孙们往往难以满足老人的心理需求。因此，离、退休后的老人决不能局限于家庭这个“蜗居”中，而应积极参加社会公益活动，

适当做一些力所能及的事，如当好顾问、参谋，辅导青少年，培养接班人等等，把自己的丰富经验继续献给社会。只有使自己不离开社会生活，才会从中感受到集体的温暖和关怀，增加晚年生活的乐趣。

2. 保持年轻心理，防止心理老化。离、退休老干部最忌讳的是心理老化。有些老干部总是觉得自己风烛残年、不中用了。于是好静不好动，甚至整天静默沉思，郁郁不乐，以等待生命的完结。另外，使老干部感到苦闷的是，以前的老同事、老同学一个个与世长辞，触景生情，感到自己也将在某一天死去。这些老干部总是在“不中用”与“死”的胡同里转来转去，这就势必会导致精神支柱的瓦解，使忧郁程度不断升级，衰老也就更快了。然而，也有不少老干部“人老心不老”，对生活充满信心，情绪乐观，因而越活越年轻。这是因为，一个老干部，若总是觉得自己还保持着年轻人那样的朝气和激情，必然促进内分泌系统的活跃、旺盛，走得快、吃得香、睡得实，笑得甜，从而促进其他器官、系统的健康，增强免疫系统功能，各类疾病自然很少出现。纵观所有长寿老人，尽管他们经历不一、环境不同、生活习惯各异，但有一个共同特点，时刻保持年轻心态，不觉老、不服老！心理年龄轻，使生理年龄年轻化。所以，离、退休老干部要保持一颗年轻的心。为了激发自己的活力，要注意多与年轻人交往，从中感受青春的活力，千万不能有“行将就木”的心理。

3. 勤于学习，防止思想怠惰。人届老年，最怕的莫过于失去理想，失去思索、探求、创造的热情。思想的停滞和怠惰可使人未老先衰，老者更衰。世上并无不老人，但要在垂暮之年保持较好的大脑功能，精神抖擞地走完人生旅程并不难。古今中外，秋老叶红、卓有建树的不乏其人。歌德在70～80岁时写完了不朽名著《浮士德》；知名经济史专家傅筑夫耄耋之年主持编写了200多万字的经济史史料；药王孙思邈在101岁时完成了济世宏著《千金方》……，这些松龄鹤寿的老人之所以能精力充沛地从事着如此浩繁的工作，何尝不是受益于勤奋用脑！用脑可以是多方面的，如翰墨笔耕、智力游戏、社会活动、古物鉴赏等，均可使大脑保持旺盛的活力而延缓脑衰老。

4. 多接触现实生活，切勿沉湎往事。老干部由于生理和心理的变化，容易多愁善感，回顾当年。有过戎马生涯的老人，往往对昔日峥嵘岁月追思不已；有过坎坷经历的老人，其思绪也常沉溺于对过去不幸遭遇的回忆中。但如果过度沉溺于往昔，终日生活在怀念之中，势必增加郁闷和烦恼，产生心理疲劳，导致大脑神经系统的机能紊乱，出现忧郁、焦虑、自卑、自责等病态思维和情绪，导致机体代谢、免疫力的下降，使发生各种疾病的机会增加。这对于晚年丧偶，身边又无子女伴随和抚养的孤身老人，后果更为严重。因此，老干部不能生活在自我封闭的环境中，以免给胡思乱想提供机会，当多读书看报或与朋友一起讨论国内外大事，有条件的还可以搞一些参观、访问以及旅游活动，使自己的注意力转移到现实生活中来，体会生活的乐趣。

5. 培养良好的兴趣爱好。国外不少学者通过调查和研究指出，对退休后的老干部应进行再教育，使老干部掌握一种适合自己体力的新技能，从而既达到寄托精神的目的，又为社会创造财富，增加经济收入，改善晚年境况。老干部在退休后，生活也应有目标，时刻有自己的追求，最好每天都觉得有不少有趣的事情正等待着自己去做，比如：编织、修理、园艺、烹调等技术，音乐、书法、绘画、赋诗、摄影等文学艺术修养，下棋、看戏、打羽毛球、练拳、散步、旅游等各种文体活动。总之，只要根据老干部自己的特点和兴趣，培养正当的爱好，都是有益于身心健康的。

6. 加强营养，坚持锻炼，维持大脑的正常功能。大脑的机能状态与心理卫生的关系十分密切。对于老干部来说，除了通过勤于用脑以及注意营养、充足睡眠、避免过劳等措施来维持大脑正常功能外，还必须积极锻炼身体，经常到空气清新的公园、海滨、湖畔或者阳台、林阴道、田野等处活动肢体，呼吸新鲜空气。此外还要注意克服有害身心的不良习惯，如戒烟、不酗酒、尽量少用药等等。

7. 注意控制生气发怒等不良情绪。孔子说："六十而耳顺"，指的是人到了 60 岁以后，听了别人的话，能泰然对待，不会感到刺耳而生气发怒了。但有的老干部退休在家后，脾气越来越暴躁了，动不动就生气发怒。祖国医学一向认为，生气发怒是长寿之忌，应努力避免。上海 105 岁老人苏局仙十分强调免生闲气，保持心境的安静。他认为，老人最好能像小孩子那样具有童心，并推崇古人"难得糊涂"这句话，认为遇事不过分计较，烦恼也就不会乱人心意了。

8. 重视衣着打扮。有些老干部错误地认为，人到老年就没有必要讲究衣着打扮了，实际上，衣着打扮适宜有益身心健康，因为老年人穿着打扮得漂亮一些、潇洒一些，别人看着有活力，自身感觉也舒心，从而消除"人老珠黄"的忧伤，有益于身心健康。美国一家杂志调查了 3 000 名老年人，发现注意衣着打扮的人患高血压、冠心病、溃疡病、癌症等疾病者比不注意着装打扮的人低 30%以上。

# 第五节　婚姻家庭中的心理卫生保健

## 一、协调好老年夫妻关系

中国有句古谚语："家和万事兴"，而夫妻关系处于家庭所有关系中的第一位。一方面，家庭的其他关系诸如亲子关系，也就不存在其他关系，另一方面，良好的夫妻关系是建立其他关系的基础，夫妻相爱，孩子才会在爱的家庭中长大，从父母的关爱中学会什么是爱。夫妻双方相爱，才会更爱对方的家人，所以说，"处理好夫妻关系，建立和睦家庭"就成了稳定社会的一个不容忽视的重要因素。

常言道：少为夫妻老为伴，这句话反映出人们早已认识到老年夫妻关系随着年龄的变化而发生变化。这些变化是多方面的，如果夫妻双方不能及时发现这些变化给生活带来的烦恼，就会产生矛盾。及时发现并妥善处理矛盾有利于老年夫妻生活幸福。

### （一）冲突的原因

1. 因为子女的事而发生冲突

如对子女的穿着打扮、工作安排、恋爱婚姻等问题，由于老夫妻俩价值观、知识水平和经历的不同，可能会有不同的意见，如果互不相让的话，可能就会成为冲突的原因。

2. 老伴间兴趣、爱好不同

如老两口都退休了，可是"玩"不到一起。老太婆喜欢搓麻将，一玩起来就没完没了，留下老头子一个人看家，眼看到了吃饭的时间，老太婆还不回来做饭，使老头子不由得大动肝火。可老太太也有自己的一番道理：我已经做了一辈子饭了，现在你也退休了，该换换“班”了。

3. 老年人性格的变化

老年人因生理、心理、社会等方面的原因可能出现性格、脾气的变化。

4. 因为生理需求的差异而导致冲突

不同性别的老年人性欲望、性能力退化的早晚、程度不同。一般而言，在年龄相仿的情况下，男性老人比女性老人性欲更强烈一些。这样一来，就很容易出现这样的情况：男性老人觉得自己的要求并不过分，而女性却觉得对方“老不正经”。性生理和性观念的差别也会给老年夫妻生活带来阴影，导致夫妻关系不和谐。

（二）解决冲突的基本原则和注意事项

由于有诸如上述这些原因的存在，使得一些老年夫妇之间产生了矛盾。矛盾既然产生了，就应当设法解决。在解决老年夫妻间矛盾的过程中，有一些基本的原则是应当遵循的。

1. 老年夫妻间应互相尊重。既然是几十年的老夫老妻了，就要多想对方的好处，多看对方的优点，无论大事小事，都要注意尊重对方的意见，不要固执己见。只有这样，夫妻感情才能融洽。如果不注意尊重对方，什么事都自己说了算，对方难免会觉得自己临到老年还要受气，许多纠纷就由此产生。

2. 老年夫妻要互相谅解。人年纪大了，各方面都不可能像年轻时那么敏锐、那么精力旺盛。这就需要双方互相体贴、互相谅解。特别是身体较好的一方，对另一方要耐心、体谅；另一方也要控制自己，不要为了区区小事而喋喋不休。

3. 老年夫妻还应注意双方感情的培养。老年夫妻在感情培养方面常犯的一个错误是：过分求实而缺乏想像力，每日被柴米油盐之类的琐事所淹没，过分淳朴而缺乏情趣，常常被呆板和沉闷所窒息。当然老夫老妻之间的感情与年轻夫妻有所不同，但因此而否认老年夫妻间感情的重要意义是不对的。

4. 要克服自己性格方面的缺点。相当一些人上了年纪以后，性格越来越犟，听不进别人的话，大有不撞南墙不回头的劲头。这样的老年人往往闹得夫妻关系不和，甚至还会因此分锅吃饭。每对老年夫妇都应珍视自己从年轻时培养起来的爱情之花。性子急、性子犟的人要注意克服自己的毛病，当想要发火时，不妨想想自己的固执暴躁给对方带来的伤害，想想夫妻恩爱时的情景，想想对方往日对自己的关心和体贴。

5. 经常一起到外面走走或参加一些集体活动。有的老年人由于身体不是特别好，不愿意到外面去，老两口整天厮守在家里，时间长了，难免“牙齿碰舌头”，因为鸡毛蒜皮之类的小事而抬杠拌嘴。实际上，老两口到外面走一走，活动活动，呼吸一些新鲜空气，不仅对身体有利，还可以解除心头的郁闷，使心情好起来，这样老两口拌嘴的机会也就少了。

## 二、老干部的性心理及性生活

### （一）老干部性心理特征

老干部的性心理有如下特点。

老干部也需要伴侣，需要爱情，直至生命结束。许多世俗观念否认老年男性及女性仍然存在性情感、性要求和性关系。老年人更需要陪伴和安慰。人类是有丰富的思维活动的，人老了，儿女都在忙碌自己的事情，而老干部随着儿女长大后的离开，就会加倍的感到孤独，尤其是如果出现老夫妻某一方先离开人世。这种孤独的生活比经济上的不富裕影响要大得多。

老干部的性苦恼还包括老年性生活中出现的一些变化。如老年男性性活动中不能射精，女方会误以为这是由于自己缺乏性激情和性兴趣，缺乏性吸引力及反应性减弱。而女方出现阴道润滑作用减弱时，男方推论是否由于自己失去了性吸引力。也有男方要求女方维持年青时期的性激情，这也是不现实的。

把性交和性活动等同起来，认为只有性交才证明自己的性能力的正常，是老年人共有的性心理活动，一旦自己勃起需要时间延长，性交不能射精，担心这是自己性功能即将丧失的衰老表现，而显得悲观失望，这是大可不必的想法。

老年期体质出现阶段性的衰退，性活动如同体力活动一样不像也不需要像年轻人那样出现爆发力，老年人通过性活动保留自己的个性、自我欣赏以及避免孤独，但这种性活动并不总是典型地导致性交，夫妻间的拥抱、被拥抱、吻对方或被吻、互相牵手，诉说喜欢对方的话语，这一切都是感情交流，从这些活动中感到自己被需要，也需要别人。

虽然衰老总是不可避免的，但老年人也有性生活上的需求。不应受旧的习俗的影响，应消除心理误区，树立信心。在性生活时做到力所能及，互相探索，寻找最佳的性生活方式。

### （二）老干部的性交频率如何掌握

性成熟期以后性兴趣和性交频率是人生高峰期，新婚蜜月是性交最为频繁的时期。由于老年人的性反映的速度和强度都不能与年轻夫妻相比，因此性生活的方式、节奏有必要做适当的调整。

医学家经过长期观察发现，适当的、和谐的性生活可延长人的寿命。有些人通过研究发现，性生活和谐的老年女性头发光泽而富有弹性、视听觉良好，心情舒畅。相反，那些早年丧偶的老年人往往比白头偕老的夫妻寿命短。但一味贪图女色，纵欲无度，自然也会损害健康。至于纵欲有损于健康的机理，目前认为过度性生活会丢失大量的锌，而锌是人体生长发育必需的微量元素，它参与200多种酶的构成，锌缺乏会导致胸腺萎缩，淋巴细胞减少，细胞免疫功能减低。

对于老年人来说，性交频率，即多长时间过一次性生活为宜呢？在我国，60～70岁老年人的性交频率以每月1～2次为宜。

由于各人的身体素质、性欲的强弱、夫妻恩爱的程度以及共同生活的习惯等因素的不同，性交频率没有一定之规，完全因人而异。一般来说，过性生活的频率是否适合自己，可有如下三条判断标准：性欲是自然而激起的，双方都有强烈的要求性交的愿望；性交过程中身心愉快，没有不适感；性交后的第二天心情舒畅、精力充沛。若性交后感到十分疲劳、头晕目眩、精神不集中、心悸、腰酸等，则提示性生活过度的可能，应减少性交次数，注意休息。

世界各地老年人的性活动差异是很大的。我国是多民族的国家，但受到传统文化的影响，性文化基本上是比较封闭的。老年人应该排除一些错误的观点，一切要顺其自然，不要机械行事，要根据自己的实际情况决定自己的性交频率。根据科学调查，如果过早的停止性生活，对女性来说决经期提前，阴道过早的狭窄；对于男性来说阳痿和不射精也较多，而一直保持适度的性生活的老年人则不会过早地出现这些症状。因此，老年人应开发自己的性兴趣，过适当的性生活。

(三) 老干部性生活的注意事项

老干部性生活有一些特殊的问题。由于老干部性功能的衰退，在性交过程中可能会遇到阴茎勃起缓慢、阴道分泌物减少或阴道萎缩等现象，这样就有可能会出现性交困难、性交疼痛等问题。

解决男性老人阴茎勃起缓慢的基本方法是延长性交前的爱抚时间。性交前充分的情感交流和爱抚，不仅可以使阴茎达到比较好的勃起程度，而且可以提高性生活的质量，使男女双方有比较高的满意度。爱抚的部位应该有针对性，即所谓性感区。性感区指的是人体对性刺激特别敏感的部位。男性的性感区主要是口唇和生殖器附近。在性交前的爱抚过程中，对方如能有意识地抚摸上述部位，会加快男性老人的性唤起速度，使阴茎能够较快地勃起。当然，不同的人性感区可能有所不同，这就需要双方共同探索，及时向对方表达自己的感受。

在此需要指出的是，老年人的性活动与年轻人是有一些区别的。年轻人的爱抚一般以性交的实施作为结束，而老年人却不一定如此。老年人可以仅仅进行爱抚，而不性交。事实上，老人相拥而眠，身体间接触和互相爱抚，能够促进双方的情感交流，从而有助于克服老年人孤寂、失落的心情，维护心理的健康。

不少老干部还有各种各样的慢性病，这些老干部对待自己的性生活应有特别的考虑。总的原则是：既不可纵欲，又不可过分压抑自己，一切以有利于身体健康为尺度。某些疾病的患者，如高血压、冠心病患者过性生活须更加小心。为了使自己性生活的安排得当，并了解必要的注意事项，可找了解自己病情的医生咨询。

## 三、丧偶老干部如何注意心理保健

世人总希望夫妇百年好合，白头到老。但客观上，“月有阴晴圆缺，人有旦夕福祸，此事古难全”。“送君千里总须别，白头到老终分离”。在漫长的人生过程中。“生离死别”是客观存在的事实。

老年丧偶对老干部自身是一个巨大的精神打击。老年丧偶的痛苦只有“孤存老人”才能深切体会到。为了减少丧偶对孤存老干部造成的负面心理影响，除了家人、同事应给予更多的安慰、关心之外，丧偶老干部自己也要注意调适自己的情绪，以利健康长寿。

丧偶老干部应从以下几个方面加强自我心理保健。

1. 切忌过分悲伤。老来失伴，会使孤存老干部痛心疾首，这是难免的。但悲伤过度，极易伤心损身。因为，老年丧偶本身就是一个不小的“恶性刺激”。这种精神创伤既会直接引起某些疾病，又可加重和诱发老干部身上的某些“老毛病”。老年丧偶作为一种恶性心理刺激，可以引起、诱发或加重高血压病、冠心病、心绞痛、脑血管疾病、肺心病、溃疡病等病的病情。而这些疾病都是老年常见病，也是危害健康和寿命的重要因素。

因此，老干部在丧偶之后，要设法减少自己的心理创伤。关键是要认识到有生就有死，生生死死，是自然界的普遍规律，世间没有长生不老之人，天下也没有不散的筵席，夫妻相伴终有生离死别的一天，只不过有先后而已。所以，孤存者应尽快走出悲伤情绪的低谷，千万不能因老来失伴而感到活下去没有意义，悲伤过度，痛不欲生；要善待自己，从悲伤中振作起来。

2. 要注意消除丧偶后的孤独感。老年丧偶之后，常感到孤独，尤其是离、退休老干部，闲居在家，更感到寂寞、冷清。这种现象发展下去有可能使老干部患某种老年性精神病，其中以老年抑郁症为多见。精神异常严重时，可出现忧郁、紧张、焦虑、自责自罪、懊悔对亡者的“过错”，甚至产生“生不如死”的感觉。因此，为了消除孤独感，老干部在丧偶后，一是要想办法增加与其他亲人接近的时间和次数。与子女分开住的老干部，在丧偶以后，尽可能同子女同住，多与孙辈们相伴。二是要努力寻找一些适合自己的消遣办法，如适当增加一些看电视、听收音机和进行其他娱乐活动的时间。三是要注意保持适度社会交往，特别是已离、退休的丧偶老干部，更要尽可能参加一些社会活动，多与他人交往，以排除自己的忧伤和孤独感。

3. 有条件的丧偶老干部可考虑再婚。在丧偶之后，老干部失去了商量、谈心、生活上互相体贴和照顾的伴侣，这不仅在精神上，而且在生活上都会有一定的影响。这方面的困难，靠子女是难以完全解决的，而且绝大多数年轻人无法理解老干部这方面的心理状态。实践表明，丧偶老干部再婚有利于身心健康，是件于老干部自身、于子女都有好处的事。但由于传统观念的影响，老年人再婚还是一个容易引起非议的话题，往往被认为是“感情背叛”，是“老不正经”。因此，有些子女强行阻止父母再婚，他们从家庭关系和经济方面考虑得多，而从老干部的身心健康方面考虑得少。有的子女还简单地认为老干部再婚是为了私生活的需要，其实这是老干部想要得到互相关心、体贴和照顾的一种行为。丧偶老干部为了自己的身心健康，要敢于冲破世俗偏见，在条件许可时大胆考虑再婚问题。当然，也不能说丧偶老人一定以再婚为好，这要结合老干部的具体情况，合情合理地考虑。

## 四、丧偶老干部再婚与身心健康

随着人寿命的延长，丧偶老干部也越来越多。无配偶老干部的婚姻问题也逐渐引起了人们的关注。丧偶再婚对老干部的身心健康十分有利，于家庭、于社会也是大有好处的。

### （一）丧偶老干部再婚与生理健康

千百年来，由于文化的影响，在人们的思想里，性活动似乎跟低级下流活动划了等号。于是，性这个问题成了人们的一大忌讳，同时也成了科学研究的禁区。只是近30年来，这方面的研究才得以开展。但是，这些研究的对象多是青年人和成年人，对老年人的性活动仍然知道得很少。这是因为不少人认为人类性活动的目的是繁殖后代，而老年人，既然已经不再生育后代，自然就不需要有什么性活动，于是也就没有研究的价值了。

一般而论，人的性欲随着年老逐渐衰退，乃至消失。可是个体差异相当悬殊，而绝大多数老年人，无论男女，均仍然存在着性情感、性要求和性行为。性学家指出，老年人的性行为是老年人正常生理和心理活动的本能，但受着文化、传统观念和社会舆论等因素的影响。在我国，从整体上讲，老年人的性本能受到几千年的封建意识的压抑而过早地衰退了。特别是对老年妇女，这种压抑尤甚。因此，我国的社会舆论尤其要清除这种压抑。

此外，由于丧偶老年人客观上存在着性要求，在再婚愿望得不到实现，性要求得不到满足的情况下，致使极少数老年人，晚节不保，拈花惹草，轻则染上性病，重者赔上性命，酿成了不该发生的悲剧。据山东省一项调查统计，近年来老年人患性病的人数和比例逐年上升，呈扶摇直上之势，令人堪忧。

(二) 丧偶老干部再婚与心理健康

丧偶老干部再婚不仅有助于生理健康，更重要的是可以促进心理健康。俗话讲，“少年夫妻老来伴”，丧偶使老干部失去了另一半，打破了长期保持的夫妻相伴的平衡状态，必然会引起一系列惯性心理反应。子女成人另立门户后使老干部产生所谓“空虚家庭综合征”。配偶的去世则使丧偶者这种家庭空虚感加剧起来。丧偶老干部的家庭角色发生了骤变，他（她）不再作为丈夫或妻子，随着这种“角色退场”，丧偶者原来从配偶那里得到的支持、安慰、体贴和照料突然被取消了。在这种情况下，他（她）极需重新获得感情的支持和体贴。

婚姻是一种健康的自然状态，夫妻恩爱可延年益寿。独身者要比过着夫妻生活的人更容易在身心两方面受到损害。再婚是夫妻生活的失而复得，再婚使因丧偶而打破的心理平衡重新恢复，从而大大有益于丧偶者的心理健康。有的调查指出，失偶后再婚者的死亡水平较未再婚者甚至未丧偶者均低。

和谐的婚姻关系的建立顺应了自然，从而使人摆脱了精神压力或应激，既得到了性爱的满足，又得到了心理的满足，可以说，夫妻的伴侣生活是驱逐病魔和死神的一个护身符，美满的性爱是确保健康长寿的一根支柱。大剧作家曹禺失偶后再婚的趣闻已令人称赞；著名作家丁玲临终前一再叮咛子女要为自己患难多年的丈夫找一个老伴，以便得到照料，也属入情入理。

(三) 丧偶老干部再婚应克服自身的心理障碍

丧偶老干部再婚虽然从生理学和心理学的角度看，都是合情合理、无可非议的，但从有关调查资料看，我国丧偶老干部有再婚需求者不少，但实现再婚者不多。因为老干部再婚不仅受到种种家庭和社会因素影响，更重要的是老干部本身存在着一种心理障碍。

他们普遍存在着“三怕”。

1. 怕违反传统道德规范。中国的封建道德观念至今仍然束缚着婚姻实践。对于老年寡妇的婚姻桎梏尤为强烈，“好女不嫁二夫”的陈腐道德至今仍禁锢着相当多的人。老年人在考虑再婚时，尽管双方已情投意合，但想到消极的传统道德规范，则不敢越雷池一步。

2. 怕子女反对。有关调查资料显示，子女对老年人再婚持反对意见的居多，他们或因旧传统观念的束缚，不愿有继母（或继父）；或从自私心理出发，考虑到财产（未来的遗产）的得失，而反对父母再婚。因此，一些老年人由于害怕因再婚而影响与子女的关系，便打消再婚的念头。

3. 怕受社会舆论谴责。目前社会上对老年人再婚还普遍存有一种偏见，老年人一旦要再婚，便受到“为老不尊”、“春心不死”等舆论压力。于是，一些失偶老年人不得不强抑自己的再婚欲望而走上所谓“保持晚节”的道路，以避免闲言碎语。

可见，丧偶老干部再婚必须打消思想顾虑，克服心理障碍。丧偶老干部应当充分认识到，再婚，有时是会遭到子女的阻挠、会听到社会上一些人的风言风语的，这只不过是陈腐的思想在作祟而已。从科学的观点来看，老年人再婚，符合生理卫生，也符合心理卫生，而且对整个社会也有益处。因此，为了自己的身心健康，要敢于行动，一旦有了意中人，尽管往前走。

## 五、家庭空巢综合征

随着子女的逐渐长大，由于学业、事业、婚姻等各种原因，子女们纷纷离开了家庭，原来围着孩子们运转的生活格局突然发生了变化，加上孩子离家所造成的失落感容易使老干部产生伤感、孤独、抑郁的心理，这种变化被称为“家庭空巢综合征”。

### （一）家庭空巢综合征的主要表现

家庭空巢综合征的主要表现有以下几个方面。

1. 情绪方面　常感到心情郁闷、沮丧、孤寂、凄凉和悲哀等。有时失落感与成就感交织在一起，表现为心神不宁、无所适从、烦躁不安、茫然无助等。

2. 认识方面　多数人出现自责倾向，认为自己过去有许多对不起子女的地方，对子女的关心、照顾和疼爱不够，没有完全尽到做父母的责任和义务等等。但有时也会产生埋怨子女的倾向，觉得子女对父母的回报不够，只顾个人的利益而居然忍心让父母独守“空巢”等等。

3. 行为方面　表现为闷闷不乐、愁容不展、说话声调平淡、时时发出叹息，甚至流泪哭泣，常伴有食欲缺乏、睡眠失调等。子女离开家庭往往在短期内使父母的生活规律发生紊乱，需要及时调整。

### （二）家庭空巢综合征的产生原因

1. 心理衰老是父母因子女“离巢”而产生心理失调的重要原因。人过了四五十岁以后，进入了心理衰老期。随着自我生存能力和自我价值感的不断降低，他们自认为从叱咤风云人物逐渐沦落为社会弱者。这种自我衰老感很容易使他们产生对人际疏远的恐惧。而在所有的人际关系中，子女关系是最特殊的，是建立在最直接的血缘关系基础上的亲情关系。一旦子女因工作、学习的需要而远离父母，或者结婚单独另过，则父母自然会产生一种被疏离、舍弃的感觉。即便是子女结婚后能够经常回来看望父母，父母也会觉得自己的孩子变成别人（指儿媳或女婿）的人了，自己与子女的感情已是今非昔比，于是内心不免忧伤、痛苦。

2. 角色丧失是造成家庭空巢综合征的又一原因。许多已婚者，尤其是已婚妇女，把养育子女当作他们个人生活的最重要内容之一，甚至是唯一的内容，因而父亲角色或母亲角色对他（她）们的自我认同感是至关重要的，是他（她）们身份、自我价值和情感的来源。一旦子女长大离家，父母亲的角色便开始部分地丧失，甚至是全部丧失。这种情况的出现是令父母十分痛苦和难以接受的，会造成严重的心理压力。除非他（她）们可以从职业、教育、消遣活动和人际交往上找到新的角色，代替原来用以满足身份、自尊和情感的来源——父亲角色或母亲角色，否则会产生家庭空巢综合征。

3. 年轻一代不理解老年人的心理需求。他们以为年人部有吃、有喝、有穿、有用就可以了，其实老年人更需要问寒问暖，需要亲情间的交流，需要了解子女们的情况。

4. 子女们的工作太忙。现代生活节奏快，每个人都十分忙，这是生活使然。老年人已经把社会舞台的中央位置让位于年轻人了，他们有更多的社会责任。更何况人人要生存、要竞争，忙工作、忙孩子、忙小家庭，到老人这就没时间了。这既需要老人的理解、支持，更需要子女的妥善安排，把老年人的事摆到生活日程上。

(三) 怎样克服家庭空巢综合征

1. 面对压力，应有意识地预防“亚健康”，在心理上要“悦纳自己”，要多些自信，少些自责，懂得不必事事求完美。面对“空巢”则该主动调整生活，以重新发现自我，获得生活乐趣。老年人还要坦然承认并减少或战胜空巢所带来的各种心理困扰。空巢家庭成员应认识空巢家庭是现代化发展的必然趋势。母女关系、亲子关系不是附属关系，儿女终将成为独立的个体。同时“空巢”也有“空巢”的好处，它能使自己有更多的时间关爱自己，做自己想做的事情，成为健康快乐的老年人。反之，如果终日限于空巢感中，不满、孤寂、自我折磨是很不明智的。

2. 建立新型家庭关系，减轻对子女的心理依恋。由于受我国传统文化思想的影响和独生子女家庭结构的制约，孩子成为家庭基本三角的唯一的支点，父子和母子关系都集中在孩子身上，这样就容易使父母对子女产生一种特殊的依恋心理，尤其是在感情生活上更多地受孩子的影响和支配，其结果就为日后因子女离家而产生“家庭空巢综合征”埋下了种子。所以应及早将家庭关系的重心由纵向关系（父母与子女的关系，或称亲子关系）向横向关系（夫妻关系）转移，适当减少对子女的感情投入，降低对子女回报父母的期望水平，尤其是当子女快要到了“离巢”年龄的时候，要逐渐减少对子女的心理依恋，作好“放飞”的心理准备。另外，父母要尽量与子女保持宽松、平等、民主的关系，这种关系会促使子女在情感和理智上关心、体贴父母，增加子女与父母联系和往来的次数。

3. 充实生活内容，寻找子女“离巢”后的替代角色。许多父母亲，在子女未离家时，他（她）们为子女的衣食住行操劳，虽然辛劳受累，却很充实。一旦子女由于求学、工作或结婚而离家出走后，生活虽然清闲了，却觉得异常的难熬。所以要克服或减缓“家庭空巢综合征”，就必须及时地充实新的生活内容，尽快找到新的替代角色。

## 第六节　心理健康与长寿

### 一、心理衰老的特征

在很大程度上讲，心理衰老就意味着一个人的真正衰老，以至于有的学者把心理衰老看成是通向死亡的“催化剂”。老干部要想健康长寿，首要的一点就是应该设法延缓心理衰老。

心理衰老的表现千变万化，很难有一个公认的确切标准。但是，通过调查研究，一些老年心理学家还是粗线条地归纳出以下表现特点。

1. 感觉、知觉衰退。眼睛老化，听力不如从前，味觉迟钝，以前很好吃的东西现在感到淡而无味。

2. 记忆力衰退。熟人的名字老是记不起来，读书前看后忘；电话号码总要反复看几遍才能记住；刚说过的事，一转身就忘了；常常记不起随手放的东西。

3. 想像力衰退。理想逐渐丧失，幻想越来越少。对新鲜事物缺乏好奇心。

4. 言语能力衰退。讲话变得缓慢啰嗦。

5. 思维能力衰退。不容易集中注意力思考问题。学习新事物感到吃力，甚至有点害怕学习新事物新知识。

6. 情感变得不稳定。较易动感情和在感情上被人同化。遇到困难，不像以前那样镇定自如。经常有莫名其妙的焦虑感。对喧闹声感到很烦躁。看不惯年轻人的言谈与行为。

7. 意志衰退。做事缺乏毅力与探索精神，喜欢凭老经验办事。下决心要做的事常常拖拉而不立即行动，进而，什么事情都不想做了。

8. 反应能力下降，动作不如从前灵活，对事物不如以前敏感。一旦疲劳，恢复得较慢。睡眠时间也比以前少了。

9. 兴趣爱好减少，生活中感兴趣的范围变小了。不再有兴趣看小说、电影、电视，不再喜欢参加各类活动，特别是集体活动。

10. 产生衰老感和死亡感，总感到自己老了，经常想到自己已临近死亡。常回想已故的亲友，又联想到自己，悲悲戚戚。

11. 性格更容易发生变化。老干部离退休后，如果身体还十分健康，经济生活、文化生活等没有发生重大变化，则老干部的性格通常不会发生重大改变。如果老干部体弱多病，又缺乏亲友照顾，医疗条件差，经济拮据，家庭矛盾多，子女不关心，居住条件差，则老干部性格易变得暴躁、易怒、情绪低落、忧郁、焦虑不安、孤僻、古怪，甚至不近人情。

12. 容易焦虑不安。很多人在度过更年期后，情绪逐渐趋向稳定。但是焦虑不安一直持续到老年期。当环境中有不利因素时，就更容易出现焦虑不安。

13. 情绪明显的变化。老干部情绪反应的变化一方面是对一般刺激趋向冷漠，喜怒哀乐不易表露，或反应强度降低，使人易产生冰冷之感。另一方面遭到重大刺激，情绪的反应却特别强烈，难以抑制。有的老干部在共庆全家团聚时，也许忽然伤心落泪；别人认为很平常的事，他却在唉声叹气。家人也常摸不透老干部的脾气。其实，多由外界刺激引起。

14. 敏感多疑，感觉器官不敏锐，对捕风捉影、似是而非的事往往却很认真，常把听错、看错的事当作对他的伤害而感到伤心不已。

15. 易产生孤独感。原因主要是老干部本身衰老影响了老干部的心理；社会疏远老干部及老干部自己退出社会也是原因之一。他们性格由外向转为内向，深居简出，懒于交际。

16. 容易自卑。感到自己老了，不中用了，如果遇到生活以及疾病等诸多困难时，均可使老干部过分伤感，自卑情绪也就随之加重。

## 二、怎样减缓心理衰老

讲究心理卫生的目的是为了延缓心理衰老，让生命之树常青。那么，老干部怎样才能延缓心理衰老，促进健康长寿呢?

1. 寻找精神寄托，促进身心健康。老干部离、退休后，离开了长期从事的工作、熟悉的集体，会感到空荡荡的。为此，老干部应当重新安排生活，寻找精神寄托，使生活过得充实而有乐趣。所以，老干部应适当培养自己的生活情趣，如多参加集体活动，多结识些朋友，适当找人倾诉等等。另外生活应有规律，把每天的生活安排得有条不紊，这对保持身体健康和良好的心境都颇有裨益。

2. 正确对待离退休，顺应角色改变。任何人到一定年龄都要退休。退休后，老干部应愉快地面对角色的变化，将退休看作是合理的社会安排，是新的社会生活的开始。可根据自己的特长和兴趣爱好，寻找新的社会角色。老干部更要扮演好在家庭中的角色，与老伴要搞好关系，双方能够相互支持，相互理解，就不会感到孤独和寂寞。

3. 念好“老”字经。老年期是人生经历的最终年龄阶段，无论生理特点还是心理特点，都与青壮年阶段不同，因此，老干部要想健康长寿，安度晚年，必须从“老”字出发，念好“老”字经。

（1）要知老　老干部必须承认自己已经老了，生活的方方面面都要量力而行，不要勉强，更不要好胜逞强，不要去做有害身体健康的举动。

（2）心不要老　就是心理上不怕老，不服老，要不断激发自己，战胜自我，始终保持年轻人那种雄心壮志。

（3）要忘记老　就是不要让“老”字占据自己的头脑，要对生活抱乐观的态度，从心理上避免自我老化。

4. 坚持健身运动。老干部最大的变化是从“多动”到“少动”，由于活动减少，不仅会加速机体衰老，同时也会导致心理衰老。因此，经常坚持健身运动，既是心理养生的重要内容，也是心理养生的有效手段。

5. 勤奋用脑。永葆青春的心理是以大脑的生理状态为物质基础的。大脑老化是一个不间断的逐渐发展过程，坚持读、写、绘画和各种思维活动，是保持大脑活力的有效措施。经常思考问题，可使大脑皮层中主管思考领域的神经细胞之间形成新的联系，使思维活动更加敏锐灵活。

美国著名心理学家史基教授指出：“生活活跃，乐于学习与思考，并有某些刺激智力的嗜好者，到了老年期，大脑仍然会保持活跃。”因此，老干部为了保持和促进心理健康，延年益寿，永葆青春，应当勤奋用脑，经常进行脑运动。

## 三、老干部健康长寿的方法

现代医学研究认为，人类“长命百岁”的祈祷是可以实现的。随着现代医学的进步，在21世纪威胁人类长寿的主要原因将由心理、社会因素取代生物学因素。也就是说各种躯体疾病得到有效的防治，如何搞好心理卫生才是老干部健康长寿的秘诀所在。

### （一）保持良好的情绪

离、退休的老干部卸去了肩上的重担，正是调养精神、颐养天年的好时机。但老干部从一种社会角色过渡到另一种社会角色时，对物质和精神的期望值不可避免地发生变化。如果不能调整好现实与愿望间的矛盾，就会出现心理冲突，导致心理失衡，情绪不稳定，危及心身健康。

乐观的情绪可以使人延长寿命。心理学家认为：“悲观情绪早期就能加以确认，也可以改变，所以具有特殊健康风险的人可以参加简短的训练计划，永久改变他们对不幸事件的思虑，从而降低患病乃至死亡的风险，这是有可能的。”

要保持乐观开朗的情绪，应做到如下几点。

1. 制定一个合理的、切合实际的生活目标；
2. 善于发掘事物光明的、美好的、积极的一面；
3. 积极投入生活，主动参与社会活动；
4. 对一切事情都不寄予过高的期望，不作脱离现实的非分之想；
5. 不过分苛求自己，不过分自我责难；
6. 学会运用弹性思维，凡事乐于妥协和让步；
7. 明智地对待生活中的挫折和委屈，并能尽快自我解脱；

8. 培养一些业余爱好，尽量丰富生活色彩，多多增加生活情趣；

9. 广交朋友，多交几个知心朋友；

10. 饮食合理，运动适量，睡眠充足。

（二）注重饮食起居

人们的情绪，当然主要取决于其世界观、性格和气质，但也与饮食有一定关系。一般来说，较多蛋白质的摄入，能使人积极乐观、精神振奋；较多碳水化合物的摄入，能使人温和平静、清心寡欲；较多脂肪的摄入，能使人激动不安、烦躁易怒。

公元前的医学巨著《黄帝内经》在总结当时有关保精养神、归真返朴以延年益寿方法的讨论中，提出了营养与老化的问题，把“饮食有节”作为长寿养生法的要领之一。

把“五谷为养，五果为助”的“食疗”与“毒药攻邪”的“药疗”看作是治疗疾病过程中缺一不可的两个重要环节。

1. 限食的延寿效果。根据动物实验，限制饮食能增加某些动物平均和最高生存时间。过食可导致肥胖，而肥胖与许多老年疾病的发生有关，进而影响寿命。

2. 微量元素对寿命的影响。对人体组织、血液、头发中微量元素浓度的增龄性改变研究表明，许多组织中的钴（Co）、锶（Sr）、镁（Mg）、钙（Ca）、铁（Fe）、硼（B）等元素含量有明显的年龄变化规律，提示衰老与元素的不平衡密切相关。

此外，许多微量元素与老年期多发病有关。例如：硒、锰、砷与人体19个部位的癌症死亡率显著相关。又如钙、锌与血脂代谢，硒与冠心病、癌、胰岛素的分泌、动脉硬化，镉（Cd）与高血压病等疾病有关。

3. 维生素与老化的关系。脂褐素在细胞内的积聚是细胞衰老的特征之一。而饮食中缺乏维生素 E、A、C 可加速脂褐素在细胞内的积聚速率。

4. 氨基酸与长寿。动物实验表明，增加酪氨酸、色氨酸等氨基酸，可以延长寿命。

由此可见，营养状况通过影响核酸和有关遗传物质的代谢，调节自由基代谢，防止过氧化损伤；调节免疫功能；改善脑衰老过程中神经递质的失衡等途径，进而影响到人的寿命。

营养方式和组成营养主要来自饮食，进入老年期后体力活动减少，消化和吸收能力减退，易导致食欲减退。加上某些不良习惯或离、退休后的经济变化，食物摄入量减少，易发生营养缺乏或不足。亦可因膳食搭配不合理而造成营养失调。在考虑老年人的营养组成时，应加以注意：适当补充热能、蛋白质、脂肪、碳水化合物、无机盐，还要适当应用水。

（三）培养广泛兴趣

现代医学认为，人的心理老化要比生理老化对衰老的影响更大。只有积极面对老年期社会角色、生活方式的变化，积极培养广泛的兴趣，才能将自己与社会紧密相连，融为一体，既有利于自己为社会发挥余热，更有利于自己修身养性、延缓大脑的衰老。

培养广泛兴趣，形成好学习惯。老干部要不断学习，更新自己的知识结构，学会多渠道的吸取信息。在力所能及的范围内尽可能的参加社会活动，广交朋友，特别要善于与同龄人交朋友，也要有意识地与年轻人交朋友。要根据自己的兴趣、爱好，要寻找机会，学习些琴棋书画、诗词歌赋、集邮、打拳、演戏，都可用来调节生活情趣，促进心身健康。

积极安排一些文娱活动。书画活动，对于老干部来说，是一种轻松、飘洒自如、寄情寓兴的高雅活动，它可使人全身放松、消除紧张。书写、作画时的“专心致志，心不二用”，可使人忘记其他许多不快之事，而得到一种愉快的享受。戏曲、歌舞也不失为一种高雅的娱乐活动，能有效地锻炼思维、促进思想活跃。跳舞，对身心是一种极好的锻炼，翩翩起舞，使人沉浸在轻松自如、愉快、和谐的气氛中，让大脑处于最佳休息状态，能消除疲劳，有助于睡眠。阅读中外名著，能充实内心、改善素质、提高精神境界。一些好的现代作品充满了时代气息，反映了社会现状及现代青年人的心理与想法，阅读后会使思想跟上时代的步伐。在青少年时代阅读某些著作时还不能理解其中的内涵，在壮年时又因工作或家事的忙碌而无暇享受，而退休后已摆脱了许多人间俗事的羁绊，此时正是天赐欣赏古今中外瑰宝的良机。

（四）适度的运动

常言道：生命在于运动。运动对健康的积极意义，前面已作介绍，在此再次提出，也是对保健运动对延年益寿重要性的强调。坚持适度的体育锻炼，或做一些力所能及的体力劳动是所有长寿者的共有生活特点。体育锻炼作为长寿保健的主要手段正风靡于世，但要做到安全、有效就要注意个体差异，每个老干部要结合自己的实际情况、因人而异地选择运动项目、运动量和运动时间。选择运动项目要根据自己的年龄和身体状况而定。年龄较大、体质偏弱者宜选择步行、慢跑、太极拳等项目。运动量的选择可根据自己运动后不感到疲劳、心情舒畅、食欲、睡眠良好为标准；此外，还可以用运动后3~5分钟内心率恢复到自己安静时的心率数作参考。运动时间以每天半小时左右为宜。贵在持之以恒、循序渐进，定能使你精神充沛，乐在其中，青春长驻。

## 四、养生经验秘诀

老干部要健康长寿，每天必须坚持做到十四个“一”。

1. 一瓶开水。即一暖瓶白开水。就是说一个健康的人，每天要喝 7 ~ 8 杯水，约 2.5L。有些人身上无光泽，过早衰老，是与身上缺水分不开的。成年人身体 65% ~ 70% 是水分，肝、大脑、皮肤含 75% ~ 80% 的水，骨骼含水 20%，血液含水 90%。研究表明，白开水中含有大量的钙、镁等元素，对人的身体大有益处，特别是有防治心血管疾病的作用。这 7 ~ 8 杯水怎么分配？最好是早晚各饮一杯半到两杯，剩余的在上下午、饭前饭后饮。为何要强调早晚饮呢？因为，早上喝水可以清洗肠道，补充夜间失去的水分，降低心血管疾病的发生。晚上喝水能稀释血液，保证一夜之间血液不黏稠，减少脑血栓、脑梗塞疾病的发生。有的专家还强调指出：每天老干部的四杯水必喝，即清晨一杯、浴前一杯、睡前一杯、比年轻人多喝一杯。

2. 一盅醋。醋的主要作用是：解毒、杀菌、活血、解除疲劳。每日三餐中食用点醋，可以延缓血管硬化的发生。

3. 一口香油。香油可以防治许多老年疾病，因为香油里含有维生素 A，含有丰富的不饱和脂肪酸，其功能是：（1）祛热、解毒、通便生肌；（2）降血脂、软化血管、防治动脉粥样硬化；（3）对高血压、冠心病、肾病有防治和改善的作用。

4. 一头洋葱。洋葱作为蔬菜已有 5 000 年的历史。在欧美，它被誉为蔬菜皇后。据测定，每百克洋葱含钙、磷、铁、维生素 C 分别是 40、50、2、8mg，还含有胡萝卜素、维生素 $B_1$、尼克酸、蒜素、栎皮黄素、谷胱甘肽、硫化硒、前列腺素A、槲皮质类物质、黄尿丁酸、二烯丙基、二硫化物及硫氨基酸。其中，蒜素、栎皮黄素、谷胱甘肽、硫化硒等，有防癌抗癌的功能；前列腺素A是一种较强的血管扩张剂，可降低人体外周血管和心脏冠状动脉的阻力，对抗体内儿茶酚胺等升压物质，具有降低血压和预防血栓形成的作用；槲皮质物质在黄醇酮诱导下所形成的配糖体，具有利尿消肿作用；黄尿丁酸具有降低血糖作用；二烯丙基、二硫化物及硫氨基酸，具有抗血管硬化及降低血脂的奇异功能。最新研究发现，吃洋葱可减轻眼睛的玻璃体混浊，改善视力；醋泡洋葱可降血脂血糖。

总之，常食洋葱，能防癌抗癌、降低血脂、改变血糖、稳定血压、净化血液、减低血管脆性，并对人体动脉血管有很好的保护作用。

5. 一只茄子。茄子含有丰富的维生素A、$B_1$、C、D、P，蛋白质和钙，特别是外皮，含量更高，是必须要吃的蔬菜。它有突出的三大作用：（1）防止发炎物质增长；（2）预防动脉硬化和心肌梗死；（3）抑制肿瘤形成。常吃茄子，能有效地防治脑血栓、高血压、动脉硬化、高胆固醇、癌症、便血、痔疮和老年斑等。它所含的维生素P，能增强细胞黏着力，同时可以调节神经，增加肾上腺分泌，令人心情愉悦。它还含有一种元素叫龙葵素，这种元素能抑制肠癌、胃癌的发生。需要提醒的是，茄子性凉，妇女经期前后及脾胃虚寒者不宜多吃。

6. 一段鱼。日本人长寿居世界首位，与吃鱼有关。有材料说，他们每年人均吃鱼100多公斤，超过大米的消耗量。鱼含有丰富的人体所需要的核酸。核酸是一种对人体有利的元素，它能使细胞新生。不仅如此，鱼还含有FPA，能使血液变清，流通更畅，防止中风、心肌梗死。德国心脏病专家研究显示，平均每天吃鱼 30～50g（最好是肥一点儿的海鱼），可有效降低心脏发病之危险。专家还指出，鱼油中的 Omega-3 脂肪酸，可以让人的身体分泌出更多能够带来快乐情绪的血清素。

7. 一个西红柿。现代医学检测，西红柿在水果、蔬菜中是维生素 C、维生素 PP 和尼克酸含量最高的一种。除此之外，还含有大量的胡萝卜素、番茄红素、钙、磷、铁、谷胱甘肽、苹果酸、番茄碱、核黄素、抗坏血酸、柠檬酸等。它的主要作用是：（1）抗衰老，使人年轻，延年益寿；（2）降低恶性肿瘤的发病率。研究表明，每天吃一个西红柿，男同志前列腺癌减少 45%，女同志不得子宫癌、卵巢癌；（3）清胃健脾；（4）降胆固醇；（5）降血脂；（6）防治坏血病；（7）抗炎抗感染；（8）减肥。这里需要注意的是，西红柿不能与黄瓜同食，同食会破坏西红柿中的维生素，黄瓜中的分解酶和维生素 C 也会遭到破坏。

8. 一碗紫菜汤。紫菜被人们视为珍贵海味之一，素有“长寿菜”之称。每 100g 干紫菜含蛋白质 25～30g，与大豆相当。含有大量的氨基酸、维生素 A 和 C、钙、铁、钠、钾、镁、锌、磷、碘等。紫菜的功能：防衰老、贫血，防治动脉硬化、咽喉炎、甲状腺肿大、淋巴结核、胃溃疡、肺脓肿、便秘、瘰臭、脚气、高血压、阳痿、妇女更年期综合症，能利尿、排毒、补肾、降低胆固醇等。

9. 一杯奶。为什么要喝奶？因为奶能补钙，保护肝、脑、肾、胃，预防肠道、心血管、胆结石、中风等疾病的发生。

喝奶，当然喝酸奶要比喝鲜牛奶好。酸奶既含丰富的蛋白质、钙、维生素 A 和 C，又含乳酸菌，能促进钙的吸收。研究表明，它能消食、明目、防癌、排毒、利尿、防辐射，提高人体的免疫力。这里要特别强调三点：一是酸奶能补充益生菌。专家指出，最常见的有益菌种是乳酸菌属和双歧杆菌属的细菌。在新生儿体内，大约90%的细菌都是有益菌类。人到中年，有益菌类就会减少到10%～15%。等到老年，有益菌类的数量甚至会减少到千分之一。可见，人到老年时不喝酸奶是不行的。二是酸奶延缓人的衰老。俄国学者契尼柯夫认为，衰老是由人的身体中毒所引起的。其理由是，人体肠道中大量的细菌尤其是大肠菌群，在代谢过程中产生大量的毒素，从而促成衰老。如果饮用酸奶，以引入大量的乳酸菌取代肠道原有的细菌，可以达到减少自身中毒，延缓衰老之目的。三是酸奶对妇女有特殊的作用。它能有效预防乳腺癌，杀死念珠菌。每天坚持饮用250ml酸奶，患乳腺癌的可能性就降低50%；乳酸杆菌对阴道里的念珠菌杀伤力特别大。念珠菌在人体里繁殖非常快，危害非常大，酸奶可以制服它。

喝奶的时间最好是晚上，晚饭后半小时至两小时之内。因为人体在夜间十一点到第二天凌晨血钙含量最低，此时喝奶等于雪中送炭。

10. 一个苹果。苹果营养价值高，是一种对健康非常有利的水果。美国《读者文摘》介绍10种水果，苹果排行第一。它含有大量的苹果酸、钙、多种维生素，特别是含有大量的维生素C。苹果具有七大功能：（1）防治肺癌。苹果里含有可防肺癌的黄酮化合物，常吃苹果可减少肺癌的发生；（2）及时清除体内垃圾。主要是排出体内多余的钾盐；（3）防治动脉硬化。吃苹果能软化血管，维持正常血压；（4）调节血糖；（5）治关节炎；（6）治便秘；（7）减肥。专家曾对805人进行试验，得出的结果是：65～84岁的人，每天吃1～2个苹果，犯心脏病的危险可减少一半，胆固醇可降低16%。

11.一袋茶。据现代科学分析和证实，茶叶中含有400多种对人体有益的成分，能改善人体生理功能，防治某些疾病。茶叶的主要作用是：(1)清除人体有害自由基，抗癌、抗衰老。因为茶叶里含有茶多酚（亦称儿茶素），它具有很强的抑菌杀菌作用和抗老化作用；(2)防治“三高”（高血脂、高血压、高血糖）；(3)提高免疫能力；(4)抗辐射；(5)防中风；(6)防骨折；(7)防老年痴呆；(8)减肥。有人做过实验，凉开水泡绿茶，可以减肥，有利于降血糖。做法是取茶叶10g，用凉开水浸泡3小时后服用，然后添加水再泡再喝，直到茶叶泡到无味为止。可见，茶对人体是大有好处的，我们必须坚持喝。喝茶，最好是喝绿茶、乌龙茶。特别是绿茶，更要坚持喝。因为绿茶含有丰富的维生素C、叶绿素、黄烷醇、氨基酸、茶多酚和咖啡碱，能防治肝炎、胆囊炎、前列腺炎、关节炎、高血压、心脏病、动脉硬化、高胆固醇、神经衰弱、牙齿不坚固、癌症等。

这里提醒注意，睡前、服药前后、便秘、失眠、贫血、骨折、感冒和发烧时不易饮茶。有胃炎、胆病、痛风、胃溃疡等病的人不易饮茶。

12.一公里步行。俗话说：“要长寿，多举步。”“天天坚持走，不活一百也活九十九。”世界卫生组织正式提出：步行是最好的运动。步行有四大好处：健身、祛病、怡神、强体。据专家调查显示，不爱运动的人，其心脏要早衰10～15年，患心血管疾病的危险要比一般人高出1～3倍。至于怎样运动，要因人而异。一般来说，一天的运动量不得少于一公里，即一千米。当然，步行的里数要尽量多一些，步行的速度要尽量快一些。

步行中，要抬头、挺胸、收腹，两手放松摆动，脚跟着地要实。还有健身要求——“日行六里”、“日走万步”。这都是参考的数据，不是绝对的。

13. 一个好的生活规律。一是求安求和。安，即安静；和，即和顺。这是宋代苏东坡的养生之道。二是早睡早起。要与太阳一起行动。三是勤走动。要广步于室内和庭院。四是耳眼不闲。读书、看报、听音乐，陶冶情操，通畅气血，促进大脑血液循环，增加自身的活力。

14. 一个好的心情。这是讲日常精神疗法。人的情绪，也就是人的心理状态，很重要。无论何时何地，都要保持一颗健康的心。做到心胸开阔，事事乐观，笑对人生。中国有句民谚，叫做“心不老，人难老”，很有道理。所以我们的老干部，每天都要保持乐观豁达的情绪，做到精气神十足。那么，怎样才能有一个好的心情呢？主要是做到“四忘”，即忘老、忘病、忘忧、忘欲。实践中坚持做到这四点，心情自然就会变好，进而身体也就不会垮掉。

总之，只要能掌握以上这十四个“一”，就能远离疾病，活过百岁。张学良、宋美龄、巴金都是100多岁。他们能活，我们为什么不能活！

# 第三章

# 老干部常见的心理障碍

- 老年期抑郁症
- 老年期神经症
- 老干部的药物依赖
- 老干部的睡眠障碍

# 第一节　老年期抑郁症

抑郁状态是老年人常见的情绪反应。抑郁症是指情绪沮丧、忧郁、思维迟钝、心理活动异常的综合征。抑郁症在各个阶段都可发生，但老年期尤为突出。老年期抑郁症主要是由于衰老所致，社会适应能力下降，加上身体疾病、丧偶等的痛苦以及退休、经济收入减少等因素使其心理上受到压抑，使得老年人情绪低落、沮丧、痛苦。在此基础上可产生悲观、厌世情绪及自责心理，甚至自杀行为。“万事皆空，百无聊赖”。食欲、性欲下降，体重减轻；伴有疑病、虚无和妄想；突出的睡眠障碍和躯体症状等都可使抑郁症状加重。有关资料表明，各国包括自杀在内的意外伤亡人数中，老年人比例达50%之高。当老年期抑郁症患者陷入孤独、悲观、厌世的阴影之中，自我意识和自我控制水平减低，一旦有了刺激情境，如其他老干部自杀了、患了绝症或重症等都会受到感染，与消极厌世的意志产生共鸣，而走上绝路。

## 一、老年期抑郁症的主要特征

老年期抑郁症的早期症状可表现为躯体不适，如头痛、失眠、早醒、食欲下降和便秘等。多数患者对便秘十分重视，常为此痛苦不已。有时可出现疑病状态，到处求医，唯恐身患不治之症。躯体检查可表现为血压不稳，脉速、唾液分泌减少，尿少，血糖轻度升高，糖耐量降低等。接着出现情绪低落、精神萎靡、缺乏耐心、容易烦恼和激怒等症状。老年期抑郁症的表现形式具有如下特征。

第一，老年期抑郁症中，反应性（即外因性）的成分增加。那些看得见的损失，如家庭成员的死亡、经济的崩溃、意外的灾害等都能成为诱发抑郁症的外在因素。

第二，老年期抑郁症具有不同于抑郁症一般症状的特殊特征。其主要为：(1) 焦虑、不安的感觉十分强烈。(2) 多伴有顽固的疑病症。患者常成天叫嚷有病，其中叫嚷消化系统有病的最多，达32%，并常伴有自杀企图。(3) 多伴有妄想症，他们常表现出强烈的罪责妄想、疑病妄想、追踪妄想等。(4) 多具有假性抑郁症形式。(5) 容易导致全身性身体功能的衰退，并能产生并发症。(6) 有的还会呈现出假性痴呆症状。

## 二、老年期抑郁症产生的原因

老年期抑郁症是一种情感性精神疾病，其发病原因错综复杂，归纳起来主要有生理、社会、心理三个方面。

### （一）生理因素

1. 遗传的影响。大量研究表明：抑郁症的家庭成员的患病率远远高于一般人群；亲缘关系越近，患病率越高；抑郁症患者的子女的患病率高达68.1%。

2. 躯体疾病的影响。患有严重躯体疾病者，主观上往往把疾病看得太重，从而形成一种强大的精神压力而诱发抑郁。

3. 衰老的影响。我们常常可以听到这样的叹息：“唉，我真是没有用，老是丢三落四，有时在街上碰见十分熟悉的人，竟叫不出他的名字来。”这种现象在各种年龄阶段都存在，通常人们戏称为“思想短路”。而老年期由于大脑的老化、记忆力下降，这种现象更为普遍，多数老干部视之为不中用的表现，因而闷闷不乐。另外，易生疾病也给老干部带来不快，他们担心成为子女或者社会的“累赘”，总是对自己的身体状况忧心忡忡，害怕染上某种疾病。

（二）社会因素

社会因素主要是老干部的“失落”而诱发抑郁症。在这里，“失落”是指两层意思：一是角色的改变导致的心理反应。从原来熟悉的工作环境退下来后，多数老干部在内心是无法立即接受的。因为失去工作便失去了他人的关注，便失去了与同事的沟通，心理便失去平衡。二是配偶的丧失。据有关文献报道，有人曾对 4 489 名 55 岁以上的丧妻者进行为时 9 年的调查，发现 5%（213 人）的人在丧妻后半年内相继去世，半年内丧妻者的死亡率比未丧妻的同龄者高 40%。这主要是丧妻后，老干部整天沉浸在悲痛之中，少语、孤独、叹息伴随老干部度过余生。

（三）心理因素

老年期常被视为丧失期，失去了工作，逐步降低了社会地位，丧失了健壮的体魄，身体和神经系统活动能力不断下降等身体方面的因素会引起一系列心理方面的变化。（1）消极的情绪：随着年龄的增加，老年人对外界的适应越来越感到力不从心，消极的情绪便会越来越多地出现。从而使神经系统失调、内分泌系统紊乱而导致精神抑郁。（2）挫折的情境：老年期导致挫折的因素增加，而挫折往往会引起老年人的一些消极的行为反应，如攻击行为、倒退和幼稚行为、冷漠等。这些消极行为反应容易造成老年人消极情绪的恶性循环，以至出现精神障碍。（3）动机的消沉：进入老年，加之离、退休，习惯了的行为方式产生了很大的变化，以往生活、工作、学习中的动机大多失去外界激励因素，从而逐渐消失。由于许多动机的消失，老年人的生活变得枯燥、乏味、毫无生机，许多不良心理、生理因素便在这样的生活状态中滋生。

## 三、抑郁症的简易自我检测法

抑郁症（Depression）是一种心理疾病，在一些西方国家十分普遍，并成为一种严重的社会问题，许许多多的社会心理学家、社会医学家都在努力对其进行研究，并取得了很大的成绩。邬大祥先生推荐的下面这份“贝克心情抑郁调查表”（简称BDI），以极其规范的数据，帮助读者判断自己有无心情上的抑郁，并估计抑郁的严重程度，简便易行，并可反复使用。表后附有“BDI应用示意图”，可供老干部朋友参考。

“贝克心情抑郁调查表”（BDI）

以下21个问题要求你在10分钟内完成，完成后最好由其他人帮助你将所得分数加起来，这样可以除去一些心理干扰因素。

判断方法（指标）：

0~10分正常心理状态

11~16分轻微压抑

17~20分可能怀疑有抑郁症

21~30分中等抑郁表现

31~40分严重抑郁表现

41分以上极端抑郁表现

如果你得11分以上，就应当去找心理咨询医生做一些心理检查。

注意：仔细阅读每个题目中的每句话，选出最能表达你在这一周来（包括填写当天）的心情的话，如果一个题目当中有几句话都符合你的心情，那么都选出来做好标记。

得分

1.0 我不感到悲伤。

1 我感到悲伤。

2 我一直感到悲伤又不能振作起来。

3 我悲伤得不能忍受了。

2.0 我对未来从不失去信心。

1 我对前途感到灰心。

2 在我的生活中没有什么值得期待的事。

3 我对前途不抱希望，目前的情况不能有所改善。

3.0 我没有失败。

1 和一般人比起来，我觉得是失败了。

2 每当回首往事，我想到的都是失败。

3 我认为我就是一个总会失败的人。

4.0 我对周围的一切总是很满意。

1 我不喜欢我过去的所作所为。

2 我对任何事情都不太满意。

3 我对周围的每件事都感到厌烦、不满意。

5.0 我不感到内疚。

1 我有好长时间感到内疚。

2 我在大多数时间里感到内疚。

3 我时刻都感到内疚。

6.0 我觉得现在没有受到惩罚。

1 我觉得或许要受到惩罚。

2 我认为我要受到惩罚。

3 我觉得我现在正在受惩罚。

7.0 我对自己并不感到失望。

1 我对自己感到失望。

2 我讨厌我自己。

3 我恨我自己。

8.0 我并不比其他任何人坏。

1 我时常检讨自己的软弱与错误。

2 我一直在责备自己的过失。

3 我对我的每一点毛病都要自责。

9.0 我没有任何自杀的想法。

1 我有过自杀的念头，但又不愿意那样做。

2 我想要自杀。

3 如果有可能我就会自杀。

10.0 我现在不好哭。

1 我比过去好哭。

2 我现在总是哭。

3 我过去一直好哭，但现在想哭却不能哭。

11.0 我现在不好发脾气。

1 我比平常爱发脾气。

2 我好些时候动不动就发脾气

3 现在我总是发脾气。

12.0 我对周围人感兴趣。

1 我不像过去那样对周围人感兴趣了。

2 我对周围人不太感兴趣。

3 我对周围人一点也不感兴趣。

13.0 我能像过去一样很快做出决定。

1 我不像过去决定问题那样迅速了。

2 我决定问题比以前困难多了。

3 我现在不能解决任何问题。

14. 0 我觉得我并不比以前难看。

1 我对我现在的衰老与失去魅力感到焦虑。

2 我的容貌全变了，不再那么动人了。

3 我认为我现在很丑。

15. 0 我工作做得很好。

1 我现在做一件事要花很大的气力。

2 我现在想自己去做一件事很难。

3 我现在什么工作也做不了。

16. 0 我的睡眠很好。

1 我的睡眠不如以前了。

2 我比平常要早醒一二个小时，并且很难再入睡。

3 我比平常要早醒好几个小时，并且不能再入睡。

17. 0 我不感到疲劳。

1 我变得比平常容易疲劳。

2 我现在做什么事都感到疲劳。

3 我太疲劳了，什么事都不能做。

18. 0 我的食欲同以前一样。

1 我的食欲不如以前了。

2 我现在食欲很坏。

3 我没有任何食欲。

19. 0 我最近没有瘦。

1 我的体重减轻了 1.5 公斤。

2 我的体重减轻了 3 公斤。

3 我的体重减轻了4.5公斤。

20. 0 我不担心我的健康情况。

1 胃胀、大便干燥等使我很忧虑。

2 对身体问题我很苦恼，很难解脱。

3 对身体问题我过于忧虑，不能自拔。

21. 0 我对异性仍然感兴趣。

1 我对异性不如过去感兴趣了。

2 我现在对异性不太感兴趣了。

3 我对异性完全不感兴趣了。

## 四、老年期抑郁症的防治措施

### (一) 扩大交往，排遣孤独

由于离、退休，儿女另立门户，好友作古，老伴去世，交往的人日渐减少，老干部深感寂寞、孤独而痛苦。解决这一问题的关键是老干部自己要主动从孤独中解放出来，积极与周围的人接触、交往。凡是不愿与人来往的人，都感到孤独、郁郁寡欢。这一点，恐怕多数人是深有体会的。人们在交往的过程中，可以互相交换观点和看法，尤其在发生不愉快的事情时，把心里话讲出来，既解除了内心的憋闷，又可得到别人的帮助、安慰和鼓励，使事情得以妥当解决。问题解决了，心情自然就舒畅起来，任何苦恼的事情也就不会死死地缠住你。因而有人说："每天看一个朋友，就不用找医生。"老干部要积极参加一些老年群体的集体活动，如上老年大学、参加老年书画社、组织老年票友会，开老年恳谈会，这些活动都有助于增加老干部的充实感，从而排遣孤独感。笔者所在单位，有一批老同志，长年坚持每周1~2次恳谈活动，相互交流读书体会或对国内外大事的看法。这种恳谈会健脑舒心，十分有益健康，现在这些老同志现都已届八九十高龄，但个个精神开朗，身体健康。

（二）营造良好的家庭气氛

老年人的一个重要心理特点就是越老越需要爱，老年人要通过创设良好的家庭气氛来满足自身的需求。首先要融洽夫妻关系，俗话讲，“少年夫妻老来伴”，老年夫妻相依为伴，相濡以沫，是老年人保持良好心绪的重要因素。老年夫妻要互相交流、互相体贴，尽可能不吵架。老年人在独生子女成家立业后，应尽可能与子女住在一起，即使分开居住，也应相互多联系、多体贴。实践表明，家庭关系和睦，爱的气氛浓厚，敬老爱幼，互敬互爱，共享天伦，对身体健康极为有利。相反，家庭不和，家庭成员关系恶劣，会催人早衰，对身心健康极其有害。19 世纪俄国伟大作家托尔斯泰，给世界文学宝库留下了宝贵的遗产，但这位大文豪的晚年却是不幸的。夫人索妮娅性格暴躁，经常与他吵架，1910 年他 82 岁时，被迫与妻子离婚，离家出走了。由于心情忧郁，身体状况渐趋恶化，10 天之后，这颗文坛巨星就陨落了。

（三）积极进行力所能及的运动

生命在于运动，生命不息，运动不止。老年人最忌的就是闷在家中，沉湎于往事的回忆，沉浸于对亡故亲人的思念。因为这样会诱发老年抑郁症或加重抑郁症状。有关研究表明，运动不仅可以改善人的生理状态，也可大大改善人的心理状态。运动对老年人的精神有一种镇静效果，可减轻或消除老干部的焦虑和忧郁情绪。因此，老年人应根据自己的身体状况选择 1～2 项合适的运动，循序渐进，长期坚持，不要随意中断或放弃。

如坚持每天早晨在室外快步行走或慢跑半小时，可促使老年人摆脱不良心境，振奋精神，预防抑郁症。

（四）坚持自己做力所能及的事情，不要让他人替你做那些自己可以做的事

正如有人所说的那样："那些好心让我们搭车的朋友，实际上是剥夺了我们散步的权利，而那些替我们购买东西的人也使我们变得是足不出户。"而你如果真的丧失散步的机会，整日足不出户的话，那对你的健康来说，绝对十分不利，患抑郁症的危险也会大大增加。经常坚持做一些力所能及的家务事，你会觉得既有生活目的，又有生活内容，同时也显得你的生活很有规律。

（五）要设法避开不良情绪的影响

老年人长期沉浸于不良情绪之中，容易诱发抑郁症。因此，应避免谈论或想到死亡，这会造成一种恐惧感，并夺去生活中的乐趣。老干部可做好一些必要的安排，如有规律地阅读一些书报或收看、收听一些适合老年人的电视广播节目；或者培养自己的一些爱好，如唱歌、奏乐、集邮、养花等，将自己的全部精力投入到生活中去，增加生活情趣，增强生活信心。不要在他人面前多谈自己所患的疾病或老提自己的往事，也不要把自己的老一套强加给年轻人或对人乱发脾气，这样可避免烦恼和少生气。

（六）积极增加归属感

据研究，老年人缺乏归属感，容易发生抑郁症。老干部退休在家，感到无所事事时，应当设法找一些有意义的事情来做。如为社会开展一些公益活动，可当顾问、参谋，辅导青少年，

培养接班人等等，把自己丰富的经验继续献给社会。只有使自己不离开社会生活，才会从中感受到集体的温暖和关怀，增加晚年生活的乐趣。这样你就会重新发现自己的价值，增加归属感，感受生活的意义。

## 第二节　老年性痴呆

老年性痴呆可以分为两大类：一类称为老年性痴呆，医学把这种病称为：阿尔采默氏病性痴呆（AD）。它是在衰老加速发展的基础上发生的，这种病人的脑部可以看到某些特殊的病理变化，其病理基础是大脑细胞萎缩。在尸体解剖时，可以发现这种病人脑的体积缩小，重量减轻，神经细胞呈萎缩性病变。故又称为脑器质性精神病。另一类是脑血管性痴呆，又称为多发性梗塞性痴呆（MID），是由脑动脉硬化引起的，如多发性梗塞以及脑出血等，主要是由于脑动脉硬化后，脑血管变窄堵塞，脑部氧及血液供给不足造成的。

老年性痴呆在高龄老干部中患病率较高。常在家人不觉中逐渐起病，最早的表现就是记忆力下降，尤其是即刻回忆和近期记忆的损害较明显。老干部可以清楚地记得儿童少年时期的生活片断，也会唱儿童时期的歌曲，但却会忘记刚刚吃过的早餐，刚刚喝过的饮料和刚刚乘过的是几路车。一些老干部常常忘记熟人的名字，甚至忘记亲属和自己的名字、家庭住址、家庭电话，不认识亲人、不识字，辨不清时间、地点、方向。

随着病情的发展，老干部精力日益衰颓，兴趣狭窄，情绪迟钝，爱与亲人闹意见，容易发脾气，有时会出现睡眠障碍，夜间失眠，白天打盹嗜睡，精神萎靡不振。有些老干部常常夜里起床踱步，不停地做一些毫无意义的重复动作，有时还出现幻听和幻视。在知觉、注意力、运动、行为方面出现障碍，思维迟钝，言语刻板，经常出现妄想、有自罪感、惊恐、嫉妒。一些老干部在患病的晚期，还会出现行为异常及人格的改变。由于老干部活动少，极易产生孤僻，木讷、空虚、多疑、自私等情况对亲人漠不关心，表情冷淡，情绪不稳，糊涂，不能理解一些简单的问题，生活不能自理是患这类病症的老干部的主要特征。还有些患者经常自言自语，行为不能自控，许多行为像小孩。固执、任性，好斗，疯癫暴躁，甚至坐卧不安，易怒，越是亲近的人越是产生敌意，例如说自己的丈夫（妻子）有外遇，虐待她（他），所以，这些家庭被患病老干部闹得矛盾重重，战火四起。

## 一、老年性痴呆的主要症状

老年性痴呆起病潜隐，病情发展缓慢，常不能追溯到准确的起病日期，病程呈进行性发展。大多65岁以后发病。其主要症状有以下几种。

### （一）智力衰退

最初，常为衰老加速恶化，短期内出现思维迟缓、自我中心、情绪不易控制、注意力不集中和做事马虎。不出数载，便出现恶性型遗忘，由偶尔遗忘发展成经常遗忘，由遗忘近事而进展到远事，由遗忘事件的细节而涉及到事件本身。

在记忆缺损的同时，又可出现定向障碍。如出门后不认识回家路线；如厕完毕，就找不到所睡的病床等。

（二）行为改变

行为先表现为幼稚笨拙，常进行无效劳动，其后可能有无目的性劳动。例如翻箱倒柜，乱放东西，忙忙碌碌，不知所为；爱藏废物，视作珍宝，怕被盗窃；不注意个人卫生习惯，衣脏不洗，有时出现悖理与妨碍公共秩序的行为，影响治安。也有动作日渐减少，端坐一隅，呆若木鸡。晚期均行动不便，卧床不起，大小便失禁，生活全无处理能力，形似植物状态。据统计，出现这种症状的人，60%一般在入院后6个月内死亡，80%在入院后18个月内死亡，死亡原因主要为继发性感染。

（三）情感障碍

起初，情感可较幼稚，或呈童样欣快，情绪易激惹。后来表情呆板，情感迟钝。

（四）外貌改变

老年性痴呆患者外貌衰老，常显得老态龙钟，满头白发，齿落嘴瘪，角膜有老年环。瞳孔对光反应偶见迟钝。感觉器官功能减退，生理反射迟钝，躯体弯曲，行走不稳，步态蹒跚，体重减轻，肌肉萎缩，不自主摇头，口齿含糊，口涎外溢，手指震颤及书写困难等。

## 二、老年性痴呆产生的原因

老年性痴呆确切的病因，目前尚不明了。一般认为本病是多因素引起的疾病，研究发现本病的发病可能与遗传、铅代谢异常、中枢神经系统神经介质水平异常、自身免疫、慢性病毒感染、心理刺激等因素有关。

1. 遗传因素。本病患者有集中于某些家族的倾向，即老年性痴呆患者的一级和二级亲属中，本病的发病率明显高于普通人群。研究认为很可能有一个基因或一组基因造成或促发本病的发生。

2. 社会心理因素。病例对照研究发现，老年性痴呆患者病前存在性格孤僻，兴趣狭窄，社会交往少，曾遭遇重大不良生活事件，与对照组比较有显著差异。

3. 躯体疾病。有学者发现，甲状腺疾病与老年性痴呆有关，T3、T0 随年龄的增长而降低，痴呆病人的甲状腺素，尤其是 T0 降低更明显。而中枢神经系统感染、心脏病、肝病、糖尿病、胃溃疡等疾病均与老年性痴呆无关。

4. 其他因素。有学者提出脑外伤是导致老年性痴呆的危险因素之一，但目前尚未得到公认。随着年龄的增长，免疫系统功能逐步下降，T 淋巴细胞功能降低，脑反应抗体水平升高，因此有学者推测，老年性痴呆可能与其免疫功能削弱有关。有研究还发现，铅可导致神经原纤维缠结形成，因此认为铅中毒与老年性痴呆的发生有关。年龄增长也被认为是罹患老年性痴呆的危险因子之一。

## 三、老年性痴呆的诊断方法

由于老年痴呆在病因学、临床表现和病理学上千差万别，严重影响了老年痴呆临床诊断的准确性，尽管对阿尔茨海默氏病（老年性痴呆）描述已达 90 年之久，但早期诊断出此病仍是一个难题。

1. 诊断时首先要由家属提供其日常生活中的具体表现，再进行多种神经功能方面的检查，简单地说诊断痴呆要符合以下几点。

(1) 记忆力减退。智能减退，影响其个人的日常生活和工作；

(2) 思维和推理能力减退；

(3) 可伴有性格改变，如焦虑、多疑、固执、淡漠、狂躁等；

(4) 意识清晰。

然后，进一步诊断是哪一种痴呆，如老年性痴呆（AD）、血管性痴呆或其他性痴呆。

2. 老年痴呆的诊断标准。具体包括以下几点。

(1) 存在近记忆障碍和远记忆障碍的症状。

(2) 下述四项中至少存在一项障碍。

①抽象思维障碍：表现为不能发现相关词的异同，很难给一个词或概念下定义，或完成其他类似任务时有困难；

②判断力障碍：不能做出一个合理的计划，不能正确处理人际间、家庭和工作中一些有关问题；

③其他高级脑皮质功能紊乱：如失语（语言障碍）、失用、失认和结构困难（不能临摹立体图案，不会堆砌积木或用小棍排成特定图案）；

④性格改变：发病前的个性突出化和人格改变。

(3) 智能障碍妨碍工作和一般社会活动及人际关系。

(4) 上述各种表现不只是发生在谵妄过程中。

(5) 具备与精神障碍有关的器质因素或症状，但不能用非器质性精神障碍来解释。

(6) 脑 CT 或 MR（磁共振）显示，有脑皮质萎缩，脑沟变宽，脑室扩大及脑密度降低。

## 四、预防与治疗

### (一) 预防

老年性痴呆的预防要从中年开始做起，因为老年性痴呆如能在痴呆前期或痴呆初期被发现，并在生活上采取相应措施，持之以恒地做下去，是完全可以控制其发展的，并且可以使其在一定程度上向好的方向转化。从近年研究的结果看，预防老年痴呆发生的主要措施有如下几个方面。

1. 药物预防。根据中医学理论，认为老干部衰老的本质是阳虚血瘀。近10余年来，国内开展了大量抗衰老中药方剂的实验研究，这些方剂中的89.5%以补脾肾为主，所以老年阳虚者可常服健脾补肾之品，如五子衍宗丸之类，可防衰老。葛茂振氏认为，有效地控制脑动脉硬化的发展，对改善大脑组织的血流灌注，维持大脑代谢的正常，对预防痴呆的发生具有积极的意义。

2. 灸法预防。灸法亦可扶阳化瘀，延年益寿，古代灸任脉的神阙、气海、关元，督脉的命门、大椎、膏肓、肾俞、志室，胃经的足三里穴（双）、每次灸五壮，均有补肾填精助阳、防止衰老和预防痴呆的效果。

3. 避免脑动脉硬化及脑血栓等疾病的发生，以防止因脑供血不足而导致老年痴呆。动脉硬化是痴呆症的主要“敌人”，调节膳食，少吃食盐，并进行适宜的体育活动，有助于防止动脉硬化。

4. 注意智力训练。老干部应保持活力，多用脑，如多看书、学习新事物，培养多种业余爱好，可活跃脑细胞，防止大脑老化。广泛接触各方面人群，对维护脑力有益。和朋友谈天，打麻将、下棋等，都可激荡脑力，刺激神经细胞活力。

5. 精神调养。人们常说：“笑一笑，十年少”，这说明精神之调养重在调节七情之气，注意保持乐观情绪。要宁静无惧，恬淡虚无，与世不争，知足常乐，清心寡欲。做到外不受物欲的诱惑，内不存情虑的激扰，这样气血调和，健康不衰。要注意维持人际关系，避免长期陷入忧郁的情绪及患上忧郁症，因为忧郁症也是老年性痴呆症的危险因素。避免精神刺激，以防止大脑组织功能的损害。另外，维持家庭和睦可以保持心情愉快，能增强抗病能力。

6. 体育锻炼。许多人都知道，运动可降低中风几率，其实，运动还可促进神经生长素的产生，预防大脑退化。实践证明，适当的体育锻炼有益于健康，但要循序渐进，量力而行，持之以恒，方可达到理想的效果。除整体性全身活动外，尽量多活动手指。

(二) 治疗

老年性痴呆症多发生在 65 岁以后，且女性多于男性，随着年龄增长，其发病率也逐渐增长。中医认为，老年性痴呆多为年老体虚，五脏疲惫，肾阴亏乏，精血不足，心肾不足，髓海空虚，脑脉失养所为。故步入花甲之年后，应注意养阴益肾，填精补髓，以改善记忆，增强智能，消除疲劳，以防止老年性痴呆的发生。可选用下列食疗方法。

1. 羊骨粥。羊骨 1 000g，大米 100g，细盐少许，葱白 2 茎，生姜 3 片，莲米 10g（研细）。将羊骨洗净，捶破，加水煎汤，以汤代水，加大米、莲米煮粥，待熟时调入细盐、葱白，生姜，早晚温热服食。可补肾填精，聪脑安神，壮骨生髓，适用于肾精亏乏，脾胃不足之老年性痴呆等。

2. 胡桃首乌炖猪脑。胡桃仁、何首乌各 15g，天麻 6 g，猪脑 1 副，调味品适量。将天麻切片，首乌布包，猪脑去筋膜备用，锅中放清水、天麻、胡桃、首乌，文火炖沸后，下猪脑，煮至脑熟，去药包，调味服食。可以脏补脏，以形活形，养血补肾，育阴填精，适用于老干部五脏亏虚，髓海不充所引起的心悸、失眠、记忆下降、痴呆、健忘等。

3. 鱼头炖冬菇。鲢鱼头 1 个，冬菇、肥肉、调味品各适量，人参粉 3g。将鱼头切为两半，放入葱、姜、料酒腌 2 小时，把肥肉片、鱼头、冬菇同放盆中、加清水、食盐适量、上笼蒸至 30 分钟左右，再放入黄瓜丝、葱花、香菜、味精姜末、香油参粉即成。可聪脑明目益智，适用于肾阴不足，髓海不充所致心悸、失眠、步态不稳、视物模糊、痴呆等。

4. 猪脊髓甲鱼汤。猪脊髓 200g，甲鱼 1 只，调味品适量。将甲鱼用沸水烫死，去甲壳，内脏，头、爪，猪脊髓洗净备用，将甲鱼肉与葱、姜同放锅中，武火烧沸后，改文火煮至甲鱼肉待熟时，下猪脊髓、煮沸，再下胡椒，味精、精盐、料酒等，煮熟服食。可补气血，填肾精，强腰脊，聪脑目，对老年性痴呆，脑动脉硬化，脑萎缩等，有良好的补益食疗作用。

## 第三节　老年期神经症

老年期神经症是指进入老年期所患有的神经症，主要包括两种：一种是老年期初发的神经症；另一种是起病于老年期之前迁延至老年期的神经症。这两者虽然都是老年期神经症，但两者既有共性，又有个性，如在疾病特点、症状学以及与疾病相关的其他特征上，两者都存在差异。老年期初发的神经症，往往有一些躯体疾病（如便秘、头昏、头痛、乏力、全身部位不定的不适等），多与活动不便、收入减少、孤独、无爱好、自我照顾不良等问题有关，不像初发于青、中年期的神经症那样，一般有神经质、与父母关系不良、人际关系紧张等问题。

总的来看，老年期神经症有以下特点。

1. 早年生活未曾产生特殊的社会适应问题；

2. 老年期神经症常常夹带有躯体疾病，特别是心血管疾病；

3. 如症状持续较久时，多数人能默认这些症状的存在；

4. 当现实生活环境中出现孤单、自我生活照顾困难等情况时，可出现不适主诉，并有抑郁、焦虑等情感障碍；

5. 对自身所具有的身体疾病容易产生过度的情感反应，可出现恐怖等症状；

6. 因生活质量的降低，可能不注意自身存在的神经症症状。

## 一、老年期神经症的主要症状

老年期神经症主要的症状有焦虑、恐怖、疑病、抑郁、强迫观念、体诉增多等。

### (一) 焦虑

这几乎是所有的老年期神经症所共有的症状，可伴有自主神经功能的紊乱，如心悸、呼吸急促、多汗、震颤等。由于焦虑这一负性情绪体验的存在，病人可能出现各种躯体症状，甚至达到难以忍受的程度。因此病人常常不自觉的夸大主观症状，惶惶不可终日，难以安心于日常事务；或认为大祸临头，或认为疾病难愈，晚上入睡后仍不时被惊醒。

### (二) 抑郁

抑郁是焦虑的姊妹症状，在老年期神经症中也相当多见。实际上，不仅老年期神经症患者有这些抑郁表现，就是一般老年人也会有这些表现，这与老年人年老体弱、丧偶、孤独、经济不宽裕、子女不在身边有一定的关系，但是这些抑郁一般都比较轻微。而对于老年期神经症患者来说，这些表现就严重得多，发作时意志消沉、烦恼、焦虑，有时可以像是惊恐发作一样，甚至有不想再活下去或有想死的消极念头。患者对过去的回忆多数是抱有罪恶感或自责感。

（三）疑病

在老年期神经症中，疑病是一个出现几率很高的症状，这与老年人的心理特征有一定的关系。人至晚年，身体最重要，在最后的时间里，留在世界上唯一的方法也就是延长自己的生命。因此身体的疾病或感觉的异常都足以引起强烈的情感反应，对疾病的过分关注也就成了老年人的一个特点，这种特点在老年期神经症中也有充分的体现，那就是疑病。特别是在有焦虑症的情况下，更容易对自己的健康过度关心，也可以因某些不舒服感而加强，并因顽固、任性的个性而得以强化。这种疑病表现可以在老年期神经症中达80%以上，远远高于中青年神经症。

（四）睡眠障碍

除了一般在年轻人中所见到的入睡困难、睡眠时间缩短、睡眠不深、睡眠中醒来、早醒等外，很重要的一点是有些老年人会出现在夜间病情加重的现象，夜间不睡觉、兴奋、乱语等，同时可以伴有行为的杂乱，这时候要注意是否有谵妄的可能，这与老年期神经症的睡眠障碍不同，要注意鉴别。

（五）强迫症状

一般来说，老年期神经症患者的强迫症状不多，出现的几率远远少于年轻人，而且强迫症状的出现与情感症状关系密切。老年人的这些强迫症状常常与现实有联系，如反复思考孩子上班的路上会不会出事情，或者自己的退休金丢失了怎么办，同时也可有一些强迫行为，如反复检查门窗、煤气开关等。

## 二、老年期神经症的产生原因

老年期神经症与青年期神经症不同，其发病原因复杂，必须从心身医学的角度才能理解。随着年龄的增大，人的性格逐渐开始向自我为中心、顽固、眼界狭隘、多愁、无力衰弱感、欲望不能满足感、丧失信心与利益感，以及孤独无助感等方向发展；同时由于机体的日益衰老，各器官功能下降或发生疾患，使老干部又容易产生疑病症。当躯体出现老化现象后，心理方面也会弱化。此时，只要稍有情绪的刺激，就很容易发生生理平衡的破坏。因而老年期心理环境的改变，容易产生功能性疾病，随后又可向器质性疾病发展。此外，过度的老化本身也容易引起神经症反应。对老年期神经症，不仅要注意心理因素，同时也要注意由于躯体疾病所引起的心理方面的反应，例如各种具有疼痛感的疾患均可引起心理方面的症状，在鉴别诊断和治疗时须慎重对待。总的来说，老年期神经征主要由以下原因形成。

1. 环境因素　主要指由于年龄问题而出现或导致的一系列生活事件。从生活事件的性质来看，与年轻人有所不同。老年期神经症的主要生活事件有严重疾病、丧偶、退休、收入减少、社交圈锐减、子女问题，这些对老年人的打击比较大，是促发老年期神经症的重要因素。有研究者用生活满意指数来评价老年期神经症，几乎所有病人的满意度都明显低下。研究者对没有老年期神经症的病人也进行了评定，比较结果显示，老年期神经症病人的满意度较低下，说明生活满意度的下降会给这些病人造成严重影响。

在老年期的环境因素中，家庭因素和社会环境因素是主要的刺激来源。

(1) 家庭环境因素。在家庭中所处的地位、家庭成员之间的关系是否融洽，尤其是老年夫妻关系如何，这些因素对老年人心理状态的影响比较明显。随着社会工业化、城市化的发展，目前家庭结构的类型以核心型的小家庭为主。随着人们价值观念的转变，有的老干部在家庭中的地位也发生了变化，不再是大家庭中的一家之主；老年人在家庭中受晚辈尊重的传统观念，随着家庭结构的变化而变化，许多老干部不再与晚辈住在一起，从而感到寂寞、孤独，甚至出现了无用感；家庭成员间不和睦，个别家庭中老干部受到虐待，有苦难言，憋在心里；家庭成员的去世，尤其是老年丧子或丧偶，不仅造成重大心理创伤，还造成老干部无人照料、生活孤独以及经济困难等。

(2) 工作环境因素。由于生理和心理方面的变化，老年人记忆力下降，思考能力、工作效率降低，在适应新的工作环境方面有一定的困难。如果继续承担工作任务，就会心有余而力不足。尤其退休使几十年的工作习惯发生了变化，离开工作岗位似乎就失去了一切，好像生活也失去了内容和意义，除了一日三餐以外没有什么事可做，生活单调、枯燥乏味、机械。因此，老干部容易产生无用感、自卑感及消极悲观的情绪，甚至感到活着真是难受。

2. 人格因素　人格问题在神经症的发病机制上占有重要的地位，对于老年人来说，这种人格问题的表现更为突出，一方面可能是从青年时期沿顺下来的人格障碍或人格的偏离正常，另一方面则是由于年龄的关系而出现的与老年有关的人格改变。进入老年期后，生命的动力开始衰退，意志及进取心也开始淡化，灵活性差、不合群，因此整个人格特征也像躯体一样，失去了可变性和可警性，不容易适应外界的变化。这种性格问题在老年期神经症的发生、发展中的地位很重要。有研究对两组老年人进行追踪观察，一组是躯体疾病、环境因素较强而性格异常并不突出者，有50例；另一组是性格异常突出者，有17例。随访发生神经症的比例，结果前者有40%出现神经症症状，后者为10%。在老年期神经症中，因躯体疾病、环境因素发病的要大于因性格异常而发病者，这与青年期神经症不同。

3. 躯体疾病和脑部疾患　在老年期神经症中，躯体疾病以及脑部疾患对神经症的发生、发展起到决定性的作用。一方面是由于老年人的脑部觉醒度下降，容易产生焦虑，因焦虑情绪所致的脑功能的抑制就相对加强，特别是脑血管弹性的降低、脑细胞的老化，使学习能力、记忆能力等认知活动远远不如年轻时期。另一方面，心脏问题对老年人的影响也比较明显。实际上，老年期神经症的发病因素主要有人际关系不良、躯体疾病两方面，其他则是经济问题、职业改变等。在人际关系中，主要是家庭成员间的关系。

## 三、老年期神经症的常见类型

老年期神经症是老年人常见的心理障碍，主要有疑病性神经症、抑郁性神经症、焦虑性神经症、强迫性神经症和癔病等五种类型。

### （一）老年期疑病症

这类病症表现为过分关注自己身体的变化，尤其是对消化系统的变化非常敏感，常认为自己的肠胃患了不治之症而反复要求医生检查。由于老干部体弱容易得病，有点老毛病是常有的事，因而疑病症对老年人来说就成为一种十分合适的症状形态，这便是老年期神经症类型中，疑病症最多的原因。

疑病症在老年人中比较常见，这可能与以下因素有关。

1. 老年人对自身健康状况比较关注；

2. 老年人的疑心较重；

3. 老年期神经症中的疑病现象较为多见；

4. 老年后才出现的疑病症状与年轻时就有的疑病症状同时合并才有人格障碍；

5. 老年期出现的疑病症状可能是抑郁症的先兆，或潜伏着某种躯体疾病。

老年期神经症的疑病症所表现出的症状主要是“疲劳感”，也很容易由疑病症状而伴发抑郁症状，在男性病人中，较为多见的阳痿就可以继发抑郁。

（二）抑郁性神经症

这是指一种以持久的心境低落状态为特征的神经症，常常伴有焦虑、躯体不适感和睡眠障碍。患者有治疗要求，而无明显的运动性抑制或精神病性症状，生活能力不受严重影响，与重性抑郁的区别是没有精神运动性抑制、没有生物节律的变化、没有躁狂发作、没有严重的体重减轻、没有精神病性症状，很少有自杀，自知力存在。在我国的诊断标准中，将这种体验的时间规定为两年。这是在老年人中最为常见的一种神经症。

激越性抑郁症也可出现重复言语、心事重重而难以释然、无法克制的疑病性思维和重复涌现令人讨厌的思维等。

许多专家认为这类病人与心因性抑郁没有明显的差异，部分病人在病前可具有明显的恐怖情绪、强迫行为或癔病个性。

在发病前均有肯定的社会心理因素为诱因，治疗除使用常规治疗外，心理治疗显得特别的重要。

（三）老年焦虑性神经症

其主要表现是不安全感和不幸事件即将发生的预感，因而总是惶惶不可终日。在躯体症状方面表现为各种植物神经系统症状，如心悸、口干、吞咽困难、头昏目眩、多汗、喉头发堵、肌张力升高等。焦虑症可以单独存在，也可以是老年抑郁症或老年痴呆的早期症状，还可以是其他躯体疾患的先驱症状。因此，对老年期焦虑症应给予十分重视。

（四）老年强迫性神经症

主要表现为强迫观念和强迫行为。虽然自己也知道是毫无疑义的，但还是经不住反复地出现在脑子里，而且越想努力去打消它，不安感越是增强。老年强迫症也同样与其强迫性人格特征有关。对老年人来说，有强迫症状的病人，如果不发生抑郁症状，一般不会到精神科就诊，故在老年病人中单纯强迫症者较少。

（五）老年癔病

一般认为是患者的癔病性变态人格的继续，但老年期癔病的症状并没有青年患者那样多。主要表现为麻木、感觉丧失等感觉障碍以及失语、运动麻痹、不能站立等运动系统的障碍。有时也会有食欲不佳、呕吐、腹痛、尿频等植物性神经症状。

## 四、老年期神经症的治疗

（一）心理治疗

心理治疗是神经症的主要治疗方法之一，正应了“心病要用心来医”这句老话，老百姓中又有“灯不挑不亮，话不说不明”之说，可见当人遇到了苦恼或矛盾时，是经常需要有人开导和帮助的。如果我们应用科学的心理学的原理和方法，通过医生（包括心理医生或其他的治疗者）与病人的相互影响和作用，治疗病人的心理、情绪、认知以及与行为有关的问题，更具体地说，就是解决病人的心理压力，减少甚至消除紧张、焦虑、恐慌、忧郁、强迫等症状，改善病人不适应社会的各种行为，包括对人对事的看法，人际关系不良等，并促进人格的成熟，使之更好的处理各种心理的矛盾和适应现实的社会生活，这就是心理治疗，又称作精神治疗。

心理治疗是一项技术性很强的治疗方法，通常需要医生具有很好的素质，而且阅历广阔，经验丰富，能够灵活应用，随机应变，切忌语言生硬、生搬硬套。同时还应强调，良好而恰如其分的医患关系是心理治疗成功的关键。

一般情况下，神经症病人应在门诊接受治疗，需要住院治疗的情况有：严重的焦虑强迫综合征、明显的心身综合征（如厌食症）及自杀危险；需同时应用多种心理治疗方法以缓解冲突的危机状态（病人的，也包括相关人的危机）。要注意限定住院治疗的持续时间，要在集体环境或接近实际生活的环境中进行治疗。另外，神经症与心身疾病的病人一定要避免在非专科医院或非专科病房内接受住院治疗。

对于神经症有相当多的、不同种类的心理治疗方法，应根据每个病人的具体治疗目的而定。大致如下。

1. 以减轻病人的负担、缓解痛苦及一般性支持巩固为目的，主要方法有医生的心理治疗性谈话、心理咨询、长期引导与支持性心理疗法以及松弛疗法；

2. 以改变病人的行为、缓解症状、改变条件、转变观念为目的，除了各种行为疗法外，还包括一些操作性治疗；

3. 以增强病人的理智判断能力、解决冲突、转变态度及促进心理成熟为目的，基本方法是精神动力性心理治疗，主要通过消除症状与稳定人格，可为进一步的心理治疗铺平道路；

4. 要根据病人精神障碍的种类与严重程度，人格结构与生活状况，过去治疗的动机和经验，以及心理治疗者的专业受训程度与经验，决定有效方法，并在实际工作中进行调整，治疗也可用分组治疗、成双治疗及家庭治疗的形式进行。

（二）药物治疗

1. 西医治疗神经症的方法

（1）药物治疗。恐惧症可用些苯二氮卓类药物，如舒乐安定或一般安定，还可用抗焦虑抗抑郁药物缓解紧张恐惧情绪。焦虑症可用多虑平等。强迫症可用盐酸氟西汀，如果效果不好可加服氯丙咪嗪。神经衰弱及躯体形式障碍都可用些安定类药，抗抑郁抗焦虑药改善情绪，失眠者服用催眠药，适当用止痛等对症药物。

（2）其他疗法。恐惧症可用行为疗法，如系统脱敏、或一次性的脱敏，因病情而定。强迫症可用森田疗法，所有的神经症都可用心理治疗，如认知疗法、行为疗法、催眠疗法，逐渐加强体力劳动和体育锻炼。

2. 中医治疗神经症的方法

（1）药物治疗：中医对本症的记载散见于“失眠、健忘、惊悸、头痛、虚损”等病症中，认为是七情所伤、劳逸失度、房事不节、病后失养等原因导致脏腑阴阳、气血功能失调，心神不宁而发病，认为以心、肝、脾、肾四脏受累显著，临床上多表现为虚证或虚中夹实。辨证要领，首先抓住主症，结合兼症，审证求因，其次要分清虚实。虚证多属阴血不足，贵在心、肝、脾、肾。实证多因气郁日久、肝郁化火，或气病及血、瘀血留滞、夹痰夹火、内扰心神，以致疾病缠绵。治法以补虚泻实、调和气血、调整阴阳、安神镇静为原则。虚者补其不足，宜养气养血、滋补肝肾；实者泻其有余、活血化瘀、清火化痰、消导和中；虚实夹杂者应攻补兼施。常选用的方剂有酸枣仁汤、安神定志丸、六味地黄丸、归脾汤、血府逐瘀汤等加减。

⑵ 其他疗法：如 ① 针灸治疗：以手厥阴心包经、手少阴心经、足太阳膀胱经穴为主。可取刺内关、合谷、三阴交、通里、神门、曲池、列缺、足三里、灸少海等穴。② 耳针：取心、神门、胸区、皮质下、交感等。③ 水针：取双侧合谷或足三里，用当归液分穴注射。以上具体操作因篇幅所限不再赘述。

### （三）康复治疗

对病情较重的神经症病人进行康复治疗是必要的，指症为：症状突出、抵抗治疗、慢性病程、家庭与社会关系受到干扰以及工作成绩明显下降。在康复治疗中，心理治疗与社会治疗要配合进行，其中行为治疗范畴的工疗与分等级的工作尝试具有重要意义。康复的目标不可定得过高，并非所有病人都能回到原来的工作岗位和胜任工作。此外，病人的自助组织对康复也有帮助。

### （四）综合治疗

应再次强调神经症的治疗中不可只使用药物。通过药物治疗的帮助，可以提高心理治疗疗效，但药物治疗通常仅在一定的病期或心理治疗阶段中并用，行为治疗、认知治疗及放松治疗等同药物治疗联用，无不良影响。具体指症如下。

1. 对于有较突出的恐惧、抑郁、焦虑、强迫症状等的神经症，应短期应用药物治疗，减轻症状，使其能有效地进行心理治疗；

2. 在对心理危机者进行心理治疗的过程中可使用药物；

3. 当症状再度加重，继续单独地进行心理治疗会带来危险时，需并用药物；

4. 慢性、难治的神经症也适合于药物治疗，即心理治疗对较严重的神经症的症状无效时，可较长时期地使用药物治疗，但同时也应结合支持、引导性心理治疗；

5. 如今对神经症病人使用SSRI多于BZ和抗精神病药，但较长期使用时应注意不良作用，包括体重增加、性功能障碍以及不能完全除外的致畸作用。

## 第四节　脑动脉硬化性心理障碍

引起本病的原因是不同程度的脑动脉硬化引起的脑组织器质性改变。一般认为，由于脂肪、胆固醇代谢紊乱，动脉内膜不断受到沉积的胆固醇结晶的刺激而引起结缔组织增生。长期的精神紧张，也易引起血管痉挛，致使血管管腔变窄，血管弹性降低，增加血流阻力，血流量减少，使接受供血的脑组织长期处于慢性进行性缺血缺氧状态，以致发生脑细胞变性、软化、坏死或点状出血，最后可形成瘢痕、囊肿或弥散性脑萎缩，这样可产生相应的精神障碍及神经系统症状。

## 一、脑动脉硬化性心理障碍的主要症状

1. 脑衰弱综合征

在本病的早期，可表现出与神经衰弱类似的症状。多数患者均能自述病情，如头昏、眩晕为主的头部不适感，并伴有脑鸣或耳鸣。头昏是患者的特征性主诉，感到行走不稳，甚至有失去平衡之感。当体位改变时，常出现眩晕。常有非持续性的头部钝痛，多以额部及枕部为重。大部分患者有睡眠障碍，主要表现为睡眠不深、易醒、再入睡困难。此外，还有明显的易疲劳感及注意力难以集中。上述症状一般进行缓慢，且常有波动。

2. 情感障碍

情感脆弱是脑动脉硬化早期最典型的症状。患者表现为情感控制能力的减弱，极易伤感流泪或激惹暴怒，或无故忧虑、抑郁、焦虑、苦闷、悔恨。少数患者可出现自杀行为或类躁狂状态。随着疾病的发展，在智能障碍明显时，上述情感障碍也相应加重，表现出明显的情感脆弱、情绪不稳或情感淡漠。疾病晚期，智能障碍严重时，患者出现情感呆滞、淡漠的症状，对周围事物的变化无动于衷。

3. 人格改变

在疾病的晚期，痴呆严重时，或有脑中风发作时，可出现人格改变，变得极端自私、挥霍无度、行为幼稚、性行为轻率、生活懒散、不拘小节、不讲卫生、不顾后果，甚至做出违反社会道德的行为。

4. 妄想状态

在整个病程中，有些患者可能出现片断的夸大妄想、被害妄想、嫉妒妄想、疑病妄想，也可出现关系妄想、罪恶妄想、

贫穷妄想、虚无妄想等。这些妄想可能继发于感知觉障碍，也可能继发于智能障碍。

5. 感知觉障碍

部分患者可有持久的或反复出现的幻觉，通常为接近现实的或不愉快的内容，如命令性幻听，也可出现幻视、幻嗅和幻触等。

6. 意识障碍

当患者出现脑中风发作时，可伴有意识障碍。主要表现为意识朦胧、谵妄或精神错乱状态。此时患者定向力丧失、兴奋、躁动不安，也可在意识障碍的背景上出现片断的幻觉、妄想和攻击性行为。一般持续数小时至数天，事后完全遗忘或部分遗忘。

7. 记忆障碍

在意识清晰的状态下，患者可出现以近事记忆缺损为主的记忆障碍。由此可影响到患者的工作能力和生活自理能力。

## 二、脑动脉硬化性心理障碍的形成原因

引起本病的根本原因是不同程度的脑动脉硬化所引起的脑组织器质性改变。脑动脉硬化的病因虽未阐明，但与多种因素有关，高血压、高脂血症、糖尿病、吸烟、肥胖、饮食因素、遗传因素、中毒感染等躯体因素；性格急躁者易患本病。

动脉粥样硬化的主要原因之一，是营养不平衡引起的代谢紊乱，长期食用高热量、高脂肪（饱和脂肪酸）、高碳水化合物的食物以及缺乏其他营养素，都可以引起动脉粥样硬化。

脑动脉硬化除了容易引起各种脑血管病急性发作外，由于严重、广泛的血管硬化、狭窄常可引起局部或全脑血流量减少，而使脑组织缺血、萎缩；脑部细微动脉的硬化，还易引起多发性微栓塞。在此基础上，就可产生相应的各种心理障碍，以及

神经系统的症状和体征。

并非每个脑动脉硬化症的病人都发生心理障碍，病人的个性特征、遗传因素、中枢神经系统的功能状态、心理刺激、颅脑外伤、感染、中毒、躯体疾病、烟酒嗜好，以及脑组织代谢障碍、神经递质改变等，都是导致脑动脉粥样硬化病人出现心理障碍的相关因素。

## 三、脑动脉硬化性心理障碍的预防与治疗

### （一）预防

1. 应大力开展心理卫生宣传教育，建立防治网络，提高大家对脑血管病的识别水平，做到早预防、早发现、早治疗。

2. 积极防治高血压。在症状发展前，控制高血压是有效的预防措施，因为高血压是脑动脉硬化性心理障碍的主要原因之一。

3. 对动脉粥样硬化症患者，应以低盐、低脂肪、低胆固醇饮食为主，多食蔬菜、水果，戒烟酒，保持心情舒畅、情绪稳定，合理安排工作、学习和生活，保持良好的睡眠。每天进行适当的运动，避免过胖，控制饮食，这有助于降低血脂和增加溶纤维蛋白酶，有助于预防脑动脉硬化症。

4. 有效地控制短暂性脑缺血发作。当发现前驱症状时，即刻安静休息，并采取有效措施，使症状迅速缓解并防止复发。

5. 及时医治其他有关的疾病，如极易引起和加重脑血管疾病的糖尿病、心脏病、脉管炎等。

### （二）治疗

1. 药物治疗

本病的早期诊断、早期治疗极为重要。常用的药物有以下几类（供参考）。

（1）降低胆固醇、保护血管的药物：可用较大剂量的维生素C、氯贝丁酯（安妥明）、维生素B、维生素E等。

（2）扩张血管药物：可选用烟酸、地巴唑、芦丁、利桂嗪（脑益嗪）、尼莫地平、西比灵等对脑血管均有扩张作用的药物。如患者合并脑血管痉挛或血栓形成，则应采用低分子右旋糖酐静脉点滴，或烟酸、654-2静脉点滴或肌肉注射。口服烟酸肌醇酯也有助于脑血管的扩张及降低血胆固醇。氨茶碱对部分头痛、头晕和意识模糊的患者有良好的作用。

（3）改善心理障碍的药物：对于脑衰弱综合征的患者，可使用安定类抗焦虑药，以稳定情绪、镇静催眠；对于有兴奋躁动、幻觉、妄想症状的患者，可选用抗精神病药物，常用的有奋乃静、甲硫达嗪、氯普噻吨（泰尔登）等；对于抑郁状态的患者，可采用抗抑郁剂，如四环类的麦普替林或选择性5-HT再摄取抑制剂类的普罗西汀（赛乐特）、百忧解等。由于受老年人药代动力学特点的影响，用药剂量均应从小剂量开始，缓慢增量。

（4）改善脑代谢药物主要有：为保护脑细胞功能、改善脑代谢，可根据需要选用吡拉西坦（脑复康）、吡硫醇（脑复新）、谷氨酸、Y-氨酪酸、ATP、辅酶A、细胞色素C、维生素B、等药物。

（5）其他药物：根据患者的实际情况，可采用降压药、溶栓药、抗震颤麻痹药等进行对症治疗。

以上各种药物的应用、剂量及用法等需根据医嘱行事。

2. 营养治疗

(1) 本病的饮食原则及要求有如下几点。

① 平衡膳食是预防和治疗脑动脉硬化的重要原则。

② 脑动脉硬化患者如为肥胖型，应减轻体重，10%~15%使体重减至正常体重值范围或低于正常体重的5%，并维持这一水平。

③ 尽量少吃或不吃动物脂肪或含胆固醇较多的食物，特别是肥肉和动物的内脏，如肝脏、肾脏、脑、心脏等。

④ 适量食用植物油，同时保证其中的脂肪酸有大约1/3来自单不饱和脂肪酸。因为研究发现，地中海沿岸国家人民，心、脑血管疾病发病率低，与他们膳食中食用植物油以橄榄油为主有关。橄榄油中的单不饱和脂肪酸有预防动脉粥样硬化的作用。因此，提倡在食油中加入一部分橄榄油、红花油等含单不饱和脂肪酸多的食油。

⑤ 膳食中应有适量动物蛋白质（如蛋清、瘦肉、鱼、鸡肉、去脂牛奶）和豆类蛋白质（如黄豆、黑豆、赤豆、豆芽、绿豆等）及各类豆制品。蛋白质总量应达到中国营养学会推荐的供给量标准，即蛋白质提供的热量应占食物总热量的12%~15%。

⑥ 多吃蔬菜和水果。蔬菜中又首选各类绿叶菜，如油菜、小白菜、油麦菜、菠菜及萝卜、芹菜、韭菜等含纤维素多的品种。富含维生素C的水果，如山楂、猕猴桃、柑橘、柠檬、菠萝等，都有助于降低胆固醇。

⑦ 多吃含碘的食物（如海带、紫菜、蘑菇、虾米等），有利于降血脂。

⑧ 膳食应以清淡为主，保护食欲和消化吸收功能。

⑨ 应限制食盐摄入，每日食盐以2~3克为宜，可防止钠潴留，对高血压有利。

⑩ 严禁饮用烈性酒，禁用浓茶、咖啡及刺激性调味品，如辣椒、胡椒面、芥末、咖喱等。

⑪ 每日要少量多餐，不要暴饮暴食，因为过度饱餐会加重心脏负担。

⑫ 昏迷患者可用鼻饲饮食，鼻饲配方如混合奶、匀浆膳、高蛋白流质等。

(2) 食谱举例：

早餐：馒头1个（面粉50g），豆浆1杯（250ml），醋烹豆芽1盘（豆芽100g），豆油5g。

加餐：梨1个（150g）。

午餐：肉丝菠菜面1碗（肉50g，菠菜50g，面粉100g），拌莴笋丝1盘（莴笋200g），豆油10g。

晚餐：馒头2个（面粉100g），清炖鱼块香菇1碗（鱼75g，香菇适量），炒油菜1盘（油菜250g），豆油10g。

## 第五节　老年期性功能障碍

随着社会文明的发展、生活水平及医疗条件的改善，人们防病、治病的意识不断增强，抗衰老的措施逐渐为广大人民群众所掌握，人们的老年期也在不断的推迟，以往是人生七十古来稀，如今是七十、八十不稀奇。但是人总是要老的，这是自然发展规律。中、青年人可因各种原因导致性功能障碍，步入老年期也会有各种原因导致老年期性功能障碍。

通俗地讲，性功能障碍指的是性交过程的一个或几个环节发生障碍，以致不能正常圆满完成性交。常见的男性性功能障碍有阳痿、早泄及射精困难。常见的女性性功能障碍有性乐缺乏及阴道痉挛等。

## 一、老年期性功能障碍的原因

### (一) 阳痿

阳痿是指男性阴茎勃起功能障碍，表现为男性在有性欲的情况下，阴茎不能勃起或能勃起但不坚硬，不能进行性交活动而发生性交困难，阴茎完全不能勃起者称为完全性阳痿，阴茎虽能勃起但不具有性交需要的足够硬度者称为不完全性阳痿。从发育开始后就发生阳痿者称原发性阳痿。引起阳痿的原因很多，除少数生殖系统的器质性病变引起外，大多数是心理性和体质性的，50岁以上的男子出现阳痿，多数是生理性的退行性变化。不论何种阳痿均不能完成性交，因此常常导致男性性兴奋异常和女性心理上的变化，不可避免地影响夫妻感情，而且影响生育，甚至涉及法律，所以诊断阳痿必须慎重。

引起阳痿的原因多种多样，有躯体方面的原因，也有心理方面的原因，而以心因性者占绝大多数。

现将阳痿的原因列举如下。

1. 心因性引起阳痿的病因中以心因性最多见。那么，心理因素如何引起阳痿的发生呢？学者们对此进行了很多研究。目前通行的看法是：原发性阳痿的发生大多与童年期的经历有关。有的儿童成长于宗教气氛浓郁或封建思想束缚过甚的环境，自幼受到不正确的教育影响，把性活动视为肮脏、羞耻甚至是罪恶的行径，这种根深蒂固的偏见便可成为阳痿的心理基础。童年时代目击父母感情不和、动辄反目，童年阶段受到姐姐的虐待等也可在心理上留下创伤，成为日后发生阳痿的根源。

青少年情窦方开之际，性冲动强烈，在手淫或性交时，如被人碰见或受到别人惊吓，可引起永久的阳痿。例如有一男性少年在手淫时，忽然从身后窜出一只小狗，使他大吃一惊，从此阴茎再也不能勃起。

成年以后，长期的紧张焦虑可以引起阳痿。新婚之夜，有的新郎由于心情紧张，加之期待过于殷切，致使交感神经过度兴奋，使得阴茎不能勃起，这种情况并不少见。这就形成了一种紧张、失败、继续紧张、再次失败的恶性循环，反复数次之后便有可能导致真性阳痿。

有的男性由于早泄而不能满足妻子的性要求，每次性交都可产生心情上的紧张，也会引起类似的恶性循环而最终导致阳痿。除此之外，夫妇感情不和、担心妻子怀孕、发现妻子不贞以及性交时被子女或他人碰见等，都可引起心理上的矛盾与沮丧，招致阳痿的产生。经济困窘、生活坎坷以及工作过劳等也可因影响心境而形成阳痿。心脏病人由于担心性交会加重病情，久而久之也可引起阳痿。

2. 心理障碍除了轻躁狂症以外，一切功能性与器质性心理障碍都可引发阳痿，尤以抑郁性心理障碍最常见。隐匿性抑郁症发生时，由于情感障碍的“躯体化”症状表现以躯体不适为主，其中有的可以性欲减退与阳痿为其主要诉述。神经症中则以焦虑性神经症最易引起阳痿。

3. 神经系统障碍累及脊髓骶段的病变由于损坏了与勃起有关的反射弧而引起阳痿，例如脊柱裂、脊髓痨、马尾瘤或马尾损伤等。骶段以上的病变由于阻断骶段反射中枢与高级中枢之间的联系，亦可引起阳痿，常见者如多发性硬化亚急性联合变性。丘脑和颞叶病变也可引起阳痿。

4. 内分泌与代谢疾病以糖尿病性阳痿为最常见。有人报告，在男性糖尿病者中，有阴茎勃起障碍者几乎达半数。糖尿病阳痿可能与周围神经病变有关。此外，黏液水肿、甲亢、垂体病变、阿狄森病等均可伴有阳痿。青春成熟期以前切除双侧睾丸可引起原发性阳痿。性激素缺乏对于发生阳痿的影响远不如一般想象为甚，Perloff 报告，勃起能力与小便中 17- 酮固醇水平并无关联，阳痿病人的 17- 酮固醇水平可高于一般人，青春成熟期以后切除双侧睾丸并不一定引起阳痿，切除时的年龄越大，对于性欲及性能力的影响就越小，说明大脑的高级中枢有能力代偿失去了的睾丸的作用。

5. 药物性或中毒性阳痿。（1）慢性酒精中毒：慢性酒精中毒以及一切麻醉毒品成瘾时都常有阳痿发生。无论男性或女性，长期饮酒均可导致性功能损害。临床观察表明：酒精依赖者中，男性约有 50% ~ 70%、女性约 30%有性功能障碍。（2）药物性阳痿：临床上对性功能有抑制作用的药物有多种，常见的有降压药、利尿药、激素、镇静剂、抗胆碱药物等。

6. 其他（1）头部外伤；（2）透析治疗或肾移植；（3）阴茎局部的炎症、外伤或其他疾病；（4）老年性阳痿。

因此，在用药物治疗某种疾病时，应该注意到药物可能对性功能的影响，如产生影响，应找医生协商对药物加以适当的调整。

### （二）早泄

指的是性交时男性射精提早。正常人性交时射精的迟早差异很大，因人而异；就是同一个人，在不同的时间、不同条件下，射精时间也可大不相同。因此要为早泄规定一个时间标准是不容易的。很多学者就此发表过意见，但见解不一。

有研究指出，早泄有三种类型，一种为习惯性早泄，指的是成年以后性交一贯早泄者，这种人性欲并无减退，阴茎勃起有力；另一种为中年以后或较老年的人逐渐发生的射精时间提前，常伴有性欲减退与阴茎勃起无力；还有一类是原本无早泄，在某种心理或躯体的应激情况之后急性发生的早泄，常伴有勃起乏力。

《中国精神疾病分类方案与诊断标准》认为，早泄是射精过早致使性交不满意，严重者阴茎未插入阴道时就射精。

关于早泄的发生率，虽无精确的统计数字，但普遍的临床现象表明，早泄是男性性功能障碍最常见的情况。

### （三）射精困难

射精困难指性交时射精延迟或不能射精，如属后者就不会有性高潮的发生。凡青春成熟期以来情况一直如此者，称为原发性射精困难；如果原来射精正常，而是后来才发生的障碍，则称为继发性射精困难。有的男性性交时可有射精感觉，也有性乐高潮的体验，但尿道口并无精液射出，这种情况是由于精液逆行射入膀胱所致，不属于射精困难。

射精困难比较少见，有人统计，射精困难仅占男性性功能障碍病人中的3.8%。

## 二、老年期性功能障碍的防治

### （一）阳痿

对于躯体疾病和心理障碍所致的阳痿，关键在于治疗原发病，预后如何取决于原发病的疗效。值得注意的是，有时阳痿的原因可以是混合的，例如糖尿病患者的阳痿，既可与糖尿病有关，也可与心理上的焦虑有关。

药物治疗方面，睾酮类制剂对于老年性阳痿或睾酮分泌不足所引起的阳痿可有一定帮助，对其他性质的阳痿没有明显效果。所谓脊髓兴奋药对阳痿也没有明显疗效。应该指出的是，关于安慰剂的研究表明，安慰剂的效果绝不等于零，安慰剂通过其心理暗示作用，有时也可取得一定效果，但这种效果是不恒定的，往往对此人有效，对彼人无效；此一刻有效，彼一刻无效；对暗示性强的人有效，对不易接受暗示者无效。

对于心因性阳痿，心理治疗能够收到一定效果。精神分析疗法通过病人的自由联想，或医师与病人的治疗交谈，让病人自己发掘其潜意识中的焦虑与冲突，然后通过各种心理防御机制，来消除焦虑与解决冲突。这种治疗，耗费时日而收效不理想。

一般心理治疗并不要求发掘潜意识的奥秘，而是通过医师与病人交谈、医师与病人夫妻谈话或病人之间的集体讨论，来向病人传授有关性知识，解释阳痿的起因，并教以有关的性技巧。这类心理治疗如运用得宜，可以收到相当疗效。

行为治疗的原则在于通过妻子的配合与帮助，逐步重建性交能力。有人经过为期5年的随访，发现这种疗法对原发性心因性阳痿的疗效为60%，对继发性心因性阳痿的疗效为75%。

有人还采用生物反馈疗法，获得疗效。

中医认为阳事不举，或举而不坚，以致不能性交，称为阳痿，或称为阴痿，如张景岳说：“阴痿者，阳不举也。”本病的发生，多数由于恣情纵欲、误犯手淫，以致肾元亏损、命门火衰，也可由于思虑、惊恐，损伤心肾所致。偶见由于湿热下注而致病者。

由肾元亏损、命门火衰所致者，证见面色少华，头晕目眩，精神痿靡，腰腿酸软，舌淡，脉沉细，宜补肾壮阳，用赞育丹加减（赞育丹：熟地黄、当归、杜仲、巴戟天、淫羊藿、蛇床子、肉桂、白术、枸杞子、仙茅、山茱萸、韭子、附子或人参、鹿茸）。

由思虑惊恐、损伤心肾所致者，证见心悸恐，心烦失眠，头晕腰酸，脉细数，治宜益肾、养心安神，用补心丹加入益肾之品，如菟丝子、枸杞子、锁阳等（补心丹：人参、玄参、丹参、白茯苓、五味子、远志、桔梗、当归、天门冬、麦门冬、柏子仁、酸杏仁、生地黄）。

（二）早泄

目前国外治疗早泄推荐心理治疗，特别是行为治疗，认为疗效比较肯定。通过一般的心理治疗，可向病人传授有关的性知识，帮助病人解除顾虑，减少焦虑与紧张，并可通过教会病人掌握肌肉松弛的方法来消除性交前的焦虑。

对于器质性原因所引起的早泄，首先是治疗原发症，原发病治愈之后，早泄自会好转。

中医认为早泄患者多属肾亏，肾亏以阴虚为主，多见相火偏旺，治疗以滋肾泻火为主。如有阳虚见症者，可酌加补肾阳之品，但以温为宜，不应过于辛热。处方可以知柏八味丸加味，如首乌、枸杞子等均可加入。见阳虚者，可加狗脊、菟丝子、巴戟天等（知柏八味丸：知母、黄柏、熟地黄、山茱萸、淮山药、牡丹皮、泽泻、茯苓）。

（三）射精困难

对于躯体因素者，首先治疗原发疾病。药物所致者停药后可以恢复。对于原发性心因性射精困难，国外一般采用精神分析治疗来解除潜意识中的焦虑与冲突。对于继发性心因性射精困难，除进行一般心理治疗外，应设法解决实际存在的矛盾。

对老年男人来说，性高潮延缓和射精困难是常见的。少数人对这种情况能够适应，多数人对射精困难感到不愉快。治疗方法通常始于对身体各部位的抚摸和按摩，通过触摸和按摩使机体松弛，并习惯于从没有性高潮的性活动中体验欣快感，最后由男方指点他的妻子进行生殖器的触摸、按摩和自慰。双方共同努力，使男方接近于射精状态，中断刺激，再开始刺激，直到他接近高潮时开始性交，使他学会通过阴道的刺激达到性高潮。

## 第六节　老干部的药物依赖

老干部用药是个十分复杂的问题。用药不当，如出于医生的原因，长期频繁地给病人使用某一种药物，形成对某一种药物的耐受性，为药物误用；如出于病人本身的原因，经常不合病情地应用过量药物，造成药物的耐受性，为药物滥用。不论是药物误用，还是药物滥用，均可造成药物依赖性。

药物的依赖性，按其程度不同可分为心理依赖性和生理依赖性两种类型。

心理依赖性系指一种药物反复应用后，因各种原因停用，在病人心理上产生了强烈的不可控制的用药欲望，以求得心理安慰和获得欣快感。可以引起心理依赖性的药物有巴比妥类药和其他镇静安眠药，如安定、眠尔通、利眠宁、水合氯醛等。某些兴奋类药物，如咖啡因，烈性酒，浓茶等，也可产生心理依赖性。

生理依赖性系指停用某种药物后，产生严重的生理机能障碍。可以产生生理依赖性的药物主要为麻醉性镇痛药，如吗啡、杜冷丁等。

其他药物，如常用的止痛药片，一般为复方制剂，多含有咖啡因、非那西丁，滥用也可产生依赖性，甚至戒断症状。

有些有依赖性的药物，药物与药物之间，存在交叉耐药性，更应引起注意，不可滥用。

总之，老干部不可滥用药物，不可依赖药物。老干部若想健康长寿，除要保持心情舒畅、精神愉快、合理营养外，还要做到戒酒戒烟，养成良好的卫生习惯，根据不同年龄、不同健康状态、不同的生活条件和生活习惯，采取不同形式的身体锻炼，能不吃药者不吃药，能少吃药者少吃药，必须服药时，要在医师指导下用药，不可依赖药物，更不可滥用药物。

## 一、药物依赖的病因学

药物依赖的发生原因复杂，迄今仍属不明。该进程受以下因素的影响：精神活性药物的特性；用药者的躯体易患性（可能包括遗传易患倾向）；人格和社会经济地位；文化和社会环境。患者个人的心理状态以及能否得到药物决定着患者选择的精神活性物质的种类、用药方式和频度。

从试验到偶尔应用再到产生耐药性和躯体依赖的过程最让人困惑。导致增加用量和依赖或成瘾的因素可包括伙伴或集体的压力，症状可通过特定药物得到缓解的情感挫折、悲伤、社会疏离以及环境应激（特别是无力改变现状或无法实现理想时的情感体验）。医生过分热心地想用药物帮助失意的病人并且被患者的计策蒙蔽，可造成精神活性药物的有害应用，以至于无法中断用药。很多社会因素和主流媒介的宣传造成人们对药物可以安全地解除痛苦、带来舒适的期望。一言以蔽之，药物应用的结果取决于药物、应用者和环境的相互作用。

尽管研究人员孜孜以求，但迄今为止，尚未发现在药物依赖或成瘾者与非成瘾者之间存在生化素质、药物偏好或生理效应之间的明显差异。但是，与酒依赖者的血缘关系越近，个体对酒精的躯体反应越不明显。

在动物模型中已分离出一种起到强化作用（即要求更多药物和其他刺激物的倾向）的神经基质。动物研究发现，阿片类、可卡因、苯丙胺、尼古丁和苯二氮类等药物的应用伴有中脑和脑皮层特定回路多巴胺能传递的强化。这一发现揭示，在哺乳动物的大脑中存在与多巴胺有关的大脑阳性强化刺激途径。但是，有关迷幻药和大麻成分激活这一系统的证据尚不充分，而且并非所有有过“阳性强化刺激”体验的人都会依赖药物或成瘾。

行为科学家们曾有所谓“成瘾人格”的多种提法，但尚无科学证据可证明确有典型的易患人格性状。有人认为成瘾者是不敢面对现实、逃避现实的人。有人认为成瘾者具有分裂样人格特点，表现为胆小、退缩和抑郁，常有自杀企图，身上有无数自残伤痕。有人认为成瘾者在人际关系中一般表现为依赖、贪婪，常无缘无故或有原因地暴怒，性行为幼稚。但个体产生药物依赖之前并无异常的取乐导向，不负责任的行为往往是由成瘾引起的。有时瘾君子用药只是因为危机、工作压力或家庭不幸带来的暂时焦虑或抑郁。医生、患者以及社会文化体系都把药物滥用置于生活事件或生活功能失调的背景下。因此，罪责归咎于药物或应用药物。大多数成瘾者在滥用药物的同时还酗酒，并可因超量中毒、不良反应或撤药症状而反复住院治疗。

## 二、药物依赖的主要症状及危害

药物依赖表现为心理依赖和躯体依赖。

1. 心理依赖。病人在心理上渴求使用这类药物，这种欲望超过了食欲、性欲，他感到比睡眠更为重要，甚至不顾药物对个人的心理或躯体的危害、不顾其对家庭或社会的危害，以至于经常不择手段、不计后果，以非法手段获取药物来满足自己的需要。

2. 躯体依赖。长期反复使用某种药物，可出现以意识障碍和轻躁狂状态为主的急性中毒症状，以及以人格改变和明显的智能障碍为主的慢性中毒症状。一旦停止使用某种药物，则又可产生戒断综合征，即产生一系列躯体症状，若继续用药或应用与其药理作用相似的药物，可使这种躯体症状减轻或消除。这种戒断症状轻者可感觉到浑身不适、心慌、焦虑、流泪、眩晕等，重者则大小便失禁、癫痫发作、幻觉、意识障碍，甚至可危及生命。

药物依赖会形成耐药性。长期反复用药，药理效应会逐渐降低，为获得满意的和足够的心理和生理需求，必须进一步加大用药剂量，从而导致了药量的逐步增大。

药物依赖会对个人和社会造成不良影响。长期的、较大剂量的用药，可造成营养不良、代谢障碍、免疫功能降低，易于产生多种躯体并发症，甚至慢性中毒。同时，由于性格改变和丧失伦理道德、丧失进取心及对家庭和社会的责任感，常给本人、家庭及社会带来不良后果。

## 三、药物依赖的诊断与治疗

### （一）诊断

1. 有长期反复使用某种精神活性药物的依据。

2. 对该精神活性药物有强烈的渴求和耐受性，并至少具有下述情况之两项。

⑴ 不能摆脱使用这种药物的欲望；

⑵ 对觅取这种药物的意志明显增强；

⑶ 为使用这种药物而经常放弃其他活动或爱好；

⑷ 明知这种药物有害，但仍继续使用，或为自己辩解，或想不用或少用，但做不到或反复失败；

⑸ 使用时体验到快感；

⑹ 对这种药物耐受性增大；

⑺ 停用后出现戒断综合征。

### （二）治疗

对药物产生依赖后，轻者表现为离不开这种药物，不吃就难受，并感到周身出现各种不适，只有服用这种药才有舒服感，此时应及时采取措施，逐步戒除。

1. 患者要认识到自己的病况，明确药物成瘾对自身的危害，积极主动配合医生治疗。

2. 逐渐减少依赖药的服用剂量，原则是“逐渐”减量，切忌大幅度削减用量或完全停用，以便使身体逐步适应，否则，由于身体无法耐受会出现戒断症状，且有一定的危险性。

3. 也可以由非依赖性或依赖性较低的药物暂时替代，减轻由于削减依赖药物用量而出现的不适应症状。

4. 对症治疗。对于戒断后出现的焦虑、抑郁、烦躁不安以及躯体症状等，可以采取抗焦虑及抗抑郁药物对症处理，以减轻戒断症状。目前较好的抗焦虑及抗抑郁药有帕罗西汀（赛乐特）、百忧解、多塞平、阿米替林、丁螺环酮等。

5. 其他治疗。对于中毒较深、全身营养状况较差的患者来说，支持疗法是必不可少的。营养的补充，有助于减少和减轻躯体的不适感。家庭和社会的关怀，能提高其脱瘾的信心。

6. 依赖戒除后，要巩固所取得的效果。各类心理障碍和神经症患者，对于自己的焦虑或失眠等症状，不可一味地追求药物，而应设法去除病因。心理疏导、生活调节、体育锻炼、物理治疗等均大为有益。切忌重新服用依赖过的药物。

7. 药物依赖严重者，会千方百计，不择手段偷药、骗药，挥霍大量金钱买药，置家人生活于不顾，丧失责任感和进取心，很难自行戒除，此时应在住院条件下积极治疗，争取早日戒除。

## 第七节　老干部的睡眠障碍

睡眠障碍是困扰老干部的常见病症之一。据欧美等国的调查结果，在 60 岁以上的老年人群中，由各种因素导致的睡眠障碍的患病率高达 70%。国内虽无完整的统计资料，但此类问题也十分普遍。根据近几年来解放军总医院睡眠障碍专家门诊的粗略估计，老年睡眠障碍及相关疾患的就诊率为 60%，这与上述统计结果类似。

睡眠是个必不可缺的生理过程，对于老干部来说，睡眠质量的好坏是评价其健康状况的一项客观内容。一般而言，健康、长寿的老干部起居生活较为规律，睡眠良好。相反，长期受失眠困扰者，多伴有某种程度的心理、躯体疾患，会对机体产生不利的影响。近些年，睡眠障碍对老干部健康的危害性愈来愈受到普遍的重视。

老干部的睡眠障碍多表现为有效睡眠时间缩短、睡眠表浅、早睡早醒、入睡困难、醒觉次数增多等。这些特点与老干部的生理变化、健康状况及其他因素有着密切的关系。睡眠的发生与调控是脑所特有的功能之一，是个主动的调节过程，与其他脑机能一样，被视为一种能力。由于机体的正常老化和脑功能的日渐衰退，睡眠节律的调节机能受到损害，从而缺少深睡眠和快波睡眠，浅睡眠状态相对增加。患者通常是夜间睡眠减少，睡眠过程不连续，多次出现短暂的醒觉，睡眠效率降低，白天疲乏、好打盹儿，严重者甚至表现为睡眠白昼颠倒。老干部各器官功能普遍减退，易患多种疾病，某些病症常是干扰睡眠的主要原因，如睡眠呼吸障碍、瘙痒症、咳嗽、喘息、疼痛、周期性腿动、尿频等。上述病症需服用多种药物，有些会产生副作用而影响睡眠，其中包括中枢兴奋剂利他林、苯丙胺、茶碱、抗帕金森药、降压药等。长期服用某种药物，如镇静催眠、抗精神药等骤然停用会出现反跳性失眠。

## 一、老干部睡眠障碍的主要形态

### （一）继发性失眠

继发性失眠是指因为身体、精神或物质因素而有入睡或维持睡眠的障碍。老干部容易因慢性的身体疾病、精神疾病而服用药物，容易影响睡眠，最常见的形态为失眠。身体疾病如慢性阻塞性肺炎、夜间频尿，或伴随疾病的疼痛都是失眠的主要原因；而忧郁症、焦虑症、失智症等精神疾病患者亦常有睡眠的障碍；具有提神、兴奋的药物如果在晚餐或睡前服用更容易影响睡眠；酒精的使用或许开始有帮助入睡的作用，但长期服用后，却会改变睡眠结构，最常见的是容易早醒且有宿醉的情形。

（二）睡眠中止症候群

有此症候群的老干部会容易打鼾，睡眠时有短暂呼吸中止，因而白天容易出现疲劳、嗜睡、打哈欠等精神不济的情形。可能是因为上呼吸道某部分较狭窄，或因为脑部的睡眠中枢退化而造成的。

（三）睡眠—清醒周期混乱

生理时钟配合着外界环境的光暗及日常的作息，规则的控制睡眠及清醒的周期。脑部的一些神经核、神经传导物质及荷尔蒙——如褪黑色素则是生理时钟中枢的主要成员。一旦脑部退化或损坏，患失智症或中风，则生理时钟变成不规则或无法配合外界每日 24 小时的周期，此时睡眠周期就产生混乱，可能会有白天睡觉晚上清醒的情形，或每天睡眠清醒的时间不规律，生活作息和社交活动都会受到很大的影响。

（四）原发性失眠

有些老干部并没有情绪障碍或其他身体疾病，且未服用任何药物，但仍然有失眠的困扰，可能是因为社交生活减少、工作所需的体力消耗减少导致。相同的，这样的睡眠障碍也会使得老干部在日间觉得疲劳、甚至有头痛、肌肉酸痛等不适。

## 二、老干部睡眠障碍的病因

睡眠障碍的原因与多种因素有关，老干部的睡眠障碍通常是继发性，多与躯体疾病、精神疾病、社会心理或药物等因素有关。

(一) 躯体和精神疾病

许多躯体性疾病可干扰睡眠，老干部患躯体疾病的比例更高。关节炎疼痛、十二指肠溃疡及冠心病等可影响入睡和睡眠。神经系统疾病，如帕金森氏病和脑血管病干扰患者的睡眠。老干部的精神因素也是导致睡眠障碍十分常见的原因。痴呆导致昼夜睡眠方式倒置，即白天睡眠，而夜间清醒。常出现夜间精神混乱和游走症状。AD 患者的临床突出表现是，睡眠增加和觉醒次数增多，同时伴慢波睡眠和 REM 睡眠减少。尽管抑郁患者多表现为早醒，但仍有入睡、睡眠间期和睡眠末期的紊乱问题。其 PSG 的特点是，第一个 REM 潜伏期缩短及Ⅳ期睡眠减少。焦虑症患者一般表现为入睡困难。社会心理因素同样影响睡眠，由于经济和工作变化，常导致入睡和睡眠维持障碍。丧偶和失去亲友导致的孤独感可诱发失眠。其他如探望亲人、旅行和住院等使居住环境发生改变，也可导致失眠。

(二) 药物因素导致的睡眠障碍

多数老干部每天服用 5～9 种药物，其中一些药物可能会导致失眠。安定类药物可抑制老干部的深睡眠状态；甲状腺激素、茶碱、西米替丁、苯妥英钠、左旋多巴及甲基多巴等可延迟入睡时间，也可使深睡眠减少；服用 β 受体激动剂及奎尼丁可出现梦魇。睡前或晚上服用利尿剂导致夜尿增多而影响睡眠。一些非处方药，如鼻用缩血管制剂可干扰老年正常睡眠方式。吸烟和咖啡等兴奋剂影响睡眠；有的老干部用饮酒方式解决睡眠问题等，睡前饮酒导致 REM 睡眠紊乱，增加夜间觉醒次数。

（三）心理因素

心理紧张、焦虑不安、恐惧、担忧等负性情绪是导致睡眠障碍的最常见原因。睡眠障碍也常常是某些心理疾病的首发症状之一。如抑郁症病人的睡眠障碍以早醒为特点；躁狂症病人的睡眠障碍则以睡眠需要减少、睡眠时间缩短为主。老干部的睡眠障碍常表现为白天欲睡而夜间难以入睡，并且夜间睡眠常呈间断性。

（四）其他因素

除上述因素以外，白天生活的影响、特殊的人格特征、自幼不良的生活习惯、遗传因素、脑功能的减退等，都可以成为持续失眠的原因。

## 三、老干部睡眠障碍的诊断与防治

（一）失眠症的诊断

失眠症的诊断，不能以统计上的正常睡眠时间作为诊断失眠症的主要标准，还应排除各种躯体疾病或其他心理疾病所伴发的症状。失眠症的具体诊断标准有以下几点。

1. 以睡眠障碍为几乎唯一的症状，其他症状均继发于失眠，包括难以入睡、睡眠不深、易醒、多梦、早醒、醒后不易再睡、醒后感觉、疲乏或白天困倦。

2. 上述睡眠障碍每周至少发生 3 次，并持续 1 个月以上。

3. 失眠引起显著的苦恼，或心理活动效率下降，或妨碍社会功能。

4. 不是任何一种躯体疾病或心理障碍的一部分。

## (二) 老干部的睡眠障碍的防治

对于各种原因引起的失眠，首先要针对原发因素进行处理。

1. 可查出原因的失眠症的治疗。多数失眠患者可以找到原因。如果是疼痛或躯体不适引起的失眠，应先进行内、外科的诊治。如果是焦虑所致的失眠，可以进行心理治疗，进行肌肉放松训练，也可以用生物反馈技术控制焦虑；地西泮（安定）、艾司唑仑（舒乐安定）、氟西泮等药物也可使用。如果是抑郁症伴随的失眠症状，则应服用多塞平、阿米替林等抗抑郁药来改善睡眠。

2. 查不出原因的失眠症的治疗。可以短期应用安眠药物进行治疗。目前常用的有三唑仑、艾司唑仑（舒乐安定）、氟西泮等药物。但这类药物若长期使用，易于成瘾，利少弊多。

3. 失眠症的非药物性治疗。非药物性治疗，对于失眠症的预防和治疗都是有益的。比如改变晚上喝茶、喝咖啡、饮酒的习惯；建立有规律的生活作息制度；培养适合于自己的体育锻炼和入睡习惯等。松弛训练和安慰剂暗示治疗也有实用价值。

由于老干部中枢神经系统老化，睡眠结构亦随之而发生了改变，一般表现为深睡眠期明显减少，夜间醒觉次数增多，入睡时间延长，常感到睡眠不够，白天有明显疲乏感，伴有短暂小寐。对于这类病人的治疗，是否一定要采用催眠药，或采用其他治疗方法，还应进一步了解情况再作具体分析。

# 第四章 老干部常见的心身疾病

- 原发性高血压病
- 冠心病
- 心脏神经症
- 老干部心身疾病的防治

# 第一节　原发性高血压病

原发性高血压亦称高血压病，是指发病机理尚未完全清楚，临床上以血压增高为主要表现的一种独立疾病，约占所有高血压病人的95%，主要是周围小动脉阻力增高所致，血容量与心排出量增加则是次要因素。

原发性高血压病是一种公认的心身疾病。世界各国现代化大城市中成年人患病率在10%或更高，不同地区、不同生活方式、不同文化背景发病率不同，城市比农村发病率高，男性高于女性，脑力劳动者高于体力劳动者。

原发性高血压病是一种危害很大的慢性疾病，它有特殊的发病特点。但如能早期发现，早期治疗，对控制病情和延长寿命有很大意义。

## 一、原发性高血压的特点

这种病常表现出以下特点。

1. 早期无症状或症状轻微，不易被发现，易被漏诊。很多高血压病患者早期无症状，仅在体检或因其他疾病就医时偶然发现血压升高。也有部分病人，仅表现轻微的头痛、头胀、头晕或颈部发胀等症状，如果门诊医生稍不注意，极易漏诊。

2. 心脑肾损害为常见的并发症。高血压病人如不能很好地治疗，常引起心、脑、肾损害。心脏早期损害表现可有心室肥厚，晚期出现心脏扩大，心力衰竭征象，如合并冠心病常有心绞痛发作。肾脏早期损害可有蛋白尿，少量红细胞和管型，晚期进一步发展为氮质血症及尿毒症、贫血、浮肿、酸中毒等一系列症状。高血压常见神经系统并发症是脑梗塞和脑出血，死亡率很高。

3. 病情的轻重与血压高低程度不一致。有些轻型高血压，虽有左心室肥厚或其他器官损害的改变，但却没有任何自觉症状，同正常人一样。此外，脑血管意外、心衰、肾衰并不都见于重症高血压，有些轻型高血压也会发生，因此，高血压病的预后并不单纯取决于血压值的高低和一般自觉症状的程度，而应把血压的高低和靶器官损伤的程度，统一考虑，综合分析，才能作出正确判断。

4. 患病年龄越小，预后越差。未经治疗的高血压患者自然平均生存年限为20年，前15年常无明显并发症。由于高血压病患者起病年龄不同，对预后的影响差别很大。高龄起病对预后影响小，患病年龄越小，预后越差。

5. 需长期合理治疗。由于高血压病因尚不完全清楚，每个患者的个体差异很大，所以，治疗尚无最佳方案，必须坚持个体化原则，长期甚至终生合理治疗，对延长寿命、改善预后有很大意义。

## 二、原发性高血压的病因

原发性高血压是遗传因素与环境因素长期相互作用的结果，其中不良生活方式起着至关重要的作用。

### （一）遗传和家族聚集性

原发性高血压有遗传和家族聚集倾向，可能与同一家族成员具有相同的基因结构、环境及生活习惯有关。北京市1991年高血压普查结果表明，父母一方有高血压者高血压患病率是无高血压家族史者的1.5倍，父母双方均有高血压者高血压患病率是无高血压家族史的2～3倍。上海用一级、二级亲属的资料分别计算了原发性高血压的遗传度，前者为70%±9.8%，后者为57%±7.9%。研究孪生子发现，单卵孪生子间血压相关程度比双卵孪生子间更明显。

（二）超重和肥胖

正常成年人的体重指数为21～25kg/m²，>25为超重，>30为肥胖。我国MONICA方案研究发现，北方各省市高血压患病率明显高于南方，同时北方的平均体重指数也明显高于南方。我国10组人群的前瞻性研究表明，基线时体重指数每增加1，5年内发生确定的高血压（收缩压≥160mmHg或舒张压≥95mmHg）的危险度增加9%。中美心血管病流行病学合作研究结果显示，基线时体重指数每增加3，4年内发生高血压（收缩压≥140mmHg或舒张压≥90mmHg）的危险女性增加57%，男性增加50%。超重和肥胖导致高血压的可能机制有以下几个方面。

（1）血容量和心排出量增加；

（2）因伴有高胰岛素血症或肾素与醛固酮关系异常而引起体内水钠潴留；

（3）神经内分泌调节紊乱，如交感神经肾上腺素能活性增高；

（4）细胞膜协同转运功能缺陷，钠—钾泵活性异常。

（三）饮酒

饮酒量与血压之间存在着剂量—反应关系，其机制可能为长期饮酒者的皮质激素水平升高，血儿茶酚胺水平上升；影响肾素—血管紧张素及血管加压素和醛固酮的作用；影响细胞膜的流动性、通透性，引起钠—钾泵活性异常及离子转运功能障碍，使细胞内钙离子浓度升高，外周血管阻力增加。中美心血管病流行病学合作研究结果表明，男性持续饮酒者比不饮酒者，四年发生高血压的危险性增加 40%。

（四）膳食高盐、低钾、低钙及低动物蛋白质

盐摄入与高血压患病率之间呈线性相关。中国人群食盐量高于西方国家。1979～1980 年全国高血压普查结果显示，我国南北方高血压患病率有明显的差别，与食盐量不同有关。北方食盐摄入量平均每人每日 12～18g，而广西、福建等地均在 7～8g。如平均每人每日食盐量增加 2g，则收缩压和舒张压均值增高 2.0mmHg 和 1.2mmHg。高血压患者有盐敏感型和非敏感型，提示高钠饮食引起高血压的机制有遗传因素的参与。盐敏感者占高血压人群的 30%～50%。

血清钾、尿钾及膳食摄入的钾与血压之间呈负相关；钾对血压的调节机制可能与抑制肾素—血管紧张素活性和交感神经系统的兴奋性、增强压力感受器的功能以及直接的促尿钠排泄作用等有关。目前我国人群膳食中钾摄入量普遍偏低，一般在 2～3g/d，膳食中钠与钾的比为 3∶1，是我国高血压患病率高的重要原因之一。

钙离子参与血管平滑肌的收缩与舒张，同时低钙膳食可能促进钠的吸收。

人群平均每人每日摄入的蛋白质热量增加 1 个百分点，收缩压及舒张压均值分别降低 0.9mmHg 及 0.7mmHg。

高盐膳食是中国人群高血压发病的重要危险因素，而低钾、低钙及低动物蛋白质的膳食结构又加重了钠对血压的不良影响。

（五）精神压力

精神压力增加可导致血压升高。动物实验证明，一笼饲养

多只老鼠比分笼饲养老鼠的血压高。紧张可使心率、血压、血浆肾上腺素和去甲肾上腺素水平升高。

## 三、原发性高血压的治疗

原发性高血压病是一种渐进性缓慢发展的慢性病，现有的药物治疗效果欠佳，这是众所周知的临床事实，因此必须推广躯体治疗与心理治疗相结合的心身综合治疗。降压、镇静、抗抑郁、抗焦虑药物是躯体治疗的基础，亦是心理治疗的先导。现代心身医学研究指出，心理治疗对高血压病有广阔的前途，现介绍几种常用的治疗方法。

### （一）调畅情志

保持轻松愉快的情绪，避免过度紧张。在工作 1 小时后最好能休息 5~10 分钟，可做操、散步等调节自己的神经。心情郁怒时，要转移一下注意力，通过轻松愉快的方式来松弛自己的情绪。最忌情绪激动、暴怒，防止发生脑溢血。

### （二）饮食有节

应节制日常饮食，少吃脂肪、甜食、盐。饮食以清淡为主，多食蔬菜水果。忌暴饮暴食。食盐摄入量每日不超过 5g，盐能使水分潴留，血容量增加，加重心脏负担。肥胖者应控制食量及热量，减轻体重。要保持良好的睡眠状态，睡前用温水浸泡脚，避免看小说，看紧张恐怖的电影、电视。保持大小便通畅。性生活使人处于高度兴奋状态，神经血管紧张，甚至可引起中风，应节制性欲，慎房事。

### （三）戒烟少酒

烟碱（尼古丁）可收缩微细血管，使心跳加快，血压升高；少量喝酒可使微循环扩张，增加血管弹性，有一定好处。提倡戒烟少酒。但大量喝酒及喝烈性酒则肯定是有害无益的。

（四）劳逸结合

如从事高度紧张的工作，要掌握好对自己情绪的调节，注意劳逸结合，争取多休息，避免有害的慢性刺激（如噪音）的影响。休息包括精神上、体力上的休息。重体力劳动、剧烈运动是不适宜的。负重、长跑、搬运重物应予禁止。但轻体力劳动是可以的，长期卧床并无好处。

（五）坚持锻炼

应坚持打太极拳，练气功，每日早晚各一次，可改善血液循环，减少外周阻力而使血压降低。

（六）坚持服药

对中、晚期高血压病，坚持服药治疗是十分重要的。如一种药物产生耐药性而失效时，应及时更换其他药物。不遵医嘱，随意停药，会使血压急剧升高而发生危险。平时应经常测量血压。

## 第二节　冠心病

冠心病是冠状动脉粥样硬化性心脏病的简称，它是冠状动脉发生严重粥样硬化或痉挛，使冠状动脉狭窄或闭塞，导致心肌缺血缺氧或梗塞的一种心脏病。

冠心病的特点是其内膜有脂质的沉着，复合糖类的积聚，继而纤维组织增生和钙沉着，并有动脉中层病变，常导致管腔狭窄或闭塞。冠心病属于中医的胸痹、真心痛、厥心痛范畴。

本病常伴有高血压、高脂血症、糖尿病等。脑力劳动者多见，对人们健康危害大，为老年人主要死因之一。

## 一、冠心病的临床类型

根据冠心病（心绞痛）的临床表现及通过多年上万例患者观察，按西医的观点将其归纳为以下几种。

1. 隐性冠心病（无症状型冠心病）。病人无症状，但有缺血的心电图改变。

2. 心绞痛型冠心病。有发作性胸骨后疼痛（心绞痛），多在3~5分钟内消减，硝酸甘油舌下含服疗效显著，由于一时性心肌供血不足引起。

3. 心肌梗塞型冠心病。症状严重，胸骨后剧痛（或无），数小时至数天，硝酸甘油无效，有心肌坏死现象、血清酶学异常升高以及典型的心电图改变，常并发心律失常型冠心病：有心脏增大、心力衰竭、心律失常的表现，由于长期心肌缺血导致心肌纤维化引起，以前称“心肌硬化”，近来有人称“缺血型心肌病”。问题的关键是冠心病症状不典型的多种多样表现增加了诊断上的困难。如老年人心绞痛，表现为气短或胸闷、牙痛、颈项痛、上腹痛，也可以是短暂脑缺血发作。老干部心肌梗塞无痛者较多，常以左心衰、休克、心律失常或脑血管缺血为首发症状，表现为神志不清、昏厥、精神异常、恶心呕吐等。

## 二、冠心病的病因

### （一）生物、理化和生理因素

1. 遗传因素

双亲中有一人患冠心病的家庭，其子女冠心病发病率是无冠心病家庭人员的两倍；双亲均早期患冠心病，其子女心病发病率5倍于无冠心病家庭人员。

2. 性别因素

本病发病男性多于女性，男女比例为2~5∶1。在20~50岁之间，动脉粥样硬化病变较轻，冠心病发病率较，与雌激素降低血脂有关。

3. 其他因素

(1) 高血压。高血压可促使血管壁平滑肌细胞增生、血管壁内膜和内皮细胞损伤，使胆固醇及低密度脂蛋白容易侵入血管壁。血压持续增高者，动脉粥样硬化的发生率明显增高。在我国冠病患者中，70%以上并发高血压病。收缩期血压大于24千帕（180mmHg）者，其冠心病患病率约为收缩压等于16千帕（120mmHg）者的8倍。

(2) 高血脂。血胆固醇大于6.72mmol/L者，冠心病的发病率为小于5.17mmol/L者的5倍。

(3) 高血糖。糖尿病患者的冠心病发病率，较无糖尿病者约高两倍。

(4) 高体重与肥胖。冠心病中肥胖患者的发病率为瘦小型的5倍，强力型体质较无力型体质容易患冠心病。

(5) 高年龄。冠心病多在40岁以上发生，在50岁以后尤较常见。

(二) 社会心理因素

不良心理因素是冠心病重要的发病动因。引起冠心病发病常常是由于很重的情绪负荷和心理压力。

1. 情绪因素。情绪波动易诱发心绞痛和心肌梗死。发病前6个月内紧张性生活事件发生频度过高，如政治上受冲击、工作劳累、紧张以及生气、争吵等，其中工作劳累占第一位，其次是人际关系紧张、家庭不和睦，以上两者占心肌梗死发病诱因的68%。

2. 个性特征。A型性格行为类型与冠心病的发生、发展有相应关系。即性格方面具有攻击性、有野心、易冲动、精力旺盛等特征，行为方面存在快速、积极、急躁等特点，躯体方面有高胆碱能、高血压素质。冠心病患者还与常人有不同的心理特点，如唤醒水平偏高，习惯性倾向差，焦虑、抑郁水平较高，对健康异常关心，情绪较消沉，并存在偏执等个性特征。

3. 社会因素。从世界范围来看，冠心病的发病率是西方国家高于东方国家，发达国家高于发展中国家，城市高于农村。这种差别从调查研究中可看出与环境文化等因素有一定的关系，另外社会流动、经济收入、文化背景、工作环境与负荷、家庭和社会的人际关系等与冠心病的发生和病程有很密切的关系。

## 三、冠心病的预防

### （一）防止过度疲劳

无论是脑力劳动、体育还是娱乐活动或性生活都不能时间过长、劳动量（或运动量）过大。超负荷的劳动（或运动）会使心跳加快，心肌的耗氧量增加，就可能发生心绞痛或急性心肌梗塞。

### （二）适当运动

如果冠心病人的心脏冠状动脉某个分枝血流不畅，甚至发生了堵塞时，冠脉周围的许多小血管就发挥了作用，医学上称为“侧支循环”。人体运动时，这些小血管血流加快，能够促使“侧支循环”的建立，起到保护心脏，改善心肌供血的作用。

（三）调节情志

长期精神抑郁易导致冠心病，而精神愉快、心情舒畅可使脉搏、呼吸、血压、内分泌趋于平衡，达到相互协调的状态，从而提高人体抗病能力，减少或避免疾病的发生。所以应该对人生、对周围的一切事情看得豁达一些。

（四）调整饮食

平时要多吃含纤维素的食物，如蔬菜、水果等，少吃动物脂肪和动物内脏，以利于保持大便通畅，降低血液中的脂肪含量。老年人要以清淡、易消化且营养丰富的食物为主，还要多吃大蒜和葱头，以降低血脂，防止动脉硬化。此外，食物中的山楂、香蕉、木耳、荠菜、柿饼、鸡毛菜、蜂蜜、鱼类、菊花、槐花等均有降低血脂、软化血管的作用，可选择食用。冠心病人严禁暴饮暴食，不要吃得过饱。在冠心病诱发急性心肌梗死病例中，饱餐占第三位，仅次于劳累和情绪激动。

## 四、冠心病的治疗

冠心病是威胁人们健康和生命的心身疾病，近年来国内外除重视心理社会病因性研究外，对于行为治疗的研究非常重视。根据国内外临床经验，对冠心病在药物治疗的同时最好配合行为治疗，方可提高治愈率，巩固治疗效果。

（一）普通康复疗法

控制危险因素，控制高血压，降低血脂。

治疗肥胖及糖尿病，限制饮酒，低脂低盐饮食，停止吸烟。适当体力和体育活动，心绞痛发作时应休息。对频发心绞痛或卧位型、变异型心绞痛患者应卧床休息，一般患者不需要卧床休息，适当活动。

### (二) 中医分型与中药治法

1. 心血瘀阻

心胸阵痛，如刺如绞，固定不移，入夜为甚，伴有胸闷心悸，面色晦暗。舌质紫暗，或瘀斑，舌下络脉青紫，脉沉涩或结代。

治法：行气活血，通脉止痛。

方药：血府逐瘀汤加减；桃仁12g，红花7g，当归12g，川芎12g，赤芍16g，枳壳12g，桔梗12g，炙甘草7g，生地25g，檀香7g，薤白12g，川牛膝12g。若痛甚可加乳香12g，没药12g，五灵脂12g。

2. 寒凝心脉

心胸痛如缩窄，遇寒而作，形寒肢冷，胸闷心悸，甚则喘息不得而卧。舌质淡，苔白滑，脉沉细或弦紧。

治法：温经散寒，宜痹通阳。

方药：瓜蒌薤白汤加减：瓜蒌壳16g，枳实12g，檀香7g，丹参25g，制附子12g（先煎），桂枝12g，薤白12g。痛甚者可加乌头12g（先煎）。

3. 痰浊内阻

心胸窒闷或如物压，气短喘促，多形体肥胖，肢体沉重，脘痞，痰多口粘，舌苔浊腻，脉滑。痰浊化热则心痛如灼，心烦口干，痰多黄稠，大便秘结，舌红、苔黄腻，脉滑数。

治法：通阳泄浊，豁痰开结。

方药：瓜蒌薤白半夏汤加减：瓜蒌16g，薤白12g，法半夏12g，枳实12g，竹茹12g，陈皮12g，干姜12g。痰浊化热者加黄芩12g，胆南星12g，天竺黄12g，黄连7g。

4. 心气虚弱

心胸隐痛，反复发作，胸闷气短，动则喘息，心悸易汗，倦怠懒言，面色苍白。舌淡暗或有齿痕，苔薄白，脉民、弱或结代。

治法：益气养心，活血通络。

方药：生脉饮合炙甘草汤加减：人参12g，麦冬16g，五味子7g，黄芪16g，炙甘草12g，桂枝12g，当归12g，丹参25g，赤芍16g。

5. 心肾阴虚

心胸隐痛，久发不愈，心悸盗汗，心烦少寐、腰酸膝软，耳鸣头晕，气短乏力。舌红，苔少，脉细数。

治法：滋阴益肾，养心安神。

方药：左归饮合生脉饮加减：熟地25g，山萸肉12g，枸杞12g，淮山药25g，茯苓16g，甘草7g，人参12g，麦冬12g，五味子7g，柏子仁16g，酸枣仁16g。

6. 心肾阳虚

胸闷气短，遇寒则痛，心痛彻背，形寒肢冷，动则气喘，心悸汗出，不能平卧，腰酸乏力，面浮足肿，舌淡胖，苔白，脉沉细或脉微欲绝。

治法：温补心肾，温振心阳。

方药：参附汤合右归饮加减：红参12g，制附片12g（先煎），桂枝12g，炙甘草12g，熟地25g，山萸肉12g，枸杞子12g，杜仲12g。若阳损及阴可加麦冬16g，五味子7g。若阳虚水泛者，可加汉防己12g，猪苓12g，车前子16g。

### （三）现代西医西药治疗方法

1. 心绞痛急性发作的治疗

（1）硝酸甘油：0.6mg，舌下含服，1~2分钟起效，约5分钟达最大效果，可维持30分钟，如不见效应考虑药物是否有效或者病情严重。该药副作用有头昏、头痛、面红、心悸、血压下降等。

（2）消心痛：5~10mg，舌下含或10~20mg口服，口含5分钟起效，口服半小时起作用，维持3~5小时。

2. 心肌缺血缓解期治疗

（1）硝酸酯：解除冠脉痉挛及扩张冠脉，扩张静脉，大剂量亦扩张动脉，降压作用，从而降低心肌耗氧量。消心痛、硝酸戊四醇酯。

（2）钙通道阻滞剂：扩张冠脉及解除冠脉痉挛，减低心肌张力，扩张小动脉减轻后负荷。维拉帕米（异搏定）、硝苯啶（心痛定）、络活喜。

（3）血小板抑制剂：乙酰水杨酸（阿司匹林）、潘生丁。

（4）血管紧张素转换酶抑制剂：开搏通、马来酸依那普利。

（5）冠状动脉旁路术：在体外循环下，利用自身血管，从主动脉的根部绕过阻塞区到冠状动脉远端，根据病情可做1~3根移植。

3. 不稳定心绞痛的治疗

必须按急性心肌梗死治疗，缓解后观察10~14天，出院后仍继续治疗3~6个月。

（四）单味药与经验方治法

1. 心绞痛发作时速效治疗药物：（1）速效救心丸；（2）心宝；（3）心痛丸；（4）宽胸气雾剂，（5）冠心苏合丸；（6）复方丹参滴丸。

2. 冠心Ⅱ号（北京冠心片）：由丹参、川芎、赤芍、降香，红花组成，每日3次，每次6片，具有增强冠脉流量及营养性血流量作用。

3. 毛冬青片：每片相当于生药4g，每日3次，每次4次。注射剂每支2ml，内含黄酮甙40mg，约相当于生药10g，每次肌注2ml，每日1~2次。具有扩张冠脉，降低心肌耗氧量作用。

4. 心可舒片：每日3次，每次4片。

（五）针刺穴位疗法

针刺膻中、内关、留针20~30分钟，捻转3~5次，心痛发作时针刺，有明显止痛作用。主穴：心俞、厥阴俞。配穴：内关、足三里、间使。平补平泻法。每次留针20分钟，每天一次，10天为1疗程。

（六）穴位敷贴疗法

以两组主穴交替使用：①心俞、巨阙、内关、上巨虚；②厥阴俞、中脘、间使、足三里。气滞配肺俞、气海，血瘀配膻中、膈俞；痰浊壅盛配丰隆、太白；寒凝配关元、命门、中极。中药丹参等制成粟粒大小药丸两粒用胶布固定在穴位上，每次6~12穴，隔日1次，30次为1个疗程。治疗1~3个疗程，有较好的治疗效果。

（七）艾灸疗法

主穴：心俞、厥阴俞、膻中、内关，心气虚加足三里，气阴两虚加三阴交或太溪，气虚血瘀加膈俞或三阴交。用固定式艾灸温灸器，取主穴1~3个，以补法为主（将燃着的艾条置于温灸器中，在距离穴位上方3~5cm处，任其慢慢燃烧，火力和缓，使局部皮肤温热红晕，灸20~30分钟停灸，再用手指按压其灸穴至患者得气为度）。虚中夹实者适当结合泻法（将燃着的艾灸置于温灸器中，距穴位上方2~3cm处施灸，并用气吹火，促其燃烧。局部皮肤红晕稍感灼烫，灸5～10分钟，停灸，不按其穴），每日或隔日1次，10次为1个疗程，休息7天再行下1个疗程，共3个疗程。症状可有明显改善。

（八）敷药疗法

降香、檀香、田七、胡椒各1份，冰片1/4份，麝香1/10份。膻中、双侧内关，双侧心俞。将上药研末，密封备用。临用时取药末2g，酒调成药饼，分成5份，分别贴于上述5个穴位。每天换药1次，5次为1个疗程。

（九）药茶疗法

1. 山楂益母茶：山楂30g，益母草10g，茶叶5g。将上3味研成粗末，沸水冲泡代茶。每日1剂，代茶频饮。本方具有清热降脂、活血通脉的作用。主治冠心病，高脂血症，症见形体肥胖，心痛、胸中痹闷等。

2. 三根饮：老茶根、榆树根各30g，茜草根15g。上3味，水煎代茶。每日1剂，代茶频饮，每4周为1个疗程。本方具有活血、清热、降压的作用。主治高血压病、冠心病。

3. 丹参茶；丹参6g。将丹参洗净、切片，用沸水冲泡代茶。每天1～2剂，代茶频饮。本方具有活血化瘀、安神除烦的作用，可用于冠心病的预防和治疗，有缓解心绞痛和镇静安眠的作用。

4. 首乌茶：何首乌6g。将首乌洗净、切片，用沸水冲泡代茶。每天1～2剂，代茶频饮。本方具有补益肝肾、养血降脂的作用。主治冠心病、高脂血症，对患病日久、年老体弱者更为适宜。

5. 银杏叶茶；银杏叶5g。将银杏叶揉碎，放入保温杯内，用沸水冲泡，加盖半小时即可。每日1剂，代茶饮用。本方具有益心敛肺、化湿止泻的作用。适用于冠心病、心绞痛、血清胆固醇增高症、肠炎、痢疾等病。

（十）敷药疗法

降香、檀香、田七、胡椒各1份，冰片1／4份，麝香1／10份。膻中、双侧内关、双侧心俞。将上药研末，密封备用。临用时取药末2g，酒调成药饼，分成5份，分别贴于上述5个穴位。每天换药1次，5次为1个疗程。

1. 山檀香橙露：山楂肉30g，香橙2枚，荸荠淀粉10g，白糖60g。将山楂肉加水2碗，在锅内煮烂，后用纱布过滤留贮待用。香橙捣烂用纱布过滤留汁，二汁混合调匀，煮沸加糖，待糖溶化后再把淀粉调稀糊状搅匀即成。宜常服。本方具有消食化积、行气活血的作用，可辅助治疗冠心病气滞血瘀证。

2. 菊楂决明饮：菊花3g，生山楂片15g，草决明15g。将上3味一起放入保温杯中，以沸水冲泡，加盖浸泡半小时即可。代茶频饮。本方具有疏风解毒，清肝降压、消食之功，可辅助治疗冠心病、高血压。

## 第三节　心脏神经症

所谓心脏神经症，是由神经功能失调而引起的心血管系统功能紊乱的一组精神神经症状。这种病多伴有身体其他部位神经症的症状群。心脏神经症，实际上是全身神经症的一部分。心脏神经症的原因，往往与不良的环境和躯体因素有关。由于内外因素的影响，使调节、支配心血管系统的植物神经的正常活动受到了干扰，心脏也就出现了一时性的功能紊乱。其临床特征和其他神经症的临床特征大同小异，即病人有神经系统和其他系统的一些症状，如失眠、多梦、头痛头晕、易激动、全身乏力、注意力涣散、记忆力下降，求治心切等。不同的是，心脏神经症病人的神经精神症状，多表现为心血管系统方面。病人常感到心跳厉害、胸闷气急、心前区不适及疼痛，多在劳累或兴奋之后发生，这是心脏神经症具有特征性的表现。心脏神经症病人的心脏本身则无器质性的病变。在临床上，有心血管系统症状的病人中，大约有 1/10 是心脏神经症病人，故需引起注意。

## 一、心脏神经症的临床表现

临床症状繁多易变，一度好转后容易复发，少数病程可达数年至十余年之久远，除心血管系统的症状外，尚可有神经系统或其他系统的症状。

### （一）症状

心血管系统功能失调的表现：心悸，患者能感觉到心跳、心前区搏动或心前区不适，运动或情绪激动时更明显；心前区部位不固定的、过性刺痛或持久性隐痛，以位于左前胸乳部或乳下者为多见（可触及的疼痛一般非源自心脏），也可在胸骨下或右前胸，多在活动后或精神疲劳后，甚至休息时均可出现，心前区的肋骨、软组织及其表面皮肤可有压痛点。气短，主要是患者主观上感到空气不足，呼吸不畅，但呼吸频率常不增快。平常经常有叹息样的呼气，有时由于过度换气导致呼吸性碱中毒，伴四肢发麻、手足抽搐、头晕等。

植物神经功能紊乱的表现：多汗，手足冷，两手震颤，失眠，睡眠不深或多梦或焦虑，头昏。

（二）体征

体格检查可无异常发现。患者可有焦虑和紧张的表情，手掌汗多，两手颤抖，体温有时略升高，血压轻微升高且易波动。心率增快、心搏强有力和心音增强，可能伴有心前区1~2级柔和的收缩期杂音，或胸骨左缘第二、三肋间2级左右的收缩期杂音，偶有过早搏动。

## 二、心脏神经症的病因

（一）生物、理化和生理因素

本病多发于青壮年，以20~40岁最多见，女性多于男性，尤其是在妇女更年期、产后，具有体质不良综合征者及无力体型者更为多见。部分病人可以在器质性心脏病或被弱化的心脏基础上，由于病后自主神经功能紊乱，特别是交感神经张力过高而诱发本病。

（二）心理因素

1. 心理创伤、冲突、社会生活事件造成的不满足感和心理应激状态，对自己疾病顾虑担心，有关心脏病的知识不足或不能正确认识，医务人员医源性暗示，对社会科普宣传的误解，对自己躯体和健康过分注意，都可导致心脏功能恶性循环，加重心脏不适感觉。

2. 循环系统和神经系统功能失调，机体适应能力差，对生活事件的反应敏感，是心脏神经症常见的易患因素。

3. 患者性格缺陷和气质倾向是本病重要的内在致病条件，如抑郁质或黏液质等内向性格，神经类型弱型或不稳定型，多思多虑、小心谨慎、胆小、爱钻牛角尖、敏感多疑，暗示性强等。

（三）社会因素

1. 负性生活事件增多和积累：常见的负性生活事件有人际关系紧张、失败、失业、家庭婚姻问题等，引起心理应激。

2. 家庭或亲友中有人患心脏病死亡，造成恐慌等急性情绪发作。

## 三、心脏神经症的治疗

（一）西医治疗

1. 医务人员必须用诚恳的态度对待病人，以获得病人的信任。

通过多种手段向病人说明本病的性质，以解除病人的焦虑，并使他相信没有器质性心脏病。同时向病人说明精神因素对本病的影响，治疗的效果，以及治疗过程中病情反复的可能，使病人树立起战胜疾病的信心，为治疗创造有利条件。

2. 为减轻病人的症状，可给予必要的药物治疗。

（1）小量镇静药，如安定 2.5mg，每日 3 次。利眠宁 5mg，每日 3 次。

（2）β 受体阻滞剂，如心得安 20mg，每日 3～4 次；伴血压升高的可用倍他乐克。

按照上述方法治疗取得一定疗效后，要再维持治疗 2～3 月以上，以后逐渐停药。否则病情容易反复，可加重患者的顾虑，甚至使患者丧失信心。

（二）中医治疗

本病辨证，当辨病因，察虚实。引起心脏神经症的原因较多，有因精神抑郁，情志不畅所致者；有因劳心过度，心脾两虚所致者；有因禀赋不足，烦劳苦读，耗伤气阴所致者。其病起于精神抑郁，情志不畅者多属实；其病起于思虑过度，烦劳苦读者多虚。其实多责之于肝气郁而不达，气血不畅；其虚多责之于心脾两虚，气阴耗伤。

本病虚者居多，实则较少。“虚者补之，实者泻之”是其基本治疗原则。

1. 分证论治

(1) 气滞心胸

症状：胸胁胀满，隐痛阵作，痛无定处，情志忧郁，时欲叹息，舌淡红，苔薄白，脉弦。

治法：疏理气机（养阴柔肝而疏肝：“中年妇女当疏肝”）

代表方：柴胡疏肝散加减

药用：柴胡、枳壳、香附、白芍、川芎、陈皮、甘草。

(2) 气郁化火

症状：心悸阵作，胸胁窜痛，烦躁口苦，头痛目赤，舌质红，苔薄黄，脉弦数。

治法：疏肝清火

代表方：丹栀逍遥散化裁

药用：炒栀子、丹皮、柴胡、赤芍、当归、茯苓、白术、甘草、薄荷、煨姜。

若肝火较盛，可于上方去茯苓、白术、煨姜，加左金丸、川楝子（不易长期大量用）、枳壳以增强清肝泻火，理气解郁之效；有伤阴的加滋水清肝饮。（牛黄降压丸治肝火亢盛型的高血压，长期吃易伤阴）

(3) 心脾两虚（心血亏虚）

症状：心悸气短，头晕目眩，失眠健忘，面色不华，神疲乏力，纳呆腹胀，舌质淡，苔薄白，脉细弱。

治法：补益心脾

代表方：归脾汤加减

药用：党参、白术、当归、炙远志、炙甘草、炙黄芪、茯神、酸枣仁、龙眼肉、木香、生姜、大枣。

(4) 肝肾阴虚

症状：心悸气短，低热口干，五心烦热，失眠健忘，头晕耳鸣，腰膝酸软，舌红少苔，脉细数。

治法：滋阴养肝，宁心安神

代表方：天王补心丹加减（也可用滋水清肝饮/龟鹿二仙丹）

药用：人参、当归、天冬、玄参、丹参、炙远志、茯苓、生地、五味子、麦冬、柏子仁、酸枣仁、桔梗（宽胸理气）。(妇女可用香附佛手不破气；柴胡、青皮醋制较好去燥性防散)

若心气虚甚可加炙黄芪、炙甘草以增强补益心气之力。

2. 其他疗法

(1) 中成药

刺五加注射液（入脾，多用于骗神经功能者）、黄芪注射液合丹参注射液、加味逍遥丸、人参归脾丸。

(2) 针灸

体针取：双侧神门、内关、三阴交、足三里、太溪、太冲，虚补实泻，留针30分钟，隔日1次。

梅花针取脊柱两侧，相隔1cm，自上而下各扣打三行，心俞、膈俞处密刺数针。腹部自上而下各扣打三行，檀中、剑突下密刺数针，隔日1次。

耳穴埋豆取神门、心、脑点、皮质下、交感，用生王不留行仔胶布贴埋，每日自行按压5次，隔日两耳交替换贴。

皮肤埋针取心俞、膈俞、肾俞、檀中、神门、内关、三阴交，埋图钉型针3天，并每天用手按压数次。

(3) 推拿

用拇指按揉法和肘推法旋揉于内关、百会、头维、肺、心、膈、厥阴俞、檀中，每次30分，隔日1次。

(4) 敷贴

制乳香10g，没药10g，郁金15g，元胡15g，檀香5g，冰片1g，共研细末，用二甲基亚矾调成软膏状，置伤湿止痛膏中心，贴檀中、内关，晚贴晨起，连续10天1疗程。

## 四、心脏神经症的自我防治方法

1. 要正确认识该病。病人有必要对自己的疾病原因、性质及表现形式有一大概的认识，以解除不必要的思想顾虑，培养乐观开朗的情绪，树立战胜疾病的信心。医务人员对病人要关心和同情，但要恰如其分，否则会给病人造成“病情严重”，甚至于“死到临头”的错觉。恰如其分的态度，对消除病人疑病心理和稳定病情是十分重要的。

2. 不要因为“心脏病”而卧床休息，如不伴有其他疾病，还是不休息为好。工作若不是强体力劳动，可以坚持正常的工作和劳动。对缺少体力活动的病人，还要适当参加一些体育活动或体力劳动，以便增强体质，改善大脑的神经功能，同时也可以调整支配心血管系统的神经功能。卧或坐的生活不利于精神和心脏生理变化的康复。

3. 正确对待自己，合理安排生活、工作和学习，使之有规律。正确地去面对生活、工作、学习、家庭、婚姻等问题，提高抵御各种精神刺激的能力。只有这样，精神和躯体才能在平静而有规律的生活中，不至于过分疲劳、焦虑和紧张，心脏受益自然可想而知了。

4. 适当使用抗焦虑药。病人有心烦意乱、焦虑不安、心悸、失眠，可辅以抗焦虑药物，如心得安10～20mg，每日3次，谷维素20mg，每日3次口服，以调整病人植物神经功能紊乱。还可服用舒乐安定1mg，每晚1次口服，也可口服阿普唑仑0.4mg，每晚1次，以减轻病人的紧张、焦虑情绪。

## 第四节 糖尿病

糖尿病是由于胰岛素缺乏或相对不足而引起的全身内分泌代谢性疾病。它是由环境因素和遗传因素两个因素长期共同作用的结果，是一个慢性的全身性的代谢性疾病。其全身性即全身各处都受影响，代谢性疾病即很多代谢紊乱，不止是血糖不好，而且血脂、血压包括电解质，在急性并发症的时候还有一些酸中毒，水的代谢紊乱、全身代谢紊乱。患者主要表现为多尿、多饮、多食和消瘦的“三多一少”症状，常并发血管、神经、感染等多种全身病变，严重时出现酮症酸中毒昏迷。因此，对本病要早期认识和积极防治，以免晚期引起严重并发症。

### 一、糖尿病的表现症状

不同类型、不同病期的糖尿病患者可以有轻重不同的症状，轻者可以毫无感觉，重者可以影响生活，是典型的症状（三多一少），也可以是非典型似乎很难与糖尿病联系在一起的症状。典型的症状是多尿、多饮、多食与体重减轻，按发生机制讲是应按这个顺序发生，但也可以仅仅突出某一个症状。

（一）多尿

不仅指尿的次数增多，而且尿量也增多，24小时可达20多次，尿量可达2～3L以至10L之多。甚至尿的泡沫多，尿渍发白、发黏。多尿是由于血糖升高，超过肾糖阈（8.9～10mmol/L，排入尿中的糖多，于是尿次数与尿量增多。

（二）多饮

尿多之后使体内的水分减少，当体内水的总量减少1%～2%时，即可引起大脑口渴中枢的兴奋而思饮。

应当指出的是，糖尿病的诊断标准，明显低于肾糖阈，所以在未出现多尿之前可能就已确诊为糖尿病了。另一方面，老年人肾血管硬化，而使肾糖阈升高，所以血糖很高，而尿中无糖，也不会出现多尿；再者，老年人中枢神经感受性减弱，尽管体内水分丢失明显，而口渴中枢无感觉，也不思饮，这也就是老干部常见、死亡率很高的糖尿病非酮症高渗性昏迷的原因。

（三）多食

由于血糖不能进入细胞，不能为细胞利用，则会刺激大脑的饥饿中枢兴奋而多食，使进食后无饱腹感，满足感，于是进食次数和进食量都明显增多。

应当注意的是在II型糖尿病早期，由于高胰岛素血症的关系，使血糖利用加快，而出现餐前的明显饥饿感，甚至出现低血糖，这往往是II型糖尿病的首发症状。

（四）消瘦

由于体内葡萄糖利用减少，脂肪分解增加，蛋白质合成不足，分解加快等，均可引起消瘦，如有多尿症状，体内水分的丢失更会加重消瘦症状。同样，病程时间越长，血糖越高；病情越重，消瘦也就越明显。

(五) 其他症状

1. 疲乏无力。由于血糖不能进入细胞，细胞缺乏能量所致。据报告 2/3 的糖尿病患者有无力的症状，甚至超过消瘦的人数。

2. 容易感染。糖尿病影响免疫功能，以致抵抗力降低，容易出现皮肤疖肿，呼吸、泌尿胆道系统的各种炎症，且治疗困难。

3. 皮肤感觉异常。感觉神经障碍引起四肢末梢部位皮肤感觉异常，如蚁走感，麻木，针刺感，瘙痒，尤其女性外阴瘙痒可为首发症状。

4. 视力障碍。糖尿病可引起眼睛各个部位的合并症，以至出现视力减退、黑朦、失明等。

5. 性功能障碍。糖尿病引起血管、神经系统病变以及心理障碍等引发男性阳痿，女性性冷漠、月经失调等性功能障碍。

6. X 综合征。II 型糖尿病存在胰岛素抵抗、高胰岛素血症的情况，故可同时或先后出现高血压、高脂血症、肥胖、冠心病、高血液黏稠度等，这虽不属于糖尿病症状，但有这些情况时，应注意血糖是否升高。

## 二、糖尿病的病因

(一) 生物、理化和生理因素

1. 遗传因素。糖尿病的家族遗传史高达 8.7%。

2. 病毒感染、自身免疫因素。65%病人的血清中有高效价的柯萨奇病毒中和抗体，患者及其亲属中常伴有甲状腺功能亢进、甲状腺炎等自身免疫性疾病和存在抗胰岛素细胞抗体。

### (二) 心理因素

不良心理因素是糖尿病发生、发展的重要因素，糖尿病患者可以在心理应激作用下发病和恶化，并且心理因素可与躯体因素交织作用形成恶性循环。

1. 心理压抑、心理负荷过重、焦虑、抑郁等不良心理因素是重要的致病因素，并在肥胖体型、高脂血症、饮食不当、性格缺陷等易患素质基础上而促发糖尿病。

2. 患者性格缺陷：多思多虑、胆小敏感、自我暗示、自我注意等。

## 三、糖尿病的治疗

### (一) 心理治疗

很多人认为糖尿病的治疗主要是饮食，运动以及药物治疗。其实心理治疗对糖尿病的控制非常重要。乐观稳定的情绪有利于维持病人内在环境的稳定，而焦虑的情绪会引起一些应激激素如肾上腺素、去甲肾上腺素、肾上腺皮质激素及胰高血糖素的分泌，从而拮抗胰岛素，引起血糖升高，使病情加重。正确的精神状态和对疾病的态度应该是在医生正确指导下，发挥主观能动性，学习防治糖尿病知识，通过尿糖和血糖的监测，摸索出影响病情的有利和不利因素，掌握自己病情的特点，有坚强的信心和毅力，认真治疗而不紧张，坚持不懈的进行合理的饮食、体力活动，劳逸结合。正确使用药物使体重、血糖、尿糖、血糖、血脂维持在合理水平。有感染、手术、重大精神负担时，要及时正确处理。总之，通过心理治疗的配合，达到有效的控制和防治糖尿病的目的。

(二) 饮食治疗

民以食为天，人不一定每天都运动，但肯定每天都得吃饭。而饮食对糖尿病又有直接的影响，所以控制饮食对糖尿病治疗十分重要。传统中医认为：消渴多因嗜酒厚味，损伤脾胃，运化失职，消谷耗津，纵欲伤阴而改阴虚燥热发为本病。如《景岳全书》曰："消渴病，其为病之肇端，皆膏粱肥甘之变，酒色劳伤之过，皆富贵人病之，而贫贱者少有也。"指出肥胖者、生活富裕者多患此病，这与现代医学认识糖尿病的病因相一致。血糖的高低因胰岛素的分泌与进食物的多少和种类密切相关，因而饮食疗法是各型糖尿病治疗的基础，无论何种类型的糖尿病，病情轻重或有无并发症、采用何种药物治疗，都应该严格进行和长期坚持饮食控制。

(三) 运动治疗

运动疗法是依据患者的功能情况和疾病特点，利用体育锻炼防治疾病、增强机体抵抗力，帮助患者战胜疾病，恢复健康的有效方法。

在糖尿病的治疗中，运动疗法是一个重要组成部分，尤其对于老年患者、肥胖患者更为重要。祖国医学很早就认识到运动对糖尿病康复的重要性，隋代的《诸病源候论》、唐代的《外台秘要》都记载了消渴病的体育运动疗法。此后，历代医家皆有论述。

(四) 药物治疗

对于那些病情较重的患者，光靠运动，饮食可能无法控制病情。这时就需要配合药物治疗。以下是对一些常用药的介绍。建议患者在医生的指导下使用。

（五）其他治疗

1. 拔罐疗法

（1）拔罐部位：选穴：肺俞、脾俞、三焦俞、肾俞、足三里、三阴交、太溪穴。

（2）方法：取上穴，采用单纯火罐法吸拔穴位，留 10 分钟，每日 1 次。或采用背部前穴走罐，先在肺俞至肾俞段涂抹润滑剂，然后走罐至皮肤潮红或皮肤出现瘀点为止，隔日 1 次。

2. 自我按摩疗法

通过自我按摩可达到调整阴阳，调和气血，疏通经络，益肾补虚，清泄三焦躁热，滋阴健脾等功效。

糖尿病患者的自我按摩以胸腹部、腰背部、上下肢等部位的经络、穴位为主。一般采用先顺时针按摩 30 ~ 40 次，再逆时针按摩 30 ~ 40 次的方法进行。左右手交换进行或同时按摩。

3. 针灸疗法

针刺可以降低血糖，改善临床症状，而且还可以调节与血糖代谢有关的物质。

另外，研究发现，针刺对中枢神经系统的影响，如通过改善中枢神经功能达到使机体调节血糖这一反馈通路更加完善和敏感，从而使机体能对血糖有一个良性的自我调节机制。促进糖尿病患者的康复。

## 第五节　消化性溃疡

消化性溃疡即人们常说的溃疡病。它是一种严重危害人们身体健康的常见的消化道疾病。溃疡灶可以发生于胃肠道与酸性胃液相接触的任何部位。据临床资料统计，约90%的患者发生于胃和十二指肠部位，又以十二指肠最多见。本病在人群中发病率很高，据统计，每5个男人和每10个女人中，可有1人在一生中曾患过本病。发病者男多于女，男女之比约3.8~8.5∶1。若治疗及时，溃疡可以愈合；治疗不及时，有并发大出血，梗塞、穿孔以及发生癌变的可能性。

## 一、消化性溃疡的诊断

1. 溃疡病的特点：起病较缓慢，病程长，发作呈周期性，病程中发作期与缓解期呈交替性；具有节律性的上腹部位的疼痛。发作期可以数周至2~3个月不等。引起发作的诱因一般有饮食不当，过度疲劳，感染以及气候寒冷和某些精神刺激等。

2. 疼痛的部位比较局限，十二指肠溃疡多在上腹正中或稍偏右；胃溃疡多在上腹正中剑突下或偏左。患者本人能明确指出最疼痛的部位。

3. 疼痛的轻重程度因不同个体而不一致，常以溃疡的大小、深度及病人对疼痛敏感性的强弱而定。大多为轻、中度疼痛，偶可剧烈疼痛，有的患者表现为像被火烧一样的疼痛，而有的患者则表现为饥饿痛和不适感。

4. 胃溃疡疼痛多发生于吃饭后半小时至1小时，约持续1~2小时后逐渐消失，直到下次进食后重复出现。呈现进食——疼痛——缓解状态；而十二指肠溃疡疼痛多在食后三四小时出现，多为饥饿痛，疼痛常持续到进餐后方可缓解。呈现进食——缓解——疼痛状态。有的患者表现为夜间痛。

5. 由于溃疡灶愈合后易复发，所以上腹痛常呈周期性发作，多数患者的发病季节在秋末冬初至次年的开春，所以春秋季节是本病的好发季节。

6. 其他伴随表现：在发生上述疼痛特点的同时，还可以出现返酸、嗳气、恶心和呕吐，个别患者出现腹泻等表现。

7. 少数人平素无症状，而突然出现胃或十二指肠穿孔、大出血，需要紧急抢救。

## 二、消化性溃疡的病因

消化性溃疡的病因和发病机理较为复杂，至今尚未完全探明。目前较为明确的发病因素以下几种。

### （一）生物、理化和物理因素

1. 遗传因素：本病常有家族史。有人发现十二指肠溃疡病人血液中有 HLA-Bs 的组织相容性抗原的存在。本病血清胃蛋白酶原 I 高，为常染色体显性遗传，提示本病有遗传特征因素。

2. 环境因素：不同国家和地区发病率有显著差异。如英国和美国十二指肠溃疡多，日本胃溃疡多，提示环境因素在发病中起一定作用。

3. 感染因素：有人发现溃疡病人幽门螺杆菌检出率高，用抗生素能治疗溃疡，减少复发，故认为本病与该菌感染有关。

### （二）心理因素

1. 饮食不规律，食物过热、过冷、粗糙以及暴饮暴食、烈性酒、浓茶、浓咖啡，某些药物如阿司匹林等均可诱发溃疡形成。

2. 情绪因素：持续强烈的精神刺激通过焦虑、紧张、愤怒、怨恨、忧伤、自责等负性情绪反应，引起自主神经和内分泌的改变，使胃血管收缩、分泌增加，由于胃液和胃蛋白酶持续增多，通过“自身消化”作用使胃十二指肠黏膜糜烂，发生溃疡，故溃疡病列为经典心身疾病之一。

3. 个性特征：情绪不稳定，容易产生焦虑紧张或激怒情绪，但是常常将激怒和抑郁情绪压抑而不外露，对外界刺激反应强烈。

（三）社会因素

1. 职业。驾驶员、话务员、外科医师、空中交通指挥员、教师、煤矿井下工人等发病率高。这与劳动工作环境紧张刺激，造成心理应激，导致胃肠功能障碍有关。

2. 社会生活事件。主要生活事件如灾难、家庭矛盾、经济压力、学业过重、工作紧张、事业失败、人际冲突、丧偶、离婚、子女管教困难等劣性事件，造成情绪应激，诱发溃疡。

## 三、消化性溃疡的临床表现

1. 上腹痛、慢性、周期性节律性上腹痛是典型消化性溃疡的主要症状。

溃疡疼痛的特点是：(1)慢性经过，除少数发病后就医较早的患者外，多数病程已长达几年、十几年或更长时间。(2)周期性：除少数（约10%～15%）患者在第一次发作后不再复发，大多数反复发作，病程中出现发作期与缓解期互相交替。(3)节律性：溃疡疼痛与胃酸刺激有关，临床上疼痛与饮食之间具有典型规律的节律性。(4)疼痛的部位：胃溃疡疼痛多位于剑突下正中或偏左，十二指肠溃疡位于上腹正中或偏右。疼痛范围一般较局限，局部有压痛。内脏疼痛定位模糊，不能以疼痛部位确定溃疡部位。若溃疡深达浆膜层或为穿透性溃疡时，疼痛因穿透部出位不同可分别放散至胸部、左上腹、右上腹或背部。(5)疼痛的性质与程度：溃疡疼痛的程度不一，其性质视患者的痛阈和个体差异而定。可描述为饥饿样不适感、钝痛、嗳气、压迫感、灼痛或剧痛和刺痛等。

2. 其他胃肠道症状及全身症状，如嗳气、反酸、胸骨后烧灼感、流涎、恶心、呕吐、便秘等可单独或伴疼痛出现。反酸及胸骨后烧灼感是由于贲门松弛，流涎（泛清水）是迷走神经兴奋增高的表现，恶心、呕吐多反映溃疡具有较高活动程度。频繁呕吐宿食，提示幽门梗阻。便秘较多见与结肠功能紊乱有关。部分患者有失眠、多汗等植物神经功能紊乱症状。本病活动期可有上腹部压痛，缓解期无明显体征。

## 四、消化性溃疡的治疗

消化性溃疡，单纯用药物治疗效果较差，复发率很高，容易形成慢性化，故必须采用心理治疗与躯体治疗相结合的综合治疗的方法。

### （一）躯体治疗

1. 强调长期、足量、定时、有效、坚持有规律的用药原则。

2. 饮食要定时，进食不宜太快，避免过饱过饥，一般不必严格食谱，但应避免粗糙、过冷、过热和刺激性大的食物如香料、浓茶、咖啡等。急性活动期症状严重的患者可给流质或软食，进食次数不必过多，一般患者及症状缓解后可从软食逐步过度到正常饮食。

3. 戒酒及戒烟亦为治疗的一部分。饮酒能促进胃酸分泌和破坏胃黏膜屏障，对溃疡不利。吸烟能延迟溃疡的愈合。烟叶中所含物质（尼古丁）能降低幽门括约肌张力，促进胆汁返流也具抑制胰泌素分泌 $HCO_3^-$的作用；长期吸烟还能加强迷走神经张力，促进胃酸分泌。

(二) 心理治疗

首先，解除老干部消化性溃疡发生的诱发因素，找出使老干部精神紧张、焦虑、愤怒或抑郁、悲伤、沮丧的原因。其次，结合临床治疗，给予恰当解释、疏导，鼓励病人乐观开朗、自强向上，改善认知，让病人充分了解疾病的本质及发病过程，明了本病与精神应激因素的关系，培养积极情绪，注意生活规律，做到劳逸结合，避免过度劳累和精神紧张。

## 第六节 癌症

在正常情况下，人体内的细胞有序地、受调控地进行分裂和生长。在失控的情况下，细胞生长出现异常并快速形成大量异常细胞，然后组成一团组织，这时就发生癌变，这块组织就称为肿瘤或损伤。

如果这个肿瘤是癌性的，就称为恶性肿瘤。恶性肿瘤会侵犯周围组织，恶性肿瘤的细胞会脱落，通常经血道到达全身的各个部位，形成新的肿瘤。癌症就是这样播散的，医学上称为转移。以这种方式形成的肿瘤，它的肿瘤细胞通常与其原发部位的细胞是完全相同的。

并非所有的肿瘤都是癌性的。如果肿瘤不是癌性的，就称为良性肿瘤。良性肿瘤通常可经手术切除，且不会复发。良性肿瘤的细胞不会侵犯其他组织或播散到身体的其他部位，也就是说良性肿瘤不会转移。

大多数癌症的病因尚不清楚。尽管如此，目前已知有相当一些危险因素会使一部分人容易患某些类型的癌症。但为何存在有同样危险因素的一些人群，却永远不会患癌症，迄今仍无法解释。

## 一、癌症的病因

1. 生物、理化和生理因素

化学、物理和病毒感染等诸因素与癌症的发生有关。

2. 心理因素

(1) 行为和习惯。吸烟、酗酒、过冷过热饮食、食用变质食物等可诱发某些部位癌变。

(2) 情绪因素。长期置于高度紧张的生活环境，特别是丧失（如失去亲人）和分离（如离婚）常常是诱发癌症的重要因素。一些负性情绪因素，包括长期的忧虑、被压抑的愤怒、绝望、忧伤和悲哀等与癌症有关：①不良的心理和情绪因素可改变中枢神经系统的功能状态，内心冲突可使大脑电场不断发生短路，发出错误的密码指令，导致细胞突变而引起癌症；②心理应激引起内分泌系统的变化，从而抑制了防御癌症的免疫反应；③长期的、消极的情绪反应可损害丘脑，降低身体的免疫防御功能，从而促使癌症的发生。

(3) 个性特点。癌症患者大都具有孤独、沉默和压抑的个性特征，其人际交往模式具有顺从、无攻击性、自我贬低、谨慎、保守等特点。癌症患者对待挫折往往以消极防御为主，而积极防御较差。不同器官的癌症患者个性特征也不同，女性乳腺癌和男性肺癌者多数较倔强，性格内向及情绪波动不如其他癌症病人明显。反之，男性肠癌病人更具有内向性及更为顺从，而食管癌的患者病前较为急躁和火暴。

## 二、癌症的早期症状

癌症是威胁人们健康的主要疾病，癌症的预后主要取决于能否早期确诊和早期治疗。如果某种癌症的典型症状已全部出现，虽可确诊，但大多已属中晚期，失去了手术或最佳治疗时机，因此及时发现癌症的早期症状，就显得十分重要。现简介几种较常见癌症可能出现的早期症状。

（一）肺癌

突然出现顽固性干咳；痰中带血丝；一侧胸部出现钝痛、刺痛或闷胀痛；稍劳累时出现胸闷气急症状。

（二）胃癌

胃空腹痛、膨满感、吐酸和不适。

（三）肝癌

肝区不适；并有迁延不愈的乙型或丙型肝炎；或有因之而形成的肝硬化，病史长约10年左右。

（四）食管癌

进食时有突然停顿感；胸骨后有轻微疼痛、烧灼及不适感；总感到食管内有东西存在；咽喉部尽咽不畅或有异物感。

（五）结肠癌

腹部隐痛不适；长期慢性腹泻或便秘；腹泻与便秘交替出现；大便潜血阴性。

（六）乳腺癌

不论男女，乳腺部出现不痛、不痒、不明原因的肿块，并逐渐增大。

（七）胰腺癌

厌食，上腹闷胀不适、疼痛；进行性消瘦或不明原因的体重锐减。

（八）宫颈癌

阴道出血；阴道分泌物增多；月经时间延长或量多。

（九）咽癌

经常有原因不明的出血；鼻涕中混有血丝、血块，同时伴头痛、耳鸣、听力减退等症状。

（十）肾癌

肾区隐痛；突发无痛血尿。

（十一）脑瘤

头痛伴恶心、呕吐；语言障碍、耳鸣、耳聋、视物重影和嗅觉不灵等。

需指出的是，有上述症状时并非一定就是癌症，应针对该病做严密动态观察和进一步检查，以作出肯定或否定的判断。总之，上述症状可能是癌症的一个早期信号，要提高警惕，予以重视。

## 三、癌症的预防与治疗

（一）癌症预防

随着人类对癌这一顽症认识的不断深化、逐渐意识到癌的预防是抗击癌症最有效的武器。许多科学研究及有效控制活动表明，癌症是可以避免的。1/3 癌症可以预防。1/3 癌症如能及早诊断，则可能治愈。合理而有效的姑息治疗可使剩余 1/3 癌症病人的生存质量得到改善。当今世界对我们传统的习惯提出了很多挑战，已出现的新的健康观点需要不断认识。个人、家庭及至社区比以往更有责任帮助自己和他人防患疾病，改善生活方式和环境以促进健康。政府必须采取适当措施，以支持个人、家庭及社区的活动。只有将肿瘤预防与控制纳入到人们日常生活及工作议事日程中，才能真正起预防作用。

癌症预防的最终目的，就是降低癌症的发生率和死亡率。预防癌症要注意以下四点事项。

1. 不要抽烟，或者戒烟

抽烟的人有一半会死于与抽烟相关的疾病，其中很多是癌症。在美国，90%的肺癌是直接由抽烟引起的，另外有3%是因为吸入二手烟造成的。Ferri说：“不知道人们为什么要每天花三五美元来帮助自己折寿8到12年。”

2. 关注你吃的东西

美国癌症协会建议人们应该每天至少吃五种不同的蔬菜和水果，这是帮助抗癌的有效办法。《营养与癌症》杂志也公布说，很少吃水果和蔬菜的人患癌的可能性比吃水果蔬菜比较多的人高一倍。美国癌症协会也建议：选择全麦粉而不是精麦粉，限制红肉食用量，特别要少吃处理过的和高脂肪的肉类，限制酒精饮料，等等。

3. 多做运动

中度运动是科学家推荐的运动方式。据研究，每天散步1小时可以把患结肠癌的可能性降低46%。美国癌症协会建议人们每天至少做60分钟中度或稍强烈的运动，每周运动五次以上。Ferri补充说，过度肥胖也会增加患癌症的可能。

4. 了解家族病史

家族病史是致命癌症的最大诱因，遗传可能导致基因中有致癌因素。如果直系亲属（父母、兄弟姐妹、子女）有过癌症，那么你可能需要在比较年轻的时候就做定期检查。

但无论如何，人们不应该害怕，而应采取积极的态度预防癌症。

（二）癌症的治疗

1. 医药治疗

常用治疗癌症的方法有下列几种：（1）外科手术治疗；（2）放射治疗（简称放疗）；（3）化学药物治疗（简称化疗）；（4）生物治疗；（5）中医中药治疗等。

2. 心理治疗

心理治疗是癌症综合性治疗中的重要组成部分。对某些癌症病人应用传统的抗癌治疗效果不佳，常与忽视心理治疗有关。心理治疗不仅可以减少病人的痛苦和增强病人对长期治疗计划的依从性，而且可以借助于良好的生理心理学渠道积极地影响癌症的病程与预防。

心理治疗的重点应放在分析病人对癌症的错误认识，减轻或消除悲观和恐惧等消极情绪上。常采用的治疗方法有：支持疗法、心理防御法、认知疗法、行为疗法等。经过分析疗法、矫正性疗法等治疗后，头痛、恶心、咳嗽、厌食、失眠、腹泻症状的病人，有一半以上可获得好转，因化疗引起的呕吐、发热、皮疹、心悸、多汗等反应明显减轻。心理治疗还能使患者的情绪好转，免疫功能增强。

当然，癌症患者的心理治疗中，充分发挥亲属的作用十分重要，因为亲属可对病人的情绪发生积极影响。此外，合理的膳食营养、戒烟、安定的社会环境、和睦的家庭生活、社会福利的保障、坚定的信念、消除和防止致癌物的措施，都会减少癌症的发病率。

## 第七节　老干部心身疾病的防治

心身疾病（psychosomatic diseases）是指一组心理社会因素在疾病的发生、发展过程中起着重要作用的躯体器质性疾病。心身疾病主要涉及受植物神经支配的系统与器官。心身反应和心身障碍是与心身疾病密切相关的两个概念。在心理社会因素作用下所发生的躯体机能改变，随着心理社会因素的消失而随之恢复至正常状态为心身反应（psychosomatic reactions）；若心理社会因素作用过强或作用持久，则心身反应持续存在，但尚不伴有器质性改变的状况称为心身障碍（psychosomatic disorders）。晚近有不少学者在其文献中称心身疾病为心理生理疾病（psychophysiological disease）。

长期以来，心身疾病对人类健康构成严重威胁，是造成死亡率升高的主要原因。心身疾病已日益受到医学界的重视。

### 一、心身疾病的发病机制

心理社会因素在心身疾病的发生中起着主导作用，个体在心理社会因素与生物因素等多因素共同影响下而产生心身反应，继而发展为心身疾病。

许多学者经研究提出心理社会因素通过对中枢神经、内分泌和免疫系统的作用而导致心身疾病的产生。任何心理社会因素的刺激都可通过大脑被人感知，引发一系列的心理活动。

超负荷的心理活动，特别是强度大、持续时间久的不良情绪反应（愤怒、恐惧、焦虑、抑郁、悲伤等）可使情绪调节中枢以及调控躯体内脏的植物神经系统功能发生紊乱，产生一系列病理生理变化，产生症状或疾病。神经内分泌系统和情绪活动有着密切关系，激素分泌过多或过少，都会使机体的代谢作用和行为发生变化。在紧张情绪状态下，机体需动员体内的能量对付恶劣情境，此时，下丘脑的电活动或神经生化活动增高并伴有生物的变化，同时通过各种途径对其他脑区产生相互影响，使机体产生一系列植物神经内分泌反应。

与心身疾病发生相关的心理社会因素包括：社会环境因素、社会支持缺乏、病前人格、情绪、生活事件、生活方式和不良行为、职业倦怠状况等。

## 二、心身疾病的诊断特征

1. 不待医生启问，病人就滔滔不绝地诉说，除原来可能有的机体疾病症状外，多还有心慌、气短、头晕、失眠等全身症状。

2. 病人诉说的症状常极其严重，与体征不符，与各种实验室检查结果不符。

3. 近期有突发事件的发生，如丧偶、痛失亲人，与单位同事争吵……中医有“肝胃不和之说”，“肝”是指“肝火”，即情绪可以使胃肠失和，谁都会有生气后不能进食的体会，不从情绪上开导，最好的胃药也治不了这类“胃”病。困扰老干部的几大要素是疾病和孤独等，有些老干部并无多大疾病、生活上也有保障，孤独却可导致心身疾病。

4. 用常规的治疗和药物，对患者不能见效。

5. 患者常有对癌症的恐惧。有患萎缩性胃炎病人每年作几次胃镜，总担心哪天会变成胃癌；更有甚者，有人今天怕肺癌，明天怕脑癌，后天怕肠癌……

6. 有些病人迷信大医院、高级医生才能治病，药品愈贵愈好，进口的才是好药。有一女病人尿中有几个红血球，作了静脉肾盂造影。膀胱镜、CT、肾穿刺，都属正常，可心里还是不放心。

## 三、心身疾病的防治原则

### (一) 心身疾病的预防

心身疾病是心理因素和生物因素综合作用的结果，因而心身疾病的预防也应同时兼顾心、身两个方面；心理社会因素大多需要一定时间作用而逐渐引起心身疾病，因此心身疾病的心理学预防应尽早关注。所以老干部在心身疾病的防治方面应注意以下几个方面。

1. 力所能及地参加社会工作和社会活动，妥善安排生活，避免生活过分平淡和单调

社会心理因素的调查研究表明，生活中负担过重，生活变化太快，都可以造成适应困难，引起心理和生理反应。若生活内容过分空虚，生活太平淡，同样可以成为应激源，造成精神负担，出现情绪低落、失眠、焦虑不安等反应。长期从事紧张工作，退居二线或退休的老干部对此要特别引起重视。妥善安排好生活，家庭生活要有一定内容，同时参加一些力所能及的社会活动和劳动，来丰富、充实生活，这对老年期的心理调节十分重要。老干部会感到家庭需要他，社会也需要他，在家庭和社会上都是有用的人。另外保持对社会的接触，接受来自社会环境的智力、情感刺激，保持脑力活动能力，避免智力衰退也是十分必要的。这对促进老干部的心情愉快、精神健康极为重要。

2. 老干部需要家庭及组织在情感上的支持

尊重老干部是家庭和社会的风尚，是我国优良的民族传统，也是当前社会和政府强调发扬和提倡的精神文明建设的一项内容。在当前社会上，仍有不少家庭三代同堂。老干部在持家、育幼上协助青年一代，在家庭中有自己的地位和职能，这对保持老干部的心理健康，情感上的互相支持十分有利。另外，对孤寡老干部，某些地区建立了敬老院、福利院、老年大学，逢年过节进行慰问，组织他们参加学习、娱乐活动和种树、养花、种菜等劳动，既能改善生活，又能改善环境，净化空气，同时也有利于改善老干部的心理状态，促进身心健康。

3. 适当参加户外活动和体育锻炼

“生命在于运动”。近年来，社会上组织离、退休老干部和城乡老年居民参加钓鱼、跳舞、旅游、老年体育运动等，有的当顾问、督导工作，充分发挥了老有所为，乐在其中，调适了心理平衡。这些对增进身心健康、延缓机体衰老过程均有良好的作用。

（二）心身疾病的治疗原则

1. 心理干预目标

对心身疾病实施心理治疗主要围绕以下三种目标。

（1）消除心理社会刺激因素。例如因某一事件引起焦虑继而使紧张性头痛发作的病人，通过心理支持，松弛训练，催眠疗法以及认知治疗等，使其对这一事件的认识发生改变，减轻焦虑反应，进而在药物的共同作用下，将疾病发作缓解于初始阶段。

（2）消除心理学病因。例如对冠心病患者，在其病情基本稳定后指导其对A型行为和其他冠心病行为危险因素进行综合行为矫正，帮助其改变认知模式，改变生活环境以减少心理刺激，从而从根本上消除心理学因素，逆转心身疾病的心理病理过程，使之向健康方面发展。

(3) 消除生物学症状。可通过生物反馈技术改变患者的心理生理过程，提高心身素质，促进疾病的康复。长期松弛训练或生物反馈疗法尤其适于治疗原发性高血压患者。

2. 心身同治原则

对心身疾病的治疗应采取心、身相结合的治疗原则，但对于具体病例，则应各有侧重。

对于急性发病而又躯体症状严重的患者，应以躯体对症治疗为主，辅之以心理治疗。例如对于急性心肌梗死，综合的生物性救助措施是解决问题的关键，同时也应对那些有严重焦虑和恐惧反应的病人实施术前心理指导；对于过度换气综合征病人，在症状发作期必须及时给予对症处理，以阻断恶性循环，否则将会使症状进一步恶化，呼吸性碱中毒加重，出现头痛、恐惧甚至抽搐等。

对于以心理症状为主、辅以躯体症状的疾病，或虽然以躯体症状为主但已呈慢性经过的心身疾病，则可在实施常规躯体治疗的同时，重点安排好心理治疗。例如慢性消化性溃疡患者，除了给予适当的药物治疗外，应重点做好心理和行为指导等各项工作。

心身疾病的心理干预手段，应视不同层次、不同方法、不同目的而决定，支持疗法、环境控制、松弛训练、生物反馈、认知治疗、行为矫正疗法和家庭疗法等心理治疗方法均可选择使用。

# 第五章 老干部的运动与保健

- 运动对身体健康的促进作用
- 步行是老干部最适合的运动
- 运动对身心疾病的调适与防治
- 运动与健脑益智

## 第一节　运动对身体健康的促进作用

生命在于运动，这已成为人所共知的道理。但对于多数人来讲，运动对于健康的意义仅仅停留在生理健康的认识层面上，很少有人意识到运动对于身心保健的重要作用。曾广为流传的一种观点是：运动使人四肢发达，头脑简单。事实上，运动对于我们人类，不仅能增进躯体健康，减少疾病，而且更重要的是能促使人头脑更灵活、反应更敏捷，能大大增进心理健康，从而为生理健康奠定更加坚定的基础。

从目前的研究和实践看，运动在身心保健方面至少有以下重要作用。

### 一、运动能益智健脑，为身心健康提供物质基础

大脑是思维的器官，是人心理活动的物质基础。如果一个人头脑昏昏，就不能正确思维、科学地认知，也就难以保持健康的心理。美国科学家在过去 35 年内对 4000 名 21 ~ 84 岁的成年人的语言能力、感觉速度、空间定位及计算思维等方面进行了测试研究。结果表明，25%常参加运动锻炼的人在智力和反应方面都明显高于不参加运动（或极少参加运动）的同龄人。进一步的研究表明，运动锻炼之所以能益智健脑，原因在于以下几点。

#### （一）运动能改善大脑的能源供应状况

大脑活动所需要的能量主要来源于糖，而大脑本身储备糖极少，当人体血液每 100ml 中血糖达 120mg 时，大脑功能才能

正常发挥，记忆力达到最佳状态。如果血糖降至每100ml中含血糖50mg左右时，人就会感觉疲乏、思维迟钝、工作效率下降。食物是血糖的供给能源，运动能强健消化系统，加速血液循环，提高人的肝脏、胰脏的功能，从而使人食欲大增，消化功能增强，促使食物中淀粉转化为葡萄糖，再吸收到血液中变成血糖，源源不断地供应给脑神经细胞。所以，经常运动的人往往神清气爽，思维清晰，反应敏捷，心理状态良好。

（二）运动能提高人的感觉机能

人到中年，脑细胞开始衰亡，心肺机能下降，肌肉萎缩和骨骼老化，这些都给人的正常学习和工作带来不便。而人体感官诸如视觉、听觉、味觉、本体感觉和皮肤感觉机能的变化，同样会对人的生理和心理健康状况产生不良的影响。

从人类接收外界知识信息的情况看，视觉衰退，其影响率最高为85%；听觉衰退，最高影响率为11%；而皮肤感觉（触、温、疼）、嗅觉、味觉及本体感觉的衰退，最高影响率为3%～4%。当然，人的整个感觉机能的衰退有一个漫长的演变过程。首先需要通过外感受器（眼、耳、鼻、舌、皮肤）有效地感知光、声、景物、图像、温度等外界信息，才可能形成条件反射（即接受刺激、传导冲动、产生反应），增强正常生活的能力。倘若眼花耳聋，感觉迟钝，就难以进行学习、工作和生活。老干部的生理感觉机能发生不同程度的衰变，用运动生理学的观点分析，主要表现为以下几个方面。

1. 视敏度降低。随着年龄的增长，眼睛的晶状体因弹力逐渐变小而硬化变大，眼球肌不能正常调节焦点。绿色视野减小，生理盲点加大。视力减弱，暗适应减退，观看近物尤为不便。这一现象在体弱多病者身上较为常见。

2. 听觉敏感度减退。听觉是声波作用于音感受器而产生的感觉。听力早衰与血管中胆固醇含量和血管硬化有关。伤风感冒也会引起听力下降。这是因为，鼻腔黏膜充血、耳咽管膜发炎、咽鼓管水肿，致使鼓室与咽部的联系受阻，从而影响鼓膜的正常振动，无法传导声波。可见因健康不佳所引起的生理疾患，对听觉敏感度确有妨碍。

3. 皮肤感觉机能下降。皮肤是一片很大的感受面。触觉、温度觉和痛觉三种感受器以点状分布于皮肤表面。人的年龄增大，皮肤内壁逐渐失去了水分，相邻的分子又相互靠拢，致使皮肤的结构僵硬，缺乏弹性，变得粗糙，从而影响冷、热、痛点的正常感觉机能。当埋藏在骨骼肌、肌腱、韧带和关节附近的本体感受器的机能也因人体肌肉、关节部位功能衰退而受影响时，皮肤的压力、张力和形状变化便不能保持适度的紧张，触觉、温觉和痛觉也就因此而衰退了。耳聪目明、反应敏捷，是人体健康的重要标志。

不论年龄大小，也不论身体状况强弱，经常有意识地进行下述内容的适量运动训练，人们都可以在取得健身效益的同时，增强人体的生理感觉的机能。

(1) 扩大视野，提高眼肌的平衡能力。宜在球类或其他练习中，用双眼对远近景物（球场区域、人的活动）进行交替注视，使环绕眼睛的6条眼肌及时协调地不断进行紧张和放松的调节，始终灵活地将眼球调整在飞视中。通过飞视一点（面），兼顾其余，有效地发挥视觉器官的最大机能。这样做能提高眼肌的平衡能力和扩大绿色视野，并巩固和提高立体感觉。

(2) 锻炼听觉，增强耳朵的辨声能力。经常进行乒乓球推挡和对攻练习，除动用视觉功能之外，还应努力根据声音的变化确定来球的方向。练习时，球的落点先正中后两侧，节奏从慢到快，环境从人少安静到人多嘈杂，集中精力通过听觉接收小球落点的声波，以逐渐增强两耳的听力。此外，随着运动量的增大，还能降低血管中的胆固醇的含量，防止血管硬化，并保证听觉系统获取足够的血液供应。

(3) 运动健肤，保证皮肤感觉机能的灵敏度。皮肤感觉中的触觉（轻触觉和压触觉）尤为重要，又以手指表皮部分最为敏锐。因此，要在不使用眼睛的运动实践中，积极进行篮球的左右交替运球、排球的上手传球和背向传球练习，逐步掌握和增强手指表皮和其他部位对球体或其他器官的感触知觉。同时要注意皮肤的卫生保健，使皮肤表面清洁柔嫩，内部结构保持弹性。

运动生理的研究表明，进行体育锻炼时，人的视觉、听觉、皮肤感觉等许多感受器，同时进入工作状态。训练水平越高，对机体内外环境的变化敏感度越高，大脑皮质对各种感觉分析综合的能力就越强。由此可见，有效的运动能增强人的生理感觉机能，使人耳聪目明，反应敏捷。这样，既有助于提高学习、工作和办事的效率，又能健身益智，防病抗老。

## 二、运动有助于缓解精神压力，使身心得到放松

运动也是一种积极的休息方式。人的大脑皮层有数百上千个不同的功能区域（或称“中枢”）。这些中枢有的主管思维记忆，有的主管运动。用脑过度，即使停下工作，大脑这一部分的中枢仍然十分兴奋，无法休息。如果用脑过度，往往是欲停不止，无法入眠，而不得不吃安眠药来促进睡眠。可是长期服用安眠药毕竟有一定的副作用。其实，通过适量运动，使运动

中枢兴奋，就会有效而快速地抑制思维中枢，使其得到积极的休息。

实验表明，让大脑的思维神经连续工作 2 小时，然后停下来休息，至少需要 20 分钟才能消除疲劳，而用运动方式只需 5 分钟，疲劳就消除了。这说明，运动可以使大脑的紧张状态得到缓和，心理得到放松。我们很多人都有过这样的体验，遇到一件特别棘手的事情，吃饭睡觉都想着这件事，忧心忡忡，心理压力很大，直至弄得“睡不着觉，吃不下饭”，但当你进行一场适度体育锻炼后（如打一场篮球、爬一次山、游一次泳），会有一种突然轻松的感觉。所以有人讲，运动是最好的“精神放松剂”。为此，当我们有难以排解的心理压力时，不妨出去运动运动，哪怕是到户外走走也好，肯定会有“车到山前疑无路，柳暗花明又一村”的感觉。

## 三、运动可以改善不良情绪，使人精神欢愉

实践表明，通过运动能有效地预防和化解神经紧张、暴躁、沮丧、发怒等不良情绪，而这些不良情绪会明显影响人正常的思维功能，影响人的生理机能。所以，有人称运动是一种不花钱，又无任何副作用的“情绪改良剂”。

《英国运动医学杂志》曾发表过一篇研究文章，明确指出有氧运动在治疗精神抑郁方面比药物更有效。柏林自由大学的医生对身患严重精神抑郁症的 5 名中年男子和 7 名妇女进行了至少长达 9 个月的追踪调查。他们发现，用药物治疗精神抑郁症收效不大或毫无效果。为此，他们设计了一个为期 10 天的运动计划，要求病人每天在踏车上运动半小时，并逐步增加运动量。在这个过程中，医生定期测量病人的精神状态。10 天后，8 名

病人说他们的精神状态都有很大改善，其中6名病人在此前的药物治疗中毫无效果。2名病人的精神状况稍有好转，仅有2名病人的精神状态没有变化。研究人员认为，这个试验表明，有氧运动往往能为精神抑郁病人带来目前药物治疗所达不到的效果。

## 第二节　步行是老干部最适合的运动

### 一、步行的科学性

本章上节介绍了运动对于身心保健的作用，接下来的问题是老干部应当选择什么运动项目。运动方式可谓五花八门，那什么运动才是最好的？有专家指出，走路是世界上最好的运动方式。这话是有科学根据的。

首先，步行最适合人的身体构造，世界上最好的运动方式绝对不是高尔夫球、保龄球、游泳，因为人类花了一百万年，从猿到人，整个人的身体结构就是为步行设计的，所以步行是最适合人身体的运动，因而是世界上最好的运动。

其次，步行简单易行，不需要花钱。只要你愿意，随时随地都可以进行。你可以闲庭信步，也可以徜徉街头，更可以走马观花；你可以结伴而行，边走边侃；也可以独自漫步，边游边看。

第三，步行没有运动风险。运动虽然有说不完的好处，但凡事都有利弊，运动也不例外，运动也是有风险的，尤其对老干部，过量运动有时会造成猝死，很危险，但步行则没有这个风险。所以有人讲“步行是生存，小跑是死亡”。因此步行运动对老干部特别合适。

国民党元老陈立夫，出生于19世纪最后一年，于2001年逝世，一生跨过三个世纪，整整活了101岁。他有很多养生之道，其中一条就是常年坚持步行。他认为养身在动，养心在静，年轻时喜欢各种运动，晚年独爱步行，坚持每日三顿饭后走路，由护士陪同，每次约走500步至600步，一直坚持20多年。由于持之以恒，获益匪浅，不仅过了百岁，而且一直很健康（当然包括心理健康）。我国著名的女科学家、全国人大常委副主任雷洁琼已经96岁高龄了，别人问她有什么爱好，她说别的没有，唯一的爱好就是天天走路。据传，北京中华门边上有个庙叫普渡寺，有一个道士，他有一个特点——爱走路。每天早上起来拄着拐杖，从中华门走到建国门，完了又从建国门绕回来，一圈两小时，一年四季天天走。那个寺庙周围有许多房子，原来这些房子住着不少政要和名人。现在几十年过去了，很多人都先后作古了，唯独这个道士已近100岁还活得好好的，其实他没有吃什么高级营养品和保健品，就是常年坚持走路。可见，坚持步行必有好处。

知道步行运动的诸多好处后，我们怎样科学地开展步行运动？目前专家们普遍的看法是三个字：三、五、七。

“三”即每次步行最好是3km30分钟以上，以保持每天有一定的运动量。“五”即一个星期至少要步行运动5次。所谓“七”，是指运动的适量，过分运动是有害的。一般认为适量运动就是运动到你的年龄加心律等于170。比如讲，一个50岁的人，运动到心跳120；60岁运动到心跳110；70岁运动到心跳100。这样的运动叫“优良代谢”。具体到每个人，还可以因身体状况而异。身体好的人，运动量可以稍大一些；身体差的人，则应小一些。总之，步行运动也要量力而行。

## 二、步行促进身心健康的三种方法

步行不仅能促进人的生理健康，而且能增进人的心理健康。美国健康网站曾发出呼吁，号召人们为全面健康散步。

人们早已知道，散步有助于保持良好的健康状况，但是人们也许没有仔细考虑过散步所带来的其他好处。每天步行5英里，不但能帮助人们每周减轻1磅体重，而且能使肌肉和骨骼更加强健，并减少罹患心脏病和中风的风险。散步还有消除心理压力、改善情绪、促进心理健康的好处，而后者又将进一步增进身体健康。

散步还能把疾病拒之门外。达拉斯库珀增氧健身法研究所负责继续教育的博士苏珊·约翰逊说：“这是增强免疫系统的最简便方法之一。此外，它是所有健身活动中坚持率最高的活动，并且受伤的风险很低。”匹兹堡大学公共卫生研究生院最近的研究表明，与同时代活动少的姐妹们相比，早在10至15年前就开始实施散步计划的女性更有可能保持活力，患心脏病的案例也较少。

约翰逊博士设计了一个旨在强身健体、祛病延年的为期3周的散步方案。每周的散步计划都瞄准一个不同的目标，但是它们都必须达到印第安纳波利斯运动医学院推荐的标准运动量，并确保增强身体抵抗疾病的能力。

目标之一：消除心理压力

散步最直接的效果是改善情绪，消除压力。当你情绪不佳时，散步半小时后，心情一定舒畅多了。

散步路程：1英里；散步频率：每周3至4次。

方法：作为热身和放松练习，用5至8分钟的时间做深呼吸和慢速伸展运动。轻轻地左右转动脑袋。转动踝关节、做伸腿运动（坐姿：一条腿向前伸直，另一条腿弯曲，脚底板靠在第一条腿的大腿上）和弯腰运动（趴在地上，然后慢慢地伸直两条胳膊，双足站定地面，身体成倒“V”字形）。

开始散步时，把注意力集中于消除心理紧张：听一听轻松音乐；反复对自己说“我无所不能”或“我肯定会成功”等鼓舞士气的话；或者为自己面临的挑战制定解决问题的策略，如设法确定一个完成工作的最后期限或增加与家人团聚的时间。

站直身体，头、肩、臀部、膝盖和脚成一条直线。应在整个散步过程中保持这个被称为“脊柱不偏不倚”的姿势。目光盯着前面15至20英尺远的地方。迈步时，腿直接从臀部迈出，前腿足跟着地、迈出后腿时，膝盖保持放松状态。尽力保持优美、轻松的步伐（步行速度为每英里15至17分钟）；使心搏率保持在最大心搏率的65%至75%之间。

对身体的益处：这种步行能消除一种名为儿茶酚胺的应激激素。我们更加熟悉的名称是“肾上腺素”（也就是紧张时造成胃里恶心的那种激素），这种激素干扰我们生成T细胞的能力——T细胞是帮助我们抵抗普通感冒病毒之类感染的天然杀伤细胞。约翰逊博士说：“散步越多，身体消除应激激素的能力越强。所以，每运动一次，就如同为自己的身体搞了一次大扫除。”散步不但能消除肩膀和背部的紧张，而且能消除腹肌、臀肌、股四头肌的紧张。此外，它还能增加使人睡得香甜的镇静激素β内啡肽的数量。彻夜辗转不眠将使T细胞数量减少

28%，所以获得更多的睡眠可以防止病毒感染和疾病。

目标之二：控制体重

散步路程：2英里至2.5英里；散步频率：每周4至5次。

方法：约翰逊博士说，持续减肥的关键包括三个方面：每天少食多餐（5至6餐），食谱的构成包括60%的糖类、30%的脂肪（主要是不饱和脂肪）和10%的蛋白；每周至少锻炼4次；想办法使自己整天都有事情做，如自己扛食品杂货或清洗汽车等。确定散步速度，以最大心搏率的55%到65%为准，每英里步行17至20分钟。为了最有效地减轻体重，可以把每天的散步路程增加一倍，定为5英里。

对身体的好处：位于佛罗里达州拉戈的康复医院的运动生理学家金伯利·赫夫说，身体处于休息状态时，所需热量最少，因而消耗的脂肪和糖类物质也最少；但是，当我们运动时，首先消耗掉已贮存起来的糖类物质；40至60分钟后，我们开始消耗越来越多的脂肪，而不是糖类物质。运动的强度越大，这种变化发生得就越快。散步对减轻体重的长期益处甚至更加令人乐观。赫夫说，连续运动大约3周以后，新陈代谢活动将开始增加，这意味着人们在休息时也消耗热量（如果秤上显示的体重数字没有减少，也不要惊慌。随着肌肉质量的提高，体重可能会稍有增加，因为肌肉的密度大于脂肪的密度）。其他好处：如果经常坚持，散步将减少罹患高血压、糖尿病、胆囊炎、心脏病和肥胖症的可能性。最近的研究表明，体重过高的人如果经常锻炼，将比活动少的瘦人寿命更长，情绪更稳定，心情更愉快。

目标之三：促使心脏健康

散步路程：1.5英里；散步频率：每周3至4次。

方法：由于你的目标是加强耐力，所以先以正常速度步行 2 分钟，然后提高步行速度 1 分钟。在加快步伐时，把胳膊弯成 90 度，并前后摆动（手的高度不能超过胸骨）。为了提高速度，可加快正常步伐的速度，但不要加大步伐。在以正常速度散步时，目标心搏率应保持在最大心搏率的 60%和 70%之间；在快速散步时，则应保持在最大心搏率的 80%至 85%之间。

对身体的好处：匹兹堡大学公共卫生研究生院流行病学副教授安德烈亚·克里什卡博士说，散步有助于改善心血管系统（包括心脏、肺、动脉和静脉），从而最终使你的每次呼吸都能吸进更多的氧气。散步增氧健身运动能增加一种名为高密度脂蛋白的“好”胆固醇，而高密度脂蛋白又反过来降低患心脏病等心血管疾病的风险。

目标心搏率的计算：按照如下简单步骤计算所需的运动强度：用 220 减去年龄，然后分别乘以 0.6 和 0.8，就可得出目标心搏率的上限和下限。以 30 岁的女性为例，其数学计算方法是：220-30=190。这是心搏率的最大估算值。其目标心搏率的下限为：190×0.6=114；上限为：190×0.8=152。如果心搏率每分钟低于 114 次，就应该加大运动强度；如果心搏率每分钟超过 152 次，就应该放慢运动节奏。

身心是相连的，散步改善了体质，反过来又进一步改善人的情绪，从而起到身心双健的作用。

# 第三节　运动对身心疾病的调适与防治

## 一、慢跑防癌的精神作用

慢跑有利于预防癌症，这已为众多人的运动实践和医学研究所证明。联邦德国运动学博士爱因斯坦·阿肯对450名40岁至90岁男性慢跑者和同样人数、条件大体相同而不跑步或不常跑步的人，进行了为期8年的跟踪调查。他发现，长期慢跑的人中只有4人患癌症，而且经过治疗得到了康复，不跑步或不常跑的人却有29人患癌症，其中有17人死亡。

慢跑何以能防癌？除了生理上的原因外，更主要的是心理上的原因。爱因斯坦·阿肯经过研究，认为慢跑防癌强身主要有以下几方面原因：(1) 慢跑可以使人吸入比平常状态下多几倍，甚至多几十倍的氧气，多吸入氧气不仅可防癌，而且即使患了癌症也能带病生存，延长生命。(2) 慢跑可使人的排汗量增加，将体内的铅、汞等致癌物和其他有毒有害物质排出。(3) 慢跑能改善人的情绪，消除忧郁和烦恼。(4) 慢跑能增强人体的抗病、耐病能力，还锻炼人的意志，提高战胜疾病的信心和勇气。

在上述四条防癌的原因中，其中涉及心理因素的有两条。而且这两条心理因素对防癌特别重要。因为通过研究癌症发病机理的原因，人们发现，癌症的发生发展与人的不良情绪有着极为密切的关系。临床观察证明，癌症患者有3/5是由于精神受创伤或情绪受到压抑而发病。慢跑、散步等体育运动之所以有强身防病作用，主要原因在于这些运动调节了人的情绪，使人增强了心理免疫能力，而心理免疫则可大大促进生理免疫。

心理学研究证实，人的心理活动（中医学称为“情智活动”），与人体生理机能有着密切的内在联系，中医认为“喜、怒、忧、思、悲、恐、惊”等不良情绪均可致病，而运用相生相克的情绪疗法又能达到“七情治病”的目的，这其中蕴含着现代心理免疫的奥秘。良好的情绪可使机体生理机能处于最佳状态，使免疫抗病系统发挥最大效率，保持良好的健康状态，反之，则会降低生理机能和机体免疫能力，引发疾病，不利健康。

心理免疫是指人在无病时要保持乐观豁达的良好心态，患病时要有战胜疾病的信心和抵御疾病的“心理抗争”能力。更重要的是对待各种事件要沉着冷静，不大喜、大怒、大悲，能控制自己的情感，保持良好的心理状态，才能有效地调动机体内部的免疫力量，使机体各组织器官发挥其最佳机能，增强生命活力，维护健康。

心理免疫是生理免疫的“促进剂”，生理免疫又是心理免疫的“保护神”。现代医学揭示：健康的心理能有效地增强身体的免疫机能，激发生命活力，从而起到抗病健身、延缓衰老的作用。

老年正是容易发病的“多事之秋”，应当选择适合自己的运动方式，坚持常年保持运动，通过运动来改善自己的情绪，调节自己的心态，增强自己的心理免疫水平，从而使自己远离癌症。

## 二、运动抗癌的身心效应

过去人们普遍认为，癌症患者应休息静养，以保存体力。但现在有不少研究和实践都证明了运动有助于治疗癌症，这方面有说服力的例子很多。兰斯·阿姆斯特朗不是唯一通过体育锻炼战胜癌症的人。这位美国的自行车运动员在战胜了睾丸癌之后，赢得了环法自行车赛冠军。还有另外一些运动员在没有放弃体育锻炼的情况下，在与不同癌症的斗争中获得了胜利。瑞典的卢德米拉·恩奎斯特和西班牙的玛加丽塔·拉莫斯这两位田径女选手都在与癌症的斗争中获得了很好的效果。

据说，阿姆斯特朗即使在全面治疗过程中也保持着可以承受的训练程度。他是在1996年9月得知诊断结果的：他一侧睾丸的60%都被肿瘤组织侵占。美国印第安纳大学的肿瘤医生查阅了一下统计数字，此类癌症患者中，只有45%的人能生存下来。在1996年至1997年的秋冬季，阿姆斯特朗接受了一个睾丸和脑部一个小转移瘤的切除手术。之后，他接受一系列的化疗。在每个疗程中，尽管当时阿姆斯特朗的肌肉组织正在逐步减少，但他仍坚持自行车锻炼。

两年半以后，这位已经完全康复的美国自行车运动员赢得了环法大赛。肿瘤医生们承认，越来越多的研究结果证实了体育锻炼对癌症患者的益处。

恩奎斯特的情况可能比阿姆斯特朗还要惊人，主要是因为她能够迅速地重返赛场。这位瑞典田径运动员是100米栏奥运会冠军，她在冬季得知身患癌症，并在4月份摘除了一只乳房。尽管仍继续接受化疗，但她在手术之后不久就恢复了训练。在一个非常乐观的康复过程之后，恩奎斯特在当年7月重新参加了高水平赛事。8月底，她在塞维利亚的世界田径锦标赛上夺得了一枚铜牌，这是她4个月前进手术室时无论如何也想不到的。

玛加丽塔·拉莫斯是西班牙人通过运动与癌症作斗争的最佳

实例。这位来自莱昂的田径运动员曾 12 次获得西班牙铅球冠军，目前正在一边接受淋巴癌的治疗一边坚持运动。她说她目前的身体状况很好，希望在几个月以后能够参加比赛。

运动为什么有助于治疗癌症？其确切原因是什么？

阿尔伯塔大学（加拿大）教授克里·库尔内亚在《行为医学纪事》杂志上发表了一份报告，报告公布了关于锻炼与癌症之间关系的 24 项研究工作结果，其中大部分研究与乳腺癌有关。研究的主要结论是，体育锻炼在癌症早期可以帮助患者改善情绪，提高生活质量，并延缓病痛与治疗带来的体力和耐力的丧失。

报告的撰写者将体育锻炼在这方面的益处分为两大方面，一方面是身体效果，运动可能对免疫系统产生积极的影响，包括提高灵活性和减少疲劳；另一方面的重要原因是心理效果，表现为能够明显改善病人的情绪低落和焦躁不安的状况。而情绪低落、悲观失望、躁动不宁往往是癌症患者病情迅速恶化的致命原因。

适量运动对癌症患者是有益的，这一点是确定无疑的。鉴于越来越多的有关运动员不放弃体育锻炼而战胜疾病的新例子，促使连权威性机构美国癌症学会也作出了反应。该学会负责营养和运动事务的克伦·多伊尔说，美国癌症学会将考虑有关癌症患者进行体育运动的建议。如果以前人们认为，癌症患者应该卧床休息以“保存体力”话，那么现在似乎毫无疑问的是，体育锻炼在与恶性肿瘤的斗争中是一项积极因素。当然，任何事情也有例外。如果肿瘤已经侵入骨骼，或者病人接受的一些治疗造成其骨骼密度的降低，那么绝对不要进行体育锻炼。与此同时，一些治疗手段可能会损害神经组织，从而加大了跌倒的危险，在这种情况下也不宜进行体育运动。还有一些药物可能对重要器官产生副作用，并限制体育运动。如果发生这种情况，不是建议病人不要进行体育运动，而是患者自己的身体情况不允许。因此，需要提醒的是癌症病人应该时常就生病期间是否适合体育锻炼的问题向专家咨询。

## 三、运动可防治抑郁症

抑郁症是一种危害人类身心健康的常见病，约13%~20%的人一生中都曾有过抑郁的体验，其终生患病率为6.1%~9.5%。专家们认为，随着人们生活压力的加大和工作节奏的加快，会有更多的人感到紧张、疲劳和郁闷，加上经济拮据、失业和下岗等因素，发病率会进一步增加。抑郁症的发病年龄绝大多数处于工作年龄段，严重的抑郁症中有15%的可自杀而死。也就是说，抑郁症既可以影响人们的工作，又可危及病人的生命。

抑郁症以心境低落为主要特征，其表现为：(1) 对日常活动及周围的人群和事物丧失兴趣；(2) 精力明显减退，出现无原因的持续性疲乏；(3) 思维迟滞，精神活动减少；(4) 自我评价过低、产生内疚感、陷于自责之中；(5) 在困难面前束手无策，一筹莫展；(6) 食欲不振，人体消瘦；(7) 或失眠或嗜睡；(8) 性欲明显减退；(9) 会出现死亡的念头或有自杀的行为。

多数抑郁症病人往往不会因为情绪低落去心理门诊或精神科就医，却常常由于抑郁症所伴发的躯体症状，比如：头晕、肌肉疼痛、健忘、失眠、多梦、焦虑、胃胀、消瘦等去就诊。其中多数病人在查不出什么器质性疾病的情况下，就被有关医生诊断为“神经衰弱”，从而延误了治疗。

美国密歇根大学研究人员的一项研究显示，缺乏归属感可能会增加一个人罹患抑郁症的危险。

研究人员给 31 名严重抑郁症患者和 379 个社区学院的学生寄出问卷，问卷内容主要集中在心理上的归属感、个人的社会关系网和社会活动范围、冲突感、寂寞感等问题上。调查发现，归属感是一个人是否经历抑郁症的最好预测剂。归属感低是一个人陷入抑郁的重要指标。

抑郁症的评价指标，概括起来就是思想上无所寄托、生活上丧失信心、对亲友无牵挂感。说到底，就是归属感不强。

归属感不强主要是对自己从事的工作缺乏激情，责任感不强；社交圈子狭窄，朋友不多；业余生活单调，缺少兴趣爱好；不爱读报看报，不注重吸收各种知识营养；缺乏必要的体育锻炼。

其实，在人的一生中总会有一段时间生活在抑郁中，抑郁的心境是一种忧伤、悲哀或沮丧情绪的体验，也就是我们常说的“不快活”。它不仅与许多精神和躯体疾病有关，而且与社会和外部环境的许多因素有密切的关系。如：贫困、失业、婚姻问题、家庭不和、年老和伤残等均可诱发抑郁。有抑郁心境的人经过适当的自我调整和心理治疗，是可以纠正的。只有当抑郁心境发展到一定程度，具备抑郁症的基本特征，并持续一段时间，影响到自己的学习、工作和生活时，才成为抑郁症。也就是说，抑郁不等于抑郁症，但抑郁不及时调整和治疗，是可以发展成为抑郁症的。

抑郁症本质上是一种心理疾病。心病还须心药治，因此，除了有自杀倾向的严重抑郁症患者，应该立即去医院，在医生指导下服用抗抑郁药物。轻度抑郁症患者首选的应该是在接受心理治疗的基础上加强运动锻炼，通过运动来调适身心，达到防治抑郁症的目的。运动对于防治抑郁症的作用主要有以下两点。

1. 增强体质，调节内分泌。越来越多的医学研究证实，抑郁症患者大脑神经递质五羟色胺的缺乏，是直接导致抑郁症发生的原因之一。通常情况下，20%患有中风、心血管疾病、糖尿病、肿瘤等疾病，又可促使大脑神经递质五羟色胺浓度降低，从而诱发抑郁。发作起来的抑郁情绪进而导致机体神经、内分泌机能发生紊乱，破坏了内环境的平衡，真可谓恶性循环。因此，有些医学专家建议，对这类病人应该进行适度的体育运动，以增强体质，调节内分泌系统，促其保持平衡。

2. 改善人的情绪。抑郁症患者的情绪低落，如果长期闷在室内苦思冥想，容易走火入魔，通过户外运动，可以改善人的不良情绪。如早晨在室外快步行走或慢跑半小时，通过锻炼加快身体新陈代谢和促进全身各个器官的血液循环，增进大脑的供氧量，从而改善人的精神状况，有利于摆脱不良心境，振奋精神。长期坚持，可防治抑郁症。

## 四、郊游运动可治疗“心理疲劳”

现代生活节奏日益加快、竞争激烈，人们往往要承受各种各样的压力。即使是精力充沛、身体健康者，也会出现身心疲劳的征兆。中年人由于承受的压力大，更容易产生身心疲劳。人们对四肢乏力、肌肉酸痛等体力上的疲劳十分熟悉。但对心理疲劳往往不易觉察。当你精神萎靡不振、对外界事物兴趣淡漠时，这就是不良心理效应的积聚，正是医学上所称的“心理疲劳”。

消除生活中导致不良情绪的恶性刺激，调整生活和工作的节奏，改变生活习惯和生活环境，可望缓解和消除心理疲劳。

外出郊游，让身心融入大自然的怀抱不失为一个好办法。

心理疲劳实际上是中枢神经系统功能紊乱的一种表现。越来越多的研究表明：室内环境污染会使人处于疲劳、萎靡不振的状态中。吸烟、烹饪产生的一氧化碳、尘埃以及硫和氮的氧化物，建筑装潢材料中挥发出的甲醛等化学物质，以及少量放射性物质等，都容易使人感到头晕、精神不振。而到野外郊游可以避开这些有害的环境因素。绿色植物密集的森林、公园，空气中的污染物少而负离子含量高。负离子可以促进胃肠消化、加强代谢、调节神经系统，被誉为大气中的“长寿素”。

如果平日里经常感到疲乏、无力、头晕、头痛，到医院也查不出什么病症，就可以到绿色的环境中放松放松，体会一下空气中的负离子所带来的心旷神怡、精神焕发的感觉。

郊游的另一大优点是将运动与娱乐有机地结合起来。在感到精神不振时，不妨与家人一起或与朋友、同学结伴外出郊游，在大自然中活动活动身体，让头脑彻底休息。在与家人、朋友、同学的交谈娱乐中感受生活的乐趣，让心情愉快兴奋，这样交替运动，可以在不经意间使神经系统得到有益调整。

## 五、“脑运动”可预防老年痴呆症

随着人类平均寿命的延长，老年痴呆症发病率不断提高。老年痴呆症不仅严重影响了老干部的生活质量，而且还给家庭和社会带来沉重的负担。现在发现，通过有意识地加强“脑运动”，可以有效地预防老年痴呆症的发生、发展。

“生命在于运动”，的确是至理名言。然而，现代医学对此有了更新的认识：“生命在于脑运动”，因为人衰老首先是从大脑开始的。

有关研究表明，如果能坚持脑部运动，即多用脑，可以延缓大脑的衰老，延长大脑细胞的寿命。科学研究表明，经常用脑的人到了六七十岁，思维能力仍像中年那样灵敏；反之，那些中年不愿意动脑子的人，大脑会加速老化。科学家还做了一个有趣的试验，他们将75位年龄在80岁以上的老年人分为3组：天生勤于思考组、思维迟钝组和受人监督组。实验结果是，天生勤于思考组的血压、记忆力和寿命都达到最佳指标，3年后，勤于思考组的老年人都健在；思维迟钝组死亡12.5%；而受人监督组则有37.5%的人走上了黄泉路。

由此可见，勤于思考、有所追求，是人们健康长寿的重要因素，特别是老干部，不能饱食终日，无所用心。除应经常锻炼身体外，还要多动脑，学会科学用脑与健脑。

实践证明，脑力运动可以防病延年、预防老年痴呆症，尤其是年轻时的脑力活动对人体寿命的影响更大。

脑运动对老干部来讲，主要是应勤学多思常用脑。脑运动可以通过以下方式进行。

(一) 锻炼数字智能

这是你的头脑分析数字的能力，也是很多人认为自己最薄弱的一种能力。但实际上，只有10个数字需要你去把握。

1. 要依赖计算器。首先通过估算锻炼你的计算能力，然后再进行精算，最后核查结果。如果你的朋友正在使用计算器，可以看看你心算的速度是否能同计算器相比。

2. 向别人学习。如果你能遇见一位有计算特长的人，例如能很快计算出自己得分的飞镖投手，问问他们是怎么做的。

3. 做一些数字游戏。开始做简单的加减法游戏，然后逐渐增加难度，例如加上乘除法和从两位数增加到三位数等。

4. 做脑力游戏运动。这类运动包括西洋双陆棋和桥牌，它们对加强你的估算和精算能力非常有益。桌球和飞镖游戏也是有利于提高计算能力的运动。

（二）锻炼语言智能

语言能力越强，大脑思考问题的速度也就越快。

1. 增加词汇量。每天选择一个新词并尽可能地使用它，至少每天 5 次让这个词出现在你的脑海中。这种方法能够使你的词汇量在短短一年中增加近 40%。做一些词汇游戏，例如拼字和纵横字谜等。

2. 广泛的阅读。选择各种书籍，确保你的大脑中能记住相当数量的书籍的内容。

3. 学习新语言。一般每种语言都只有 1000 个左右的常用词汇，因此不要害怕学习语言。首先学习词汇，然后是语法，这是儿童学习语言的途径。

（三）锻炼空间智能

这是一种判断物体之间关系的能力，尤其是它们在空间的关系。一级方程式赛车冠军米夏埃尔·舒马赫就有出色的空间智能，他说每次他都能很好地利用他的赛车测算空间距离。如果他判断错了，他就可能丧命。

1. 做提高想像力的游戏。想像你自己正在进行一次从地点 A 到地点 B 的旅行，尽量让想像的内容越来越丰富。你的头脑中可能会出现一张巨大的地图，此举将增强你的空间智能，还将提高你的创造性思维和记忆力。

2. 经常下棋。像国际象棋一样的棋类活动能够提高你的空间感觉，同时提高你的分析和战略思维能力。

3. 经常打球。如果你总不能将球击中目标，那你就要用视觉和空间智能判断是否用力过猛，或打得较高，或角度不准。

4. 玩玩计算机游戏。这些游戏能够以不同的方式训练你的空间智能，同时提高你的思维速度、洞察力和反应能力。

（四）锻炼身体适应智能

身体的平衡能力和适应能力越强，大脑的思维能力也就越高，这两者相辅相成。

1. 到体育馆去强健你的每块肌肉。找到一个你能举起的最大分量，然后连续举起5次，休息1分钟；再举起5次，休息1分钟；如此循环，直到力尽。

2. 锻炼柔韧性。试试瑜珈、太极拳和各种休闲舞蹈。当你的身体变得更加灵活时，你就会感到自己的精力更加充沛。

3. 增加你大脑的含氧量以提高工作效率。可进行游泳、骑自行车和散步等运动。

试验：平衡能力是身体适应能力的关键。为有效地检查你的平衡能力，请你用左腿站立，抬起右腿，右手放在背后，左臂向前伸。尽可能长时间地保持这种姿势，现在看看你的成绩：5分钟或更长时间——非常出色；4~5分钟——很好；3分钟——好；2~3分钟——一般；1分钟——很差。

## 六、深呼吸运动有利于身体保健

深呼吸不仅是一种简单易行、随时随地可做、能通过“吐故纳新”使人心肺功能和脑肌腹肌以及血液循环得到锻炼、感到轻松舒畅的运动方式，而且深呼吸时，人平心静气、意念专注，加之又提高了脑部氧气供应，所以是一种高质量的调节神经系统的运动，有消除疲劳、振奋精神、安定情绪的良好作用。

对于室内工作劳累的人，只要做几分钟有节奏、有一定强度的深呼吸，就能迅速消除大脑疲劳，其效果胜似喝咖啡、浓茶。对于心情烦躁、夜间睡眠不好的人，在睡前一小时，做30~50次深呼吸，有助于安静入睡。

深呼吸的方法：伸直双臂，举至头顶并伸直腰干，用鼻子徐徐吸足新鲜空气，屏着呼吸几秒钟，抿起嘴唇，用嘴使劲吐出小部分气，稍停片刻再继续吐出剩余部分。如此反复，做30~50次或3~5分钟。

## 七、打太极拳能健身健心

太极拳集中了我国传统保健体操的精华，架势平稳，动作舒展柔和，没有大起大落和激烈腾跃的动作，适宜于老干部锻炼身体之用。越来越多的养生专家认为它是一种十分理想的健身方法。太极拳与其他运动最大的不同之处，就是它具有更强的保健作用。即太极拳不仅可以使人通过练习增强体质，而且可以调养人的精神。

有关专家对长期坚持练太极拳者进行了调查，发现有以下功效。

1. 有利于安定情绪，调理精神。这是太极拳一个突出特点。据某疗养院试验，练太极拳可治疗神经衰弱、焦虑症等病。这主要是太极拳不是简单的体育运动（如练广播体操），在打拳过程中练习者必须做到“心静、神敛、体松、用意、气舒、身正”。

“心静”是要求排除杂念，情绪稳定，不急不躁；“神敛”是要求注意力集中，思想专一，精神凝敛到动作上；“用意”是要求动作与意念结合，意念与动作并行，“拳”到“意”到。这样，在打拳过程中，静中有动，动中有意，使大脑神经的兴奋与抑制得到合理调节，精神得到放松、舒缓，从而起到调理精神的良好作用。

2. 能增强体质，延缓体态的衰老。就一般而言，人到 20 岁时，体力达到最高峰；至 50 岁时，维持一定水平；50 岁之后逐渐衰减。可是练太极拳的人比不练拳的人体力衰减时间推迟约 15 年左右；练拳老干部的握力比不练拳者大 32.8%。这说明练拳能延缓肌力衰退。直腿弯腿时手指或手掌能摸到地面的，练拳老干部占 77%，而不练拳者只占 25%。这说明练拳能减少或推迟骨骼与韧带的硬化及钙化，保持关节的灵活。

3. 可改善心、肺及消化功能，增强新陈代谢。心脏、肺脏和胃肠是人体内的三大重要器官，它们功能的强弱直接影响人的健康和寿命。国外医学研究表明。老人心搏血量每年下降 1%，肺活量每年减少 26.4ml，胃肠道分泌的各种消化酶，60 岁时比青年时期下降 20%～30%。在 30 秒内蹲起 20 次后，血压和脉搏的改变能在 3 分钟内恢复正常的，练拳人占 87.5%～90%，而不练拳者仅有 22.4%。

4. 提高机体抵抗力。练拳能治疗几种慢性疾病，如高血压、高血脂、动脉硬化、糖尿病、肺结核、慢性支气管炎等，有效率达 90%以上，其中以对心血管病疗效为最明显。练拳前患心血管病的占 75%，练拳后全部患者的临床症状均有改善，其中显效者为 64%。由此可见，打太极拳可延年益寿，老干部应积极参加这项健身运动。

练太极拳能健身健心，但在练的过程中也有一些问题需要注意。

一是病时练习要谨慎。太极拳可辅助治疗，但是，当慢性疾病的病情不稳定时不宜练拳。练太极拳不可取代疾病的病因治疗，糖尿病人不能用太极拳来代替降糖灵或优降糖；肺结核病人不能因为练太极拳不服结核药；冠心病人心绞痛频繁发作时，不宜练拳。

二是宜长期坚持。太极拳可以健身，但不是几次或十几次就显示功效的，要持之以恒，坚持数年。

三是要注意运动量。练太极拳时，同样要注意自我运动监督，适当安排运动量，注意定期检查身体。一般以每次练太极拳后无疲劳感为适度。身体好的老干部，还可以增加散步、气功、保健操等其他运动项目。

至于太极拳的具体动作可请人指教。

## 八、登山运动有益身心健康

登山是一项有益于身心健康的体育活动，它对人的呼吸功能和心血管功能以及骨髓的造血功能都有改善作用，能使心脏的输出量和肺活量增大；同时由于山上树木花草丛生，紫外线照射较多，因而氧气充足，空气清洁，对增强体质大有裨益。登山不仅可以锻炼机体，更可涵养心智、陶冶情操，有良好的身心保健作用。

首先，登山是一种体力消耗大的运动，攀登过程的艰辛，可以培养人的意志和克服困难的精神。登山时，“无限风光在险峰”，没有“不到长城非好汉”的精神与勇气，是难以登高望远的。

其次，登山可以开阔人的眼界，舒展人的胸怀，陶冶人的情操。当你登上峰顶，“一览众山小”的时候，你会感到大自然的伟大，充分体会到“有容乃大，无欲则刚”的博大意境，私心杂念、忧愁烦恼顿时会丢到九霄云外。

再次，登山可以激发人对自然的热爱、对生活的热情，振奋精神。当您登上高峰，极目远眺，把壮丽的山河尽收眼底时，面对大自然的鬼斧神工，那种愉悦的心境是难以形容的。

正是由于登山的诸多好处，所以登山一直是人人都喜欢的活动。在我国古代，秋季登山的习俗就十分盛行。唐中宗曾亲临渭亭，登高做诗，诸臣同赋。诗仙李白常常在秋高气爽的时节，“攀崖历万重”，写下许多瑰丽的诗章，当他 58 岁时，还登上巫山，写下“飞步凌绝顶，极目无纤烟”的妙句。诗圣杜甫曾在重阳节独自登高远眺，写下了“无边落木萧萧下，不尽长江滚滚来”的《登山》诗篇；当他临泰山之巅时咏道“会当凌绝顶，一览众山小”，可谓是千古绝唱。唐代王维在《九月九日忆山东兄弟》一诗中说：“独在异乡为异客，每逢佳节倍思亲。遥知兄弟登高处，遍插茱萸少一人。”这首诗留传千古，堪称佳作。

到了近代，许多名人亦喜欢秋季登高。孙中山先生 1924 年在广州时已经 58 岁。重阳节之际，他带着卫士们一起步行到白云山登高，彼此还进行登山比赛。毛泽东同志在青少年时代，每年重阳节都要与同伴一起登高览胜。朱德同志 1962 年视察杭州时，已经 76 岁了，还兴致勃勃地登上狮子峰和北高峰，并写下了：“登上北高峰，海拔三百三。缓行一时半，二次到高峰……天堂逊人间”的壮丽诗句。

鉴于登山的健身健心作用，当我们感到心情不舒畅的时候，感到工作压力过大、身心疲惫的时候，不妨抽出时间，与亲友为伴，登山畅游，尽情地饱览名山秀水，观赏大自然的绮丽景色，这无疑会给你带来意想不到的乐趣，使你身心具健。

当然，登山时也应注意以下几点。

第一，要注意安全。最好穿软底、有防滑纹理的鞋。山上悬崖峭壁巨岩突出之处，往往下临深渊，在这些地方观赏景色，一定要加倍小心。

第二，要掌握正确的登山姿势。上山时身体重心要前移，步子放小些，落脚点要近些；坡度较陡的山路应把膝盖抬高些，上体前倾些；下山时上体要直立或稍向后仰。

第三，要注意控制运动量。在海平面上，大气压力为760mmHg，而氧气的分压为160mmHg。大气压力和氧分压都会随着高度的增高而递减。据测试，当海拔为1219m时，大气压力下降至656.4mmHg，氧分压为137.8mmHg。登山时体力和能量消耗都较大，而且氧气不足，所以要掌握好运动量，在途中感到吃力时可休息片刻。

第四，要注意气温的变化。山的高度每升高150m，气温将下降1℃。因此，在登山休息观赏之时，应把在途中脱下的衣服穿上，以免着凉感冒。

此外，如果是患有心血管疾病、肺气肿、支气管炎的老干部，经检查代偿功能良好者，可参加轻微的登山活动；倘若代偿功能不佳者，则不应勉强去登山，以免发生意外事故。

## 第四节　运动与健脑益智

### 一、玩游戏可健脑养神

中国传统医学认为“脑为神之本”、“脑为元神之府”，“神”是精神活动的总称，脑髓充盈，则精神足气血旺，身体强壮；如“脑渐空”，髓海不足，则神明受损，五脏虚弱，阴阳失去平衡，寿则短。所以我国养生学历来提倡通过“健脑”来“养神”。健脑养生旨在保持“神明”的健康，延缓大脑老化，达到神清气爽、延年益寿的目的。

老干部的生理机能退化往往最先表现在脑功能的退化上，具体症状有以下几个方面：(1) 思维迟钝、记忆力明显衰退；(2) 容易疲倦，精神不集中；(3) 夜间多梦，神志昏；(4) 头痛头晕，语言不流利；(5) 精神好紧张，对社会适应力差；(6) 性功能明显减退。脑力衰退不仅直接影响到身体的生理健康，而且也直接影响人的心理健康，即精神状态。所以，老干部无论是从生理保健还是从心理保健的需要出发，都必须高度重视健脑养生。有关研究表明，玩游戏，可健脑养神。故有人称：益智游戏，健脑“体操”。

美国50岁的游戏发明家科恩说：“如同体育运动须使用体力一样，真正有趣而吸引人的游戏都须使用脑力。”科恩是老年精神病学家，曾任美国全国老年心理卫生中心研究所主任。“如果你常做很耗脑力却又有趣的事，就能保持头脑灵敏，因为这样做就是常常锻炼脑细胞反应敏捷。脑细胞在你学习过程中会渐渐发达强壮。”科恩通过研究和实践认为，游戏，尤其是益智游戏在健脑和促进心理健康方面有以下作用。

(一) 增进脑力

科恩回忆道，30年前，我们常常一家人一起玩益智游戏，那时候我们还没有电视机、音响设备或录像机，却有专门放置游戏盒的柜子。那时没有终日泡在电视机前的懒人，却有七嘴八舌玩游戏的热闹场面。晚上不是看电视，而是玩斗智游戏。

但是，仍有不少在午饭时间玩“双陆游戏”的公司职员、以一起参加桥牌巡回赛作为度假方式的多年老友。有位游戏大师肯恩·蒂德威尔是软件设计师，也是介绍世界各类游戏的网上月刊“游戏柜”的编辑。他太太是自由作家，夫妻俩几乎每星期都邀 6～20 人到家中吃晚饭、玩游戏，通常是好几桌牌戏和棋戏同时进行。

蒂德威尔说：“不同的游戏给人不同的体验。善于从不同角度思考问题的人往往在战略游戏中得胜。风趣的人在较为轻松的游戏中崭露头角。外交官型的人在谈判游戏中特别引人注目。本领较差的总是能从强手身上学到许多东西。”

科恩相信，这种学习过程加上全神贯注的热情，能锻炼智力和心理。实际上即使是做一些数字游戏——开始做简单的加减乘除游戏，然后逐渐增加难度，例如加上乘除法和从两位数增加到三位数等，都能大大促进老干部的智能提高。下棋、打桥牌同样也能很好地锻炼老干部的心智。邓小平同志生前曾风趣地讲：能游泳，说明我身体还行；能打桥牌，说明我脑子还行。他特别喜欢游泳和打桥牌，所以到了八九十岁仍身体健康，头脑清楚。

（二）锻炼思维

“游戏影响智力”论起先是由神经解剖学家玛丽安·戴阿蒙等人证明的。20 世纪 60 年代，戴阿蒙和她的伯克利加州大学研究同事发现，平时有“玩具”（可供嗅、咬、抛、钻的物件）玩的家鼠，在迷宫里辨路的能力比养在简陋笼子里的家鼠强。戴阿蒙检查家鼠的大脑后发现：有“玩具”的家鼠大脑皮层厚很多，而大脑皮层正是与思维大有关系的部分。

研究表明，脑力活动对各种年龄的家鼠都有增进脑力的作用。如今研究人员相信，经常接受脑力磨炼的人，也许可像去银行存款一样储存脑力，到年老时可提取使用。

但是一般人仍然不相信玩益智游戏、打扑克会比看一晚的电视喜剧更能增进脑细胞的活力。关于这一点，戴阿蒙的观点非常坚定，她说：有一次实验，研究人员让一组家鼠玩游戏，另一组家鼠观看，几星期后，玩游戏的家鼠大脑体积增加，而观看的家鼠大脑没有明显变化。

科学研究表明，玩游戏能促进大脑的其他方面的学习。心理学家斯图尔特·玛格利斯在纽约和洛杉矶随机选取一些小学三年级和四年级学生，要他们每天学习45分钟国际象棋。过了一年，下棋组学生阅读测验的成绩优于不下棋的对照组。科恩相信，各种游戏技巧，例如果断、归纳经验、随机应变等，都对学习极有帮助。

奥斯本平常爱玩桥牌和下双陆棋，他说：“游戏过程中必须做成百上千个小决定，能使我头脑保持灵活。玩游戏最能说明反败为胜的道理。”

有关研究表明，下双陆棋、打桥牌等，对于加强人的估算能力和精算能力非常有益。而下国际象棋和中国象棋能提高人的空间感觉，同时提高人的分析和战略思维能力。因此，老干部应当尽量避免整天呆在电视前，适当地玩一些游戏非常有利于锻炼思维能力。

（三）沟通情感

那么，如今在游戏市场占主要地位的电脑游戏又如何？科恩也相当喜欢电脑游戏，他说：“电脑游戏你可以一个人玩，这是最吸引人的地方。但那是有代价的。”电脑游戏，即使是联网的多人游戏，也缺乏好友之间互相心领神会的妙趣，或是不着边际地摆龙门阵之乐。而此类同伴相濡以沫的情感，对人体和心理的健康却至关重要。科恩说：“我父亲在他的五金店里常常工作到很晚。但不管他多累，我们总要在睡觉以前玩上几局克里比奇纸牌游戏，一直到我去读大学。我父亲用克里比奇游戏教我数论。直到后来我才知道，那些游戏还包含了许多其他意义。玩游戏时父子俩非常亲近。”在科恩看来，成人生活中缺少的不是目的感，而是玩的意识。

玩游戏不仅有利锻炼智力，而且有助于创造一个互相沟通情感的氛围。我们学校有十几位离休的老同志，固定在一起下棋打扑克，常年坚持，现在人人都八九十岁了，但个个身体健康，精力旺盛。这可能就得益于这种玩的内容和氛围。

所以，老干部为了自己的身心健康，不妨当个老玩童。

## 二、多做手指运动可健脑益智

医学研究表明，手和大脑关系十分密切。俗话讲，“十指连心”，这里的“心”，实际上就是指大脑。曾对手脑间的作用进行多年研究的日本医学博士首腾龙证明，手指的活动可以提高人的智能。所以经常锻炼小孩的手指，可使其头脑聪明、智力发达。由于手指与人脑相连，运动手指，可以改善大脑血液循环，刺激大脑神经细胞，对于年轻人可促进大脑发育，增进智力。对于老干部可促使大脑保持活跃状态，预防脑神经细胞退化，阻止老年痴呆症的发生。手指运动简单易行，老少皆宜，特别适合老干部。所以老干部要想健脑益智，可多做手指运动。具体方法如下。

1. 每天早上将小指向内弯曲，然后再回伸，反复做屈伸，左右手各运动 20 回。

2. 用一只手的大拇指及食指抓住另一只手的小指根部正中，

早晚揉搓刺激这个穴位10次，两手交替进行。

3. 将小指按压在桌面上，反复点压刺激，左右手各20下。

4. 两手十指交叉，用力相握，然后突然猛力拉开，给予肌肉必要的刺激，反复20次。

5. 用一手的大拇指刺激另一手掌中央（手心），即从中指根至手腕的横纹正中引线交汇处，刺激其中点，每次刺压20次，两手交替进行，既有助于血液循环，又有安神效果。

6. 经常揉擦中指尖端，每次3分钟，两手交替进行，可促进大脑血液循环。

上述方法要每天坚持做1～2次。同时，还可尽量利用各种机会活动手指，比如当乘车紧握栏杆或用手紧握吊环时，可利用车子运行的振动有意识地一紧一松来刺激手掌；在闲坐时可用手指不停地敲击椅子把手；看电视左右手交换握健身球或健身圈等。只要能活动手指或刺激手掌，均可利用机会进行。

## 三、日常运动健脑“三法”

### （一）做脑保健操

此法是走家棋先生依据我国传统医学文献，结合实践，研究编排的，简便易行，行之有效。具体做法如下：第一节，吐纳运动：双足分开站立，闭目养神，屏除杂念，两臂向上高举，扩胸用鼻吸气，然后双臂放下，稍稍用力由口呼气，如此循环往返8次。第二节，“梳发”运动：即是搓头皮，两手插入头发，从前向后，做梳头动作8次。第三节，揉太阳穴运动：用两手大拇指同时按两侧太阳穴，做旋转操功，先顺时针转12次，然后逆时针转12次。第四节，拿肩运动：先用右手拇指与其余四指对称相合用力于左肩井穴处，着力向上拿提12次，然后再用左手同上法拿提右肩井 12 次。第五节，“干洗脸”运动：即两手摩擦生热后，在面部皮肤上由上往下摩擦 12 次。第六节，“鸣天鼓”运动：两手掌按住左右耳朵，两手食指架在中指上，放在后脑处，轻轻扣打 24 次，然后手掌按住耳孔，再骤然抬开，可连续开闭放响 8 次。在做脑保健操时，自始至终要闭目养神，排除杂念，手指由轻渐重，次数由少逐渐加多。贵在坚持，定收实效。

(二) 多动手指

有关研究证实，手和大脑关系密切，加强手部运动有助于改善大脑的血液循环。俗话说，心灵手巧，是有一定道理的。医学研究证明，手指功能的技巧锻炼可促进思维，健脑益智，预防老年痴呆症。玩健身球、织衣物、做手指操等是健脑益智的好方法。

(三) 按摩头顶

多作头部按摩，可促进大脑血液循环，延缓大脑衰老。十指从发际到发根，由上而下、由下而上做直线按摩；最后，两拇指在太阳穴，用较强的力量做旋转按摩，先顺时针后逆时针。上述按摩，各进行 15 ~ 30 次，早晚各一次。常年坚持，可收到提高智力、养神健脑的效果，对于神经衰弱的患者，更有益处。

## 第五节　老干部如何进行运动锻炼

运动对于增进老干部的身心健康作用是不容置疑的，但不科学地运动往往会给老干部的健康带来损害，因此，老干部进行运动锻炼，必须根据老干部的身体特点科学地进行。

## 一、老年的身体特点及其运动应注意的问题

人到老年，其身体会呈现出老年阶段的一般特点。

1. 中枢神经系统。神经传导过程的灵活性降低，兴奋与抑制之间相互转换速度减慢，反射较迟钝，因而记忆减退，神经调节能力较差，反应较迟钝，神经易疲劳，疲劳后恢复也较慢。

2. 心血管系统。老干部心肌萎缩，结缔组织增生，脂肪沉积，因而心肌收缩弱，心脏每收缩一次挤出去的血量减少；动脉管壁弹性减退和发生硬化，管腔变窄、尤其小动脉血流阻力加大，使动脉血压升高，心脏负担增加。所以，老干部对体力负荷的能力明显减退。当进行较剧烈的活动时，心跳与血压剧增，从而使老干部心脏更易疲劳，也容易出现意外。

3. 呼吸系统。肺组织纤维结缔组织增多，弹性降低，肺泡萎缩，呼吸肌力量减退、胸廓的活动度减少，肺活量减小，吸入的氧气减少。

4. 运动系统。骨骼中的矿物质成分增多、骨软骨发生纤维性变化或钙化，关节、韧带弹性减退，关节活动度相对变小，肌力和弹性降低。因此，易发生骨折、骨关节病和出现畸形，如：驼背、脊柱侧弯等。运动装置的损伤和劳损现象较易发生。

鉴于上述身体特点，老干部在进行运动时，应注意以下的问题。

首先，要选择使整个身体都参加的活动，不宜采用只使某一肢体或器官局部负荷过重的运动。其次，要避免采用快速的、动作变化多或变化突然或过猛烈的负荷较重的运动，如：短跑、竞争剧烈的球类、举重等。再次，要避免身体骤然前倾、后仰、

甩头、低头、旋转等动作，如：掷铁饼或做器械操等。最后，应尽量避免憋气和过分使劲的动作。老干部最适宜的运动项目应是耐力性运动和一般的做操、打拳等。

## 二、最适宜老干部的运动项目

### （一）走路

这是使人养成运动习惯最容易、最简单的锻炼方式。距离、速度是多少，可因人、因时、因地而异。最好每天能有半至1小时步行；速度方面可从3公里/小时（60米/分）左右开始，递增至4公里/小时（70米/分），最后达到5公里/小时（90米/分）左右。走路时，上肢摆动与下肢跨步要配合好。

### （二）跑步

耐力性长跑对老干部很适宜，对心肺功能提高有较大好处。目前，国内、国外人们用长跑来防治冠心病、高血压的很盛行，也取得了良好效果。走路的加速，必然导致跑步，其速度开始为90~100步/分，逐渐增到120~130步/分左右；时间，开始每天跑10~15分钟，然后逐渐增至半小时左右；距离，开始1~2公里，逐渐增至3公里以上或感到轻度疲劳。跑步运动量，一般以心率120~130次/分或不超过180减去年龄数为宜。

### （三）游泳

对心肺功能的提高和关节活动的改善有益。以放松性游泳最好，不可进行潜泳和跳水。

### （四）划船

扩胸功效很好，有助于增强上肢和躯干肌肉，提高心肺功能。以每小时3公里（50米/分）左右的速率为宜。

（五）滑雪

也可选用。每小时6公里（100米/分）左右速率为宜。

（六）太极拳

这是极好的老年运动项目，深受群众喜爱。八段锦、易筋经、五禽戏、保健按摩、练功十八法等动作缓慢，活动全面，对提高关节与肌肉活动能力作用较大。

（七）其他

舞剑、广播体操、医疗体操、乒乓球、羽毛球、爬山、骑自行车旅行等，均可作为老干部体育锻炼的选择项目。

## 三、老干部运动负荷的自我监控

可供选择的运动项目五花八门。最主要的是应掌握合适的运动负荷量。任何运动，负荷量太小，很难产生理想的锻炼效果。而负荷量过大，又会产生种种弊端，特别是老干部容易发生运动伤害，甚至危及生命。

有关专家推荐将心率变化作为最佳运动负荷量的自我医学监督指标。心率即心跳次数，通过每分钟脉搏数可以测量。这里有两个名词，一是“基础心率”，是指安静状态下的心率；另一个是“运动心率”，指运动刚刚结束时的心率。运动实验业已证实，心率能敏感地反映身体的运动负荷水平。运动量增大，心率有规律地增加。在进行最大量（极限量）运动时，测得的最大运动心率可达每分钟200次以上。但老干部心脏代偿能力下降，运动耐量也下降，运动时心率变化与青年人有所不同。据研究，成年人的最大运动心率=220－年龄数。但为了安全起见，即使在实验室中，老干部运动所允许的最大心率只要求达到上述计算值的70%～85%。

有许多科学方法可以测量每个人的最大运动心率。但对于老干部来说，这既不方便，也无必要。况且实际生活中，老干部参加的不是竞赛性运动，而是一般的健身运动。不需要也不应该达到最大运动心率。我们发现，按运动心率可以将运动负荷程度分为大、中、小三种。老干部的运动应限制在中度以下。据观察，在进行中、小运动量锻炼时，运动心率比基础心率增加 30% ~ 50%，一般不超过每分钟 110 次。因此，老干部在进行锻炼时，心率应限制在这个范围之内。由于每个人的基础心率并不相同，最好算一下自己合适的运动心率范围。这样计算出来的运动心率是否恰当呢？还有一个可供检验的方法，这就是当运动结束 5 ~ 10 分钟后，如果心率可以恢复到基础心率，那么这样的运动负荷是合适的。于是，根据运动时基础心率的增加数和运动后心率恢复正常的时间，就可以方便地对运动负荷量进行自我医学监督。从道理上讲，过小过大的运动负荷都应注意调整。这样才会取得满意的锻炼效果。

使用这种方法还可以观察比较自己的锻炼效果。如果开始时你慢跑 1 000 米后心率增加 30 次，休息 8 分钟后心率恢复正常，而现在跑完后心率只增加 20 次，休息 5 ~ 6 分钟后就可恢复。很明显，这表明你的心脏功能已经提高。

运动是一个复杂的生理过程。每个人应结合自己的情况量力而行。进行运动负荷的自我监督，还应联系自己的感觉、饮食、睡眠等情况。这就叫作“整体规划，综合治理”。有条件者最好定期检查身体。有器质性疾病的人最好由医生根据每个人的实际情况开“运动处方”。自然这是另外一个问题了。

第六章

# 老干部的饮食与保健

- 科学饮食有利于益智长寿
- 老干部的饮食与“情感”调节
- 饮食对老年性疾病的防治
- 饮食对老年性功能的调节

# 第一节　科学饮食有利于益智长寿

## 一、饮食能影响人的精神状态

人的生理与心理是相互联系相互影响的，所以通过调节饮食可以调节人的情绪、性格和精神状态，从而促进身心保健。例如：根据一项新发表的研究，饮食有可能改变人的情绪，譬如巧克力和咖啡因可能使人更加情绪沮丧，而香蕉则可能改善心情。

心理健康慈善机构 MIND 进行的调查表示，虽然某些食物可能吃了很快可以令人感到精神愉快，可是却有更长期的负面影响。

这个机构调查受到沮丧、焦虑、恐惧症、饮食失调症和精神分裂症等问题困扰的人，其中约有 1/3 的人表示，糖类食品可以改进他们的心情，但有许多人也同时表示，这种效果很短暂。

几乎 1/4 的人表示，糖类食物对他们长期的心理健康负面影响最大，其中一半人特别指出巧克力为其“祸首”。在 550 名受访者当中，也有 10%以上的人表示咖啡因对他们心理造成不好的影响。

这些调查和研究表明，饮食确能影响人的精神状态。

## 二、老干部保健应先从饮食入手

老干部健康面对的最大敌人是衰老。随着年龄的增长，胃肠功能减退，高血压、动脉硬化、骨质疏松和各种代谢障碍的发病率显著增加，这种以机体代谢减弱和机能失调为主要标志的病体现象，实质是长期不合理饮食习惯、营养失衡所造成的。

人到老年以后，容易发胖，但中国有句古话："千金难买老来瘦"，这是说老干部宜瘦不宜胖，瘦些更有利于健康。现代医学研究证明了它的科学性：肥胖的人比瘦人容易发生代谢性疾病及心血管疾病。例如，胖人糖尿病、动脉硬化性心脏病的患病率分别为瘦人的6.5倍和2倍。为了防止老干部脂肪组织增加，引起肥胖，除加强体育锻炼外，更应从饮食上加以控制。饮食以清淡素食为主，荤食重油为辅；饮食节制，勿暴饮暴食或过饥过饱；少食多餐，定时定量，饭后散步，加强消化吸收等，这些都有利于老干部预防肥胖，减少发病机率。

我国最早的医学著作《黄帝内经》上讲："五谷为养，五果为助，五畜为益，五菜为充。"可见以小麦、大米为代表的五谷是我国饮食的主要成分。对于我国老干部来说，米、面食构成的碳水化合物约占总摄入热能的60%左右。因此，控制碳水化合物的摄入量可以减少体内热能摄入，应严格控制主食的摄入量，特别是减少那些仅能产生热能而无其他营养价值，如食糖、酒类、动物脂肪等。长期以来，我国菜肴烹调过程中，食物过咸，大量钠离子在体内过剩，而引起血管收缩、血压过高，造成脑血管障碍。因此，营养专家建议老干部每日进食食盐的量最好在10g以下。

日本营养专家研究本国长寿人群后，将长寿秘诀归功于大豆及其制品，因为大豆的营养素全面且丰富，蛋白质、脂肪含量丰富。在人体衰老过程中，体内蛋白质的分解代谢超过了蛋白质的合成，当膳食中蛋白质不足时，易出现负氮平衡。蛋白质营养不良会使血红蛋白合成减少，引起老年性贫血，所以蛋白质的摄入是必不可少的。过去我们补充蛋白质多是通过鸡蛋、肉类等动物性蛋白质，因动物性蛋白质中含有胆固醇等物质，在摄入量不当时，反而增加老干部肝脏、肾脏的负荷，现在不少老干部患有脂肪肝、痛风病，都与此有关。而大豆蛋白质中除富含人体不能合成的八种必需氨基酸外，大豆脂肪还含有人体必需的不饱和脂肪酸，并且不含胆固醇，只含少量的豆固醇，可以起到抑制机体吸收动物食品所含胆固醇的作用。因此，在膳食中多选用大豆及大豆制品原料（如豆腐、豆浆等）不仅有营养而且经济实惠。

西方有句健康格言："每餐一个水果，医生不找我。"因为水果中丰富的维生素可以起到平衡营养、促进新陈代谢、调节生理机能、增强抗病能力、延缓衰老过程的作用。多食用新鲜蔬菜、胡萝卜、各类多汁性水果对于防治骨质疏松症、消化不良、老年斑生成、血管硬化以及肿瘤和癌变都有显著效果。通过水果、蔬菜进行饮食调节是目前看来更经济、有效的抗衰老方法。

由于老干部牙齿、肠胃等消化器官能力逐渐降低，因此在烹调选料上要多种食物合理搭配。选择含胆固醇和饱和性脂肪酸少的动物性食物，如瘦肉、鱼肉、乳类、动物血等；选用含不饱和脂肪酸较高的花生油、豆油等植物油；选择含无机盐、维生素、膳食纤维丰富的新鲜蔬菜、水果及各种杂粮。为了防治老年性疾病，特别应注意选择大豆、豆类及其制品，这些是最适合老干部的食物。

不仅要注意选择老干部的膳食品种，更应选择合理的烹调方法，提高食物的消化吸收率。在加工烹调过程中，应最大限度地保护和利用食物中的营养素。制作主食时，应当根据粮豆混食、荤素搭配、软稀为主、粗粮细作的原则，采取多种烹调加工方法，用单一的原料制作出变化多样的主副食品种，如馄饨、包子、发糕等小吃、面点。在制作菜肴时，采用不同烹调方法，做到一菜多样多味，既要易消化吸收，又要有一定的色香味形。这些做法不但兼顾老干部健康的营养需求，而且简单易做，适合于家庭制作。

## 三、长期饱食会影响智力水平

饱食不仅会引起肥胖，导致高血压、糖尿病的发生，而且能损害人的中枢神经，从而影响智力。

近年来，不少学者研究证实，长期饱食容易引起记忆力下降、注意力不集中。有些国家的研究者不发现，大约有30%～40%的老年性痴呆病人，在他们的青年或壮年时期，多形体肥胖。

日本一专家研究发现，经常饱餐，尤其是晚餐吃得过饱，而且爱吃过甜、过咸食物的人，因摄入的总热量远远超过肌体的需要，会引起一种叫“纤维芽细胞生长因子”的物质明显增加。这种“纤维芽细胞生长因子”能够使毛细血管内皮细胞和脂肪细胞增生，促使动脉粥样硬化的发生。倘若长期饱食，大脑内的生长因子增加，就会导致脑血管硬化，供给大脑的氧和营养物质减少，使人记忆力下降，思维迟钝，注意力不集中，出现大量早衰和智力迟钝。

此外，进食过量，会使身体里的大量血液调集到胃肠道，以供胃肠蠕动和分泌消化液的需要，大脑供血相对不足。人的大脑活动方式是兴奋与抑制相互制约的，若主管胃肠消化的神经中枢——植物神经长时间兴奋，其大脑的相应区域也就会同样兴奋，这就必然引起语言、思维、记忆、想象等区域的限制，会出现“大脑不管用”的现象，智力也变得越来越差。所以人们常说饱食终日，无所用心。因此，老干部要想保持良好的心智水平，应适当节制饮食，防止吃得太多。

## 四、加强大脑营养，可提高思维能力

人有两件宝，双手和大脑。大脑是思维的器官、心理健康的物质基础。如果一个人大脑机能衰退，精神恍惚，思维阻滞，记忆力下降，心理保健也就失去了前提和基础。因此，心理健康要从防止大脑衰老做起，时时注意营养自己的大脑。有关研究发现，营养大脑可以提高人的思维能力。

过去人们认为，大脑神经细胞即神经元是不会增加的，但这种看法两年前已经被否定了。事实证明，在一定的条件下，脑细胞的确可以增加。

事实上，很多著名科学家都是在50至60岁才有重大发明的，而大部分作家的名著也是在60岁左右撰写的。那种认为大脑每天会损失1万个神经细胞的看法也被否定了。现在很明确，只要经常用脑和加强大脑营养，大脑不但不会退化，而且会随着年龄的增长而增加神经元的数量。

大脑是在白天从血液中摄取的葡萄糖中获得能量的。血液中葡萄糖含量的稳定，对大脑的正常运转是至关重要的。这种葡萄糖的稳定是在摄入高蛋白的牛奶、奶酪、鸡肉等等后获得的，尤其是早晨，在每天上午5时至9时，促进蛋白质转变为葡萄糖的激素会增加。因此，在你醒来后所吸收的蛋白质，将会在整整一天的时间里为你的学习和记忆提供必要的葡萄糖。

另外，高蛋白会在大脑中增加去甲肾上腺素和天门冬氨酸酶的合成，而这两种物质都是注意力、分析力和精神集中的基本中介。相反，面包、饼干及其他碳水化合物或糖，会在大脑中增加血清素的合成，从而造成困倦、恍惚和精神及记忆力不集中。

太过简单或只有面粉的早餐（面包、果酱、加糖的咖啡和橙汁）会使血糖在上午大量减少，这会直接影响到大脑。因此大脑不得不立即激活自己的警报系统以便获得“燃料”。于是，大脑开始启动破坏肌肉组织和其他体内蛋白质的机制，以便获得血糖的稳定。

很显然，在这一过程中，大脑的集中力、学习能力和记忆力都会明显降低。

大脑的活动能力一般都是随着年龄的增长而增长，但这只有在把血液、氧气和各种养料带给大脑的主动脉不受损的情况下才会如此。

各种堵塞动脉的因素都会造成大脑活动能力的下降，其中记忆力受到的破坏最为严重。

## 五、高脂肪饮食伤大脑

人们通常认为高脂饮食会使人发胖，现在发现，高脂饮食在使人体重增加的同时，还会造成大脑的伤害，影响人的记忆力。

加拿大的研究人员以含有40%的动植物脂肪和60%的一般啮齿动物常吃的食物喂养小老鼠，然后研究者训练老鼠完成一项简单的记忆任务——压杠杆。

研究人员发现，无论是用高动物脂肪还是高植物脂肪饲料喂养的老鼠与其他营养不良的老鼠的表现相比，都相差许多。

多伦多的贝克雷斯特老年保健中心的戈登·温诺克尔在接受

采访时说："几乎从所有角度来看，高脂饮食都对老鼠的表现产生不利影响。这些老鼠受伤害的程度非常明显。"

他认为，高脂肪会妨碍大脑吸收葡萄糖，这可能是因为它干扰了决定血液中糖含量的胰岛素的分泌。高脂食品经常导致胰岛素分泌不足。某些患有糖尿病的成年人通常很胖，他们的记忆力也有问题。

根据上述研究，老干部为了健脑益智，尤其要注意限制高脂饮食。

## 六、吃鱼可健脑防病

吃鱼可以健脑防病，主要是鱼肉中会有一种特殊物质——DHA。

DHA 是廿二碳六烯酸——Docosa Hexaenoic Acid 的缩写。它是大脑营养必不可少的一种高度不饱和脂肪酸，对大脑细胞，特别是脑神经传导和突触的生长、发育有着极为重要的作用。成熟的哺乳动物大脑脂质的 10%是 DHA。有人做过这样的实验：用沙丁鱼（含 DHA）喂饲的老鼠很快到达目的地；而同样条件下用棕榈油（不含 DHA）喂饲的老鼠就很难快速地找到通往目的地的道路。这说明 DHA 对于搜寻能力、判断力、集中力和嗅觉都有重要作用。还有许多动物实验，如敏捷实验、迷宫实验和电击实验等，都证明 DHA 有健脑作用。

DHA 被人们誉为"脑黄金"。进一步研究发现，DHA 不仅有改善大脑机能、提高记忆力等健脑作用，而且具有降低血糖、防治冠心病、消除血管壁上的瘤斑、防止血栓形成、减少动脉硬化等心脑血管疾病的发生以及抑制炎症、抑制癌症的效果。

目前人工提取的 DHA 已广泛用于健康食品中。获取大量的

DHA唯一的方法是从鱼中提取。因为其他动物性脂肪和植物性脂肪中，DHA的含量极少，而鱼的脂肪（特别是眼眶脂肪）中含有丰富的DHA。所以就我国目前的状况看，为减少疾病，延长生命，获取足够的DHA，最直接、最简便的方法就是多吃鱼。

DHA含量较为丰富的鱼有鲐鱼、沙丁鱼、金枪鱼、鳗鱼、鲨鱼、带鱼等。只要经常吃鱼，多摄取DHA，大脑中的DHA值升高，就会活化大脑神经细胞，改善大脑机能，减少疾病，延长生命。而且鱼对人的身体健康好处很多，其蛋白质中结缔组织纤维比较少，较陆生动物蛋白更易于被人体充分吸收，海产鱼还富含碘、钾、钙、镁、钠、磷及维生素A、B、D和E，有很高的药用价值。因此，为了健脑防病，应当多吃鱼。

## 第二节　老干部的饮食与“情感”调节

### 一、多吃鱼可防抑郁症

吃鱼能使人快乐吗？这听起来可能有点不可思议，但事实却证明了这一点。

在芬兰进行的大范围研究发现，每周吃鱼不到一次的人比吃鱼次数多的人罹患轻微或严重抑郁症的可能性高31%。

芬兰库奥皮奥大学精神病学专家安蒂·坦斯卡宁博士对这一现象进行了深入的研究，认为这可能是因为鱼类含有奥米伽-3多不饱和脂肪酸，即PUFA，但是现在就建议人们吃鱼或服用PUFA以预防抑郁症还为时过早。

坦斯卡宁在美国精神病学协会的年会上介绍了他的研究

【神欢体自轻，意欲凌风翔。】

——韦应物

【神欢体自轻，意欲凌风翔。】

——韦应物

成果。

从统计学角度来看，这项研究结果只对女性有重要意义。但是坦斯卡宁认为，这项研究结果对男性也同样有意义。

这项研究总共从芬兰的 4 个地区随机调查了 3204 名成年人。被调查者填写了测试抑郁症征兆，并说明隔多长时间吃一次鱼的标准问卷。

约有 30%的被调查者每周吃鱼不到一次，他们被归为“不常吃鱼”的一类，全体被调查者中有 28%的人有轻微或比较严重的抑郁症状，其中多数人属于轻微的一类。总之，这项研究表明：多吃鱼可改善人的情绪，有助于预防抑郁症的发生。

## 二、可改善人脾气与性格的食物

俗话讲，江山易改，秉性难移。说的是人的脾气、性格与生俱来，不易改变。但任何事情都不是绝对的。现在发现，人们每天所吃的食物，对脑部都有着相当直接的作用。以致会影响人的脾气与性格。

美国科学家指出，在摄取碳水化合物后，可以提高脑部一种氨基酸的含量，从而使人感觉松弛、平静。实际上，这种氨基酸在油煎食物中含量最高，假使一个人已经觉得无精打采了，如果再吃了油煎饼，便会昏昏欲睡。研究证明，高碳水化合物饮食会使人的活动迟缓，注意力难以集中。

哈佛大学的一位博士发现，成年人在摄取高糖分点心后，对于简单的语言测验都会觉得困难重重。此种衰退现象对 40 岁以上者尤为显著。试验时，女性的反应更为明显，而男性则仅仅有平静的感觉。这从某种程度上也说明，摄取高糖分食物可以有效地缓和失眠症。

印度的一些医生仔细地研究了不同食物对人的影响，他们通过对 250 名接受试验的人员进行长期观察研究得出如下结论：在每天食用荤菜的人中，有 85%脾气暴躁，易动肝火，缺乏忍让精神；而每天坚持吃素的人中，90%性情比较温和，与别人容易相处。一般来说，素食者寿命较长，他们的抗病能力也较强，患癌症和心血管病的危险性也较少。

随着研究的进一步深入，心理学家与社会学家又提出了食物可以影响人的性格的新见解。如情绪不稳定者，往往是酸性食物摄入过量，缺乏维生素 B 与 C 的缘故；优柔寡断者，可能是缺乏氨基酸和维生素的问题；经常焦虑不安者，大多喜食咸食，早晚餐常缺一顿，进食速度过快，且离不开咖啡等刺激性饮料；依赖性较重者，常是因糖分吃得过多所致；整天喋喋不休者，多是由于大脑长期缺乏维生素 $B_1$ 造成的；做事虎头蛇尾者，往往与缺乏维生素 A 和 C 有关；固执者，常因嗜食肉类及高脂食物，使血中尿酸偏高所致。因此，专家们建议不同性格的人，可以有的放矢地选择一些相应的食物来改善自己。

(一) 情绪烦躁、焦急不安、失眠健忘者

应多吃含钙、磷丰富的食物，如多食大豆、牛奶、鲜橙、牡蛎、花生、菠菜、栗子、葡萄、鸡、土豆、蛋类。维生素 $B_1$、$B_2$、$B_3$、C 等不可缺少，并要多吃些动物性蛋白质。只是烹调时注意清淡一些，不可口味太重。维生素 B 族含量丰富的食物有啤酒、牛奶、蜂蜜、肝、瘦肉、豆类、蔬菜、鱼、麦片等。

(二) 脾气暴躁、情绪易怒者

应多食含钙的食物。如虾、贝、海带、蟹、豆类、牛奶、桂圆、干核桃仁、蘑菇等。同时多吃些含维生素 B 丰富的食物，如大蒜、油菜、土豆、茄子、南瓜、黄花菜、莲藕、鲢鱼、草鱼、鲲鱼、豆芽、香蕉、苹果、玉米等。

（三）整日喋喋不休、爱唠叨者

应补给复合维生素 B。如牛奶、蜂蜜调匀，天天饮用，另多食动物瘦肉、粗面粉、麦芽糖、豆类等。

（四）胆小怕事、怯懦、不善交际者

可经常服用蜜加果汁，少饮酒，多食碱性食物和含钙丰富的食物。

（五）做事丢三落四、粗心大意者

应增加饮食中的果蔬数量，减少摄入肉类，少食酸性食物，可多吃辣椒、鱼干、笋干、牛奶等。

（六）优柔寡断的人

要建立以肉类为中心的饮食习惯，同时食用水果、蔬菜，特别要多吃含维生素 A、B、C 丰富的食物。这样才有助于增强判断力，以及养成自立、积极的个性。

（七）消极依赖的人

应适当节制甜食，如蛋糕、可乐、果汁等，多吃含钙和维生素 $B_1$ 较为丰富的猪肉、羊肉、小麦胚芽以及鱼贝类、大豆制品等，这些食物有加强独立性及耐受力的作用。

（八）固执的人

应首先减少食用肉类食物，但可多吃鱼，并尽量吃生鱼片；蔬菜以绿黄色为主，减少盐分摄入量。

（九）以自我为中心的人

应改掉糖分摄取过量的习惯，鱼、肉比现在要多吃一倍以上，多吃绿黄色蔬菜及胡萝卜。

（十）失眠、恐惧、抑郁和健忘的人

可多吃干硬果和甲壳动物肉；精神紧张、疲乏、无精打采的人，不妨多吃些柠檬、生菜、土豆，带麦麸的面包和燕麦等。

（十一）不善交际的人

最好多吃些蜜糖和果汁，也可少量饮酒。

## 三、能调节人们“情感”的食物

人们的情感源于精神的范畴，是由人的主观意识决定的。可是近年来通过研究发现，一些瓜果蔬菜能有效地调节人的感情状况，这恐怕也是“物质决定精神”的一种体现吧。

阿根廷《健康》月刊于 2002 年 7 月发表了一篇文章，题目是：《瓜果蔬菜是对付情感危机的良药》（作者洛拉·圣埃利亚），其主要内容如下。

莴苣能抚平失恋的伤痛，西瓜有助于克服挫败感，鳄梨能给人以幸福感，这些都是专家们在“情感药方”里建议的一些“新药”，瓜果蔬菜除了食用价值以外，还可以治愈情感危机。

尽管有些人可能会把这当作玩笑，但越来越多的研究人员认为，西瓜、香蕉和鳄梨等水果是情感受挫或人际关系和工作受到影响时有效的解毒药。

专家指出，蔬菜对维生素缺乏症和情感危机都具有预防和治疗作用。

我们知道，协调人体运动的大脑神经传输系统与饮食有密切关系，研究表明，营养成分能够对大脑活动产生深刻的影响。

营养学家们认为，工业国家的饮食结构缺乏许多营养成分，是造成情绪低落的主要因素。当情绪出现抑郁倾向时，除了遵从医生的处方以外，还应该在饮食中加入更多的营养。

新药专家推荐，当你感到爱恨交加的时候，菊苣是很好的平衡剂，帮你安抚失望的心灵。

西瓜是失败者和有心理障碍的人首选的水果，木瓜适用于那些丧失信心、暴躁易怒的人，而对自己的真实情况不满意，总幻想自己是另外一副模样，因此而郁郁寡欢的人，应该多吃鳄梨。

酸味水果富含维生素C，是虚弱乏力时的良药，它可以治愈“情伤”和服丧期间、被抛弃和失落时的情感伤痛。

无花果和柿子是青少年在寻求自我的过程中需要的理想水果，萝卜能使人打起精神，卷心菜可以治疗多愁善感。

人紧张的时候会消耗更多的维生素C、锌、镁和铬，要补充这些元素，可多吃卷心菜，酸味水果、红椒、胡萝卜和芹菜等。

要解决情感问题，专家们建议常吃三种简单而重要的蔬菜：西红柿、土豆和茄子。它们能帮助你承受生活的重担，消除感情破裂后的孤独感。

专家还根据颜色来划分水果蔬菜的疗效。例如黄色给人安全感、提高创造力；红色是力量的颜色，可治疗冷漠和忧郁；绿色可以平息激动情绪；白色是调节心情的灵丹妙药。

水果蔬菜不仅能治愈情感危机，还有美容的功效。草莓、菠萝、猕猴桃、洋蓟和芦笋具有抗蜂窝织炎的作用。专家认为，蜂窝织炎不仅是脂肪过多引起，还有组织发炎的因素。因此，要治疗蜂窝织炎，光减少热量不行，还要选择适当的食品，最佳选择是富含钾元素的水果和蔬菜，每天至少要喝2升水，食物中少放盐。

此外，每顿饭都应该有蛋白质丰富的食品、乳制品（酸奶、鲜奶或奶酪）、肉或鱼。建议少吃煎炸食品，多吃蒸煮食品。

## 四、能促进人心情开朗的几种食物

现代人生活压力大，很多人情绪不稳或脾气暴躁，利用药物调节，又有众多的副作用，且效果也不一定好，多项研究证实，有些食物具有使人情绪稳定、心情开朗的作用。现介绍有关专家推荐的几种开心食物，让你天天开开心心。

（一）西柚提神

维生素C可以增强身体抵抗力而且还可以增强人的抵抗压力水平。一般水果如奇异果、橙等都含有丰富的维生素C，而柚比其他水果优胜的是，它还有一种独特的香味，有提神作用，令人精神振奋。食法：每日吃一个西柚是最理想的。不过抛开香味这一点，奇异果、橙或番石榴亦是很好的代替品。

（二）全麦面包镇定情绪

人进食后血糖会上升，体内随即分泌胰岛素使血糖回落，血糖的大起大落会令人感到疲倦及情绪波动，而高纤维的全麦面包含有复合性碳水化合物，比吃白米饭、白面包或粉面类需要更长时间去消化，可减低血糖大幅度的起落，防止情绪波动。食法：最好早餐吃一个全麦面包，不过应在午餐进食白米饭时把分量减半，以免吃得太饱。

（三）菠菜轻松心情

菠菜含有丰富的铁质，可使血液健康，令人变得强壮。另外，菠菜含有叶酸，缺乏叶酸会导致贫血及精神紧张，所以多吃菠菜会令你心情大好。食法：菠菜最好用来做炒菜，因为煮后会使菠菜的叶酸流失。一周可吃3～4次菠菜。

（四）大蒜杀菌又醒神

德国有一项研究发现，食大蒜的人会比较精神又不容易发怒。专家解释，大蒜有杀菌及防止细菌生长的作用，亦可刺激嗅觉及神经，所以有健脑提神之功效。食法：每餐生吃 1～2 粒蒜子，有杀菌功效。

（五）牛奶放松肌肉、愉悦情绪

一般人失眠时喜欢喝一杯热牛奶，原因在于牛奶含有钙和氨基酸。钙有放松肌肉的作用，而氨基酸则有镇静作用，两种物质都会令人轻松安定，心情愉快。食法：每日喝 250 毫升的牛奶，人体就可以吸收足够钙质，或配合蔬果一并进食，因纤维有助于加强吸收，效果更佳。

（六）樱桃舒缓紧张

研究发现，樱桃中有种叫做花青的物质，功效跟阿司匹林相似。有科学家认为，吃 20 粒樱桃比吃阿斯匹林更有效。除了可止痛外，还有促进血液循环作用，的确可以使人精神。另外，它酸甜的味道还有助于刺激神经，令你醒神。食法：每日吃 20～50 克左右，当作饭后水果亦是不错的选择。

（七）香蕉使人镇静

香蕉含有一种物质叫生物碱，可以振奋精神，香蕉本身还含有丰富的维生素 $B_6$，而 $B_6$ 有镇静及放松心情的功效。所以，医生建议因月经而产生情绪不稳的女士们多吃富含维生素 $B_6$ 的食物，即可镇静及放松紧张的情绪。食法：每日吃一只香蕉可起到平复情绪的作用。

# 第三节　饮食对老年性疾病的防治

## 一、老年痴呆症的饮食预防

老年性痴呆症是一种老干部易发的病，临床表现最初多从健忘开始，然后性格改变——自私、暴躁、缄默，最后发展到痴呆，生活难以自理，以致卧床不起。

此症基本上可以分为两种类型：一为多发性脑血管阻塞型痴呆，在患者中约占 33.3%；一为阿兹海默型痴呆，约占 36.3%。前者发病较快，后者起病缓慢。此外，还有混合型约占 19.5%，其他原因所引起的痴呆病约占 10.9%（如多种原因引起的脑萎缩、顽固性癫痫后期形成的痴呆等）。

脑血管性痴呆源于脑动脉硬化，小动脉血栓形成，出现梗塞灶，导致部分脑组织缺血，神经细胞变性坏死。而梗塞灶呈多发性，由此引起病人的智力减退和性格改变。

阿兹海默型痴呆的起因迄今不明。近据日本人研究资料报告：近代日本人由其传统饮食改吃西洋饮食以来，阿兹海默型痴呆日益增多（由 25%增至 50%）。学者们认为，这可能与饮食改变密切相关，所以预防此病应从饮食防治入手。

据研究判定，不管脑血管型痴呆，还是阿兹海默型痴呆，皆与体内自由基形成与存在有密切关系。而现代医学科学已反复证明，清除自由基的有效方法为抗氧化营养。

因此，预防老年痴呆症，从中青年开始就应注意加强抗氧化营养，即多食含维生素 C、维生素 E、胡萝卜素及富含微量元素硒的食品。

含维生素C较多的食物如绿花椰菜、柑橘、柚子汁、香瓜、鲜枣等水果；含维生素E较多的食物如生麦芽、葵花子油、甜杏仁等；含 β－胡萝卜素多的食品如胡萝卜、甘蓝、菠菜等；含硒较多的食品如卷心菜、洋葱、海鲜等。

延缓脑力衰退的酶是过氧化物酶，因为它能对抗自由基。因此应多食含过氧化酶的食品。这种酶存在于花椰菜、鲜豌豆、紫苜蓿的嫩芽内。此外，菠菜、草莓也有抵抗自由基的作用；宜多食发酵食物，因其中含氧最多。预防老年痴呆，在膳食中应尽量多吃酿造醋。

防老年痴呆尚有一关键物质——胆碱，因为神经细胞传递信息，主要靠乙酰胆碱这种生物化学物质，而豆制品中的卵磷脂进入人体后，就会释放出乙酰胆碱，从而使神经细胞功能得以加强。因此，宜多食豆制品。

## 二、神经衰弱的食疗

下列食物对与治疗神经衰弱具有良好效果。

### （一）冬瓜白鸭肉

取白鸭一只，去毛及内脏，将茯苓、麦冬各30g用纱布包好塞至鸭腹空腔内，然后放进锅中，添足清水，先煮一段时间。再加入冬瓜500g，煮至鸭肉熟透、冬瓜熟烂为止。最后，酌添适量细盐、酱油、味精、小葱等调料。吃鸭肉和冬瓜，喝汤汁，分2～3餐食完。经常如此进食冬瓜白鸭肉，可清热、滋阴、安神。

### （二）鲫鱼糯米粥

每次取鲫鱼1条（剖腹去内脏），糯米60g（洗净），放入锅内，添水后先用大火煮开，再用小火慢熬，直至熬成稠汤粥后酌添细碎生姜和细盐。隔日吃一次，无消化不良之碍。坚持进食此粥，对神经衰弱患者的头昏、眼花、出虚汗等症状，有较好的治疗作用。

（三）杜仲炖公鸡

选黑仔公鸡一只，去毛及内脏、洗净，将杜仲30g塞入公鸡腹腔内，放入瓦锅，加足清水，大火煎开后，下桂皮、八角、茴香、细盐等品，再以文火慢炖，直至鸡肉烂熟。去药吃鸡肉，分2~3餐吃完。每周照此法吃黑公鸡2只，长期坚持，可以治疗神经衰弱和因脾肾阳虚所致的肢冷畏寒、精神疲倦、耳鸣、阳痿、腰痛、小便清频及慢性泄泻等症。

## 三、有助于消除失眠烦恼的食物

失眠是一种常见病，对于老干部，更是一种使人十分烦恼的病症。对付失眠症，除了做到生活有规律，加强体育锻炼，尽量创造一个易于入睡的环境，必要时辅以安眠药物外，多选食一些既有营养滋补作用又能催眠的食物，也是一个很好的办法。同时，催眠食物又无副作用，可收到事半功倍的效果。现根据有关专家推荐，将常用的催眠食物作一简略介绍，供大家选用。

（一）小麦

小麦，性甘微寒，有养心除烦的功效。中医方剂中常用来治失眠的甘麦大枣汤，就是用浮小麦（淘洗时轻浮水面的瘪瘦麦粒）60g，加大枣15个，甘草30g，用水四碗煎成一碗，早晚分两次服，效果极佳。

（二）小米

小米对治疗因胃不和而引起夜寐不安，效果很好。最常见的就是“半夏小米汤”，用小米 9～15g，制半夏 5g，水煎服。

（三）大枣

大枣，味甘性温，为补脾胃要药。对神经衰弱、心烦不寐患者，除在甘麦大枣汤中使用外，尚可单用大枣 30～60g，加白糖少许煎水，每晚临睡前服用，也有很好的效果。

（四）核桃

核桃是一种很好的滋补强壮食物，可用它治神经衰弱、健忘、失眠梦多及食欲不振。用法是将核桃仁配以黑芝麻、桑叶各 50g，共同捣如泥状，制成丸药，每丸三钱，一次一丸，一日两次。

（五）莲肉及莲子心

莲肉及莲子心其养心安神作用在《神农本草经》、《食疗本草》及《本草纲目》等药书中都有记载。若患有心悸怔忡、睡眠不实，并兼有脾胃虚弱、大便溏泄，或妇女腰酸白带较多者，可用莲子(去心)、芡实各二两，加适量的糯米煮粥，熬粥时再加一巴掌大的鲜荷叶盖在水上，粥好后即可食用。若患者心热梦多而失眠，则可单独用莲心 30 个，加盐少许，水煎，每晚睡前服。

（六）桂圆

药用其种核外面的肉质部分，主要有益心脾、补气血、安神定志之功。中医治疗心脾两虚、失眠梦多的著名方剂“归脾丸”，其中就以桂圆肉作为主药。对体虚瘦弱、失眠健忘、惊悸怔忡等症，可用桂圆肉一斤，放在米饭上蒸熟，随意食用。或将桂圆肉 200g，放在一细口瓶中，加入 60 度高粱白酒 8 两，密封瓶口，每日振摇一次，15 天后即可饮用。每次可根据各人的不同情况，服用 10～20ml，1 日 2 次。民间还用桂圆肉炖团鱼，治形体消瘦、阴虚低热、心烦失眠的病人比较适宜。

（七）桑椹

桑椹就是桑树的果穗，味甘性寒，有养血滋阴功效，常用它来治疗阴虚肝阳上亢之眩晕失眠之症。清代《随息居饮食谱》记载："桑椹聪耳明目、安魂镇魄。"可用桑椹15g，水煎常服。也可服用桑椹膏，每次一汤匙，一日2~3次，用温开水或黄酒送服。

（八）牛奶

牛奶也是治疗失眠较理想的食物。科学研究发现，牛奶中含有一种使人产生疲倦感觉的生化物质——色氨酸，这是人体内不可缺少的氨基酸。一般来说，临睡前喝上一杯牛奶，其中的色氨酸含量，足够起到使人安眠的效果；加上牛奶的营养所产生的温饱感，更增强了催眠效果。因此，临睡前喝牛奶可以使人睡得安稳、深沉。由于牛奶的作用是逐渐加强的，下半夜会睡得更香，这对帮助老干部睡眠更有好处。

（九）金针菜

金针菜与瘦猪肉隔水蒸烂，加少许盐，佐餐，有养血安眠之功效。

（十）鲜百合

鲜百合50g，配枣仁15g，蒸烂，加蜂蜜适量，于睡前食用，有清心安神之效。

（十一）葵花子

葵花子含多种氨基酸、维生素，可调节脑细胞新陈代谢，改善大脑神经的抑制功能，有利于睡眠。

（十二）苹果、橘子、香蕉

失眠是由于大脑中枢高度兴奋，难以抑制所致。近年来医学研究发现，失眠时大脑中一种血清素含量减少，因而很难入睡。若在临睡前适量吃一些水果（上述三种的一种均可），则有一定的镇静安静作用。这是因为水果中含有的果糖、苹果酸以及浓郁的芳香味，可诱发机体产生一系列有益的生化反应，生成有助于睡眠的血清素。

## 四、补充某些微量元素有利于睡眠

对失眠的发生机理，过去人们普遍认为是由于长期精神负担过重，忧虑过度，脑力劳动者劳逸结合长期处理不当等因素引起的。现在人们通过研究发现，身体中缺乏微量元素铜，也是导致失眠的发病原因之一。

最近美国医学家曾对400名健康、但睡眠欠佳或长期失眠的女性进行成分分析时发现，这些人血液中的铜和铁含量偏低，但铝含量却偏高。医学家认为，铜与神经系统关系密切，体内缺铜会使神经系统的内抑制过程失调，使内分泌系统处于兴奋状态而导致失眠，久而久之可发生神经衰弱、长期失眠。

根据上述原因，美国医学专家建议失眠的人多补充富含铜元素食物，多食常食以下含铜较丰富的食物，就会改变失眠症状，至少对失眠者有作用。富含铜微量元素的食物有：乌贼、鱿鱼、章鱼、蛤蜊、淡菜、河蚌、田螺、泥螺、蟹、虾、泥鳅、黄鳝、羊肉、肝、肾、蘑菇、黑木耳以及豌豆、蚕豆、玉米及其豆制品，等等。

## 五、老干部失眠患者的药粥调养

很多老干部主要依靠药物对付失眠，长期使用，有一定的副作用。而通过药粥进行调理，既可收到治疗效果，又可避免副作用。下面介绍几方调理失眠的药粥，患者可根据自己的情况选用。

### （一）百合粥

先将百合剥皮去须，洗净切碎。每次取百合 30g（干百合碾粉取 20g，粥成和入），糯米 50g，加水 400ml，同入砂锅内，煮至米烂汤稠，加冰糖适量，早晚分食；20 天为一疗程。

百合味甘而微寒，润肺清心，止咳安神；糯米滋养肺胃。合两为粥，肺气得润，是滋肺养胃、清心安神的良好药粥。对肺燥咳嗽、虚烦心悸、失眠多梦有一定治疗作用。

### （二）磁石粥

将磁石（中药店有售）打碎，取 30～60g 放于砂锅内，加水 300ml，猛火煎一小时，滤汁去渣。入粳米 100g，加水至 800ml，煮成稠粥，每晚睡前温服。

磁石质重性寒，主要用于肾虚肝旺之症。与米煮粥，对老年性肾虚肝旺的头晕目眩、心悸失眠治疗效果较好。

### （三）酸枣仁粥

每次取酸枣仁 30g，捣碎，用纱布袋包扎好；另取粳米 50 克，同入砂锅内，加水 500ml，煮至米烂汤稠后停火。去掉纱布袋，加红糖适量，盖紧锅盖焖 5 分钟后再服食。每晚临睡前一小时温热服用。

酸枣仁味酸微甘，养心益肝，为治疗虚烦不眠的良药。加糖适量与米为粥，酸甜爽口，安神而宁心，收敛而止汗，故对心悸、失眠、虚汗有很好的疗效。

（四）夜交藤粥

每次取夜交藤60g（去残叶），用温水浸泡片刻，加清水500ml，煎煮15分钟后去渣。在约300ml的药汁内，加粳米50g，白糖适量，大枣5枚，再加水200ml，煮至米烂粥稠，停火焖5分钟即可。每晚睡前一小时趁热服食，连服10天为一疗程。

夜交藤性味甘平，与粳米为粥，养心益气，安神催眠，且无任何毒副作用和不良反应。顽固性失眠、神经衰弱者长期服用颇有益处。

## 六、癔病的饮食疗法

癔病是由于精神刺激（如气愤、惊恐、委屈、悲伤等）引起的一种神经、精神障碍。在现代医学中属于精神病范围。中医则归入“郁症”、“脏躁病”之类。其主要症状为：悲伤欲哭，呵欠频作，心中烦乱，寝寐不安。呈阵发性发作，缓解后一切如常。可用下法调养。

（一）甘麦大枣汤

制备与服法：小麦60g，大枣14枚，甘草20g。先将小麦以水浸软碾碎，大枣洗净浸泡，入甘草共煮1小时，去甘草，吃枣喝汤，每日1~2次。

又：甘麦大枣粥：小麦100g，浸软压片；大枣14枚；甘草20g，纱布包，加水适量，共煮粥食。

方义与功效：由于脏躁病多因郁怒伤肝，或思虑过度心脾受损，阴血内耗，浮火妄动，上扰心神，悲伤欲哭，不能自主。故此病虽属虚证不宜大补，虽有虚火不宜苦降。今用大枣补虚益血，小麦益心益气，甘草甘平润燥。药虽平凡，其养心安神功效显著。

心悸失眠者，可加龙骨、牡蛎、枣仁；胸闷气阴阻，自感咽中堵塞者加半夏、厚补。

宜忌：此方久服无所禁忌。

(二) 红黄安神羹

制备与服法：新鲜鸡蛋2枚，灯芯草9g，朱砂3g（研粉）。先将灯芯草放入砂锅，加水100ml，用文火煎煮30分钟，滤汁入碗内，加蛋黄及朱砂粉拌匀，隔水蒸后服用，每晚1次，7次为1疗程。

方义与功效：灯芯草甘淡，微寒，入心、肺、小肠，能清心除烦，清热利水，主要作用是清降心火，引热下行；朱砂味甘，微寒，入心经，能镇静安神，用于心血不足，心火偏胜引起的烦躁不眠；鸡子内养阴安神。此方对癔病心神不安、烦躁不眠者有显效。

宜忌：朱砂含硫化汞，多服、久服易积蓄中毒，但此方在安全量以下，7日1疗程，不可常服。

癔病患者的日常饮食：癔病主要由于郁怒忧思、心脾受损、阳血内耗、浮火妄动引起。因此，病人除应避免精神刺激，保持心情舒畅外，日常饮食应注意多吃些滋补阴血、养心安神的食物。主食如麦片、粳米，副食如瘦肉、猪心、猪肝、鸡鸭、蛋类，滋补品如龙眼、大枣、银耳、百合、莲子、蜂蜜等。

应忌用刺激性调料和耗阴伤气的食物。

# 第四节 饮食对老年性功能的调节

## 一、有助于男子兴奋性神经，增强性功能的食物

人的衰老使性神经兴奋度下降，性功能也逐渐减退。男性的性功能包括性欲、阴茎的勃起、性交、性高潮、射精等5个环节，所谓“减退”是指以上某个环节或几个环节发生改变。由于性神经的兴奋和性活动过程，都要消耗一定的能量和营养物质，所以，要通过饮食进行调养。

（一）可以兴奋性神经，增强性功能的食物种类

1. 含有丰富锌的食品，对产生精子、促成精子的成活率、增加精子数量影响很大。人体在射精过程中的精液含锌量高达1～1.7mg，而人体内锌的总量是1.5～2.5g。排精是丢失微量元素的重要原因。

缺锌会使输精管萎缩，睾丸、附睾、前列腺发育不好，每日男子需15mg锌，所以必须多吃一些含锌食品。牡蛎含锌最多，每1000g含1400mg锌。生肉、鸡肉、鸡肝、蛋类、花生均含锌。

2. 含有丰富的精氨酸的食品，精氨酸是精子重要氨基酸，又具有提高性功能和消除疲劳的作用。要多食冻豆腐、豆腐皮、木松鱼、大豆、豌豆、芝麻、山药、鳝鱼、银杏、海参、墨鱼、章鱼等以补充精氨酸之不足。

3. 富钙食品，可刺激精子的成熟，虾、蟹、鱼、乳、蛋、豆制品匀富含钙。还有萝卜叶、菠菜、荷兰芹，均含钙。

4. 富含维素E的食品，对维护性器管正常功能起着重要作用。植物油、麦胚油、玉米油、豆油、芝麻、花生、菜油中均含维生素E。

(二) 可以兴奋性神经，增强性功能的食疗验方

1. 鲜活对虾1对，浸250g白酒10日，随时饮之，不能醉，否则无益。

2. 板栗500g，小刀开口，浸入白酒7日即可，每同房前，适时饮用。

3. 蜂蜜1000g，凉开水2000ml，红曲100g，拌匀密封罐内，发酵约45日，过滤取蜜酒每日适量饮之。

4. 新大米100g、肉丝蓉30g，蜂蜜适量，将肉丝蓉在2000ml水中煮片刻，放大米煮粥加蜜食之，每日一次服完。

5. 海狗肾2个，糯米5000g，曲200g，好酒适量，海狗肾用酒浸泡后捣烂，糯米饭加入曲及海狗肾拌匀，酿成酒，每日3次，每次1~2盅。

6. 胡桃50g，香油炸熟，放韭菜150g，加调料做菜，每日1次。

7. 鲜狗肉150g加大米100g，煮稀饭，每日2次。

8. 韭菜100g，羊肝120g，做菜食之，每日1次。

9. 鸡睾丸1对，入白酒泡3小时，取出，瓦片焙熟黄，做菜食，隔日1次，连服1周。

10. 泥鳅煎煮熬汤，食肉服汤，连服1周。

11. 鳖每日1只，做汤，连服1周。

12. 对虾酒浸死，做菜食之。

13. 羊腰500g切腰花，五味子6g，杜仲15g，煎40分钟取汁，调料做菜，隔日1次食之。

## 二、能兴奋女子性神经，增加爱液的饮食疗法

性学专家经过研究后发现，女性出现性兴奋时，特别是性生活进入高潮时，阴道内会产生大量分泌物，性学专家将其称为“爱液”。日本教授渡仲三用电子显微镜观察女子的阴道，发现虽然没有腺体，但因为刺激，阴道在10～30分钟即可挤出小滴黏液均匀地散布到整个阴道皱襞上，随着兴奋提高，逐渐融合一层平滑膜，为勃起的阴茎插入、抽送做好准备。在性生活中，爱液主要起润滑作用，有助于男方阴茎的插入，也有效地避免了男女双方因性器官干性摩擦而带来不适。在性生活时，丈夫对妻子爱抚时间越长，妻子阴道内产生爱液也就可能越多，开始做爱以后，双方性快感也就会越强。

阴道的液体从穿过黏膜的细胞间的空隙流出，而且还可以进入细胞空隙中储存，这样给阴茎以后劲。细胞分五层垒砌，分别为表层、迁移层、中间层、间质层和基底层。而迁移层和中间层之间有液体储存的空泡，间质层和基底层细胞与细胞间隙很大，且有淋巴和游走细胞，爱液是从血管中渗出，阴道上皮细胞的正下方的毛细血管上有泌洞，这就是爱液流出之处。性学家冯玛斯特斯通过研究证实，阴道中的液体是阴道的血管充血导致液体流出的结果。这一结构在60岁以内的妇女身上大体一样，60岁以上，阴道黏膜皮层变薄，20岁与80岁比较，减少1/2，空泡消失，空隙变窄。年轻阴道像海绵一样，水淋淋的，爱液极为丰富；老年妇女爱液分泌减少，阴道壁变薄，润滑度降低，性交自然疼痛，女方会感觉不适甚至发生疼痛，男方也因缺乏润滑感而降低性快感，从而影响夫妻性生活的和谐。有人用阴道滋润剂，这是治标不治本的办法。可以通过饮食调

理来兴奋女子性神经，增加爱液的分泌，提高老年妇女的性生活质量。

1. 豆浆含有植物性雌激素，每天饮500ml对保持阴道润滑有好处。有条件的，可服用大豆黄酮的天然提取物。

2. 口服维生素E，每天400～800国际单位，或每天多吃麦胚油、玉米油、豆油、花生油。

3. 当归15g，红糖适量，煮鸡蛋1只，食蛋饮物。

4. 野山芋胶囊，每日3次，每次1粒。

5. 适当补充胆固醇，如肥猪肉、蛋、动物内脏。

# 第七章

# 药物与保健

- 药物对老干部的益智保健
- 药物与“情感”调节
- 老年疾病的常用方药
- 药物对老年性功能的调节
- 科学用药与老年健康

# 第一节　药物对老干部的益智保健

## 一、人参可健脑补神

健忘、走神，这是很令人头痛的事。但人参等植物就可以对付这些问题，提高人的注意力和思维的灵敏度。

安德鲁·肖利博士是诺森布里亚大学人类认知神经系统科学系主任，他和小组成员最近一次调查研究的成果发表在《营养神经系统科学》杂志上。在这项研究中，他们发现大学生们服下 400g 标准人参提取液 1 小时之后，注意力、存储信息的能力和提取信息的能力提高了 10%，这种效果可以持续至少 6 小时或者更长。

肖利通过研究发现，人参含有大量叫做人参皂苷的独特成分，这些成分单个看上去没有什么作用，但是它们和某些植物结合在一起就会效果显著，草药医生称之为“增效作用”。这些植物化学成分似乎是针对大脑的某些特殊部分起作用。现在发现人参与银杏合用，健脑补神作用明显增强。银杏的主要作用在于扩张血管并促进血液流入大脑。银杏大受欢迎是因为它被证明能成功改善年龄变化而引起的记忆衰退。实践中，很多人发现，适当饮用人参与银杏叶配合的茶，有明显的健脑补神作用。

## 二、刺五加有精神保健作用

在我国，对刺五加的治病强身作用早有认识，于是有了

“宁要加皮一把，不要黄金一车”之说。前苏联不仅研究了刺五加治疗生理疾病，更多的是研究了刺五加对人的精神调节作用，取得了较为满意的效果。

据报道，1980年的奥运会，苏联运动员的比赛成绩名列前茅，被认为是使用了一种能提高他们成绩的药物。它是一种独特的物质，难以按任何现存的药物范畴分类或鉴别，尽管在苏联已广泛应用了20年，西方的药学权威们却对它几乎一无所知，这是因为它既没有被列入国际体育的禁用药品名单，也没有纳入西方任何国家的药典中。

这就是一种多刺的五加科蔓延植物——刺五加，与人参同科。1962年，苏联卫生部承认它为法定药物，现已纳入药典，归入那些源出于远东传统药物中补药一类如人参、鹿茸、五味子等之中。刺五加提取物之所以被用于体育方面是由于发现它能增强耐力、反射和增强精神集中力，尤其是长时间竞赛场合，它特别适用于大运动量的训练，增强运动员的耐力而使其不易受损伤。

科洛科夫在1974年出版的《药物制剂在体育医学上的应用》一书中写道：“刺五加提取物同兴奋药毫无共同之处，它的作用主要是加速剧烈活动后的恢复过程和加强身体对不利的外部影响的抵抗力。”刺五加提取物在苏联广泛用于保健方面，不仅运动员能使用，而且也是老人的良好的强壮药。从医学研究和临床实践看，刺五加对人的精神保健作用是明显的。其主要作用有以下几点。

（一）有助于消除紧张和劳累感

苏联的深海潜水员、矿山和山区营救人员、登山人员、探险家、士兵和工人，在严峻的工作条件下也服用此药以抵抗紧张和劳累。卡车司机和飞机驾驶员用它来保持警觉和抵消其他药物潜在的副作用。它甚至也用于宇航员身上。在苏联，它常出现在治疗贫血症、抑郁、虚弱等各种慢性病和治疗身体虚弱的疾病尤其是心脏和血管疾病、外科手术、疾病康复期、慢性感染如肺结核和年老体弱的用药处方上。

(二) 能改善人的认知能力，促进精神集中

在对人工作能力的试验中，刺五加提取物和人参均能提高人解决问题的能力和使人更专注，提高精确和快速反应的程度，能明显增加耐力、活力和精神集中，更有效地对付紧张。

(三) 可治疗神经衰弱

神经衰弱患者服之，对失眠健忘、眩晕、精神不振、食欲欠佳、心悸、忧郁等症有显著疗效；冠心病患者服之也有一定的疗效。

(四) 有增强精神活力作用

对老干部因生理功能减退而导致的精力不足、未老先衰，以及病后产生的精神不振都有较满意的调节效果。

## 第二节 药物与“情感”调节

### 一、补铁可调节人的精神状态

(一) 铁对人精神状态的影响

过去，人们只知道缺铁会导致贫血，现在发现，一个人长期缺铁，不仅可引起面色苍白、头晕心悸这样的贫血症状，而

且与不少其他病症也相关。

缺铁与人的精神状态有密切关系。有些妇女反复诉述全身无力，做事无精打采，烦躁不安，记忆力减退，注意力不集中，失眠，多被诊断为神经衰弱或更年期综合症。经研究认为，这与肌肉组织中缺铁有关，而验血时缺铁并不明显。

美国学者发现，缺铁女姓在思维力和记忆力方面都会受到一定的影响。轻微缺铁但还算不上患贫血症的年轻女性在经过4个月的补铁后，其注意力、短期记忆力和长期记忆测试的表现都大大提高。

美国学者还发现，缺铁妇女体温较正常人低0.7℃，产生热量要少13%，因此比较怕冷。体内红细胞是运送氧气的载体，缺铁时血细胞中的血红蛋白生成不足，对氧气的运输效率降低，结果是组织得不到充足的氧气进行新陈代谢，使产热的营养素得不到充分的氧化而使人体产热不足，这样便易使人感到寒冷。

一种中年以上妇女容易发生的吞咽困难，医学上称为“普文氏综合症”的病症，目前认为与缺铁有关。缺铁后可使食道上段发生功能性痉挛，因而引起吞咽困难。

缺铁可使黏膜细胞内的多种酶功能不良，导致营养不良性口、咽、食道、胃和鼻黏膜损害，在此基础上可发生慢性低酰性或缺酸性胃炎、浅表性舌炎、口唇皲裂、萎缩性鼻炎等。有学者在电子显微镜下观察严重缺铁患者鼻黏膜的病理改变，发现与萎缩性鼻炎相同。

此外，还发现少数缺铁病人会有嗜食冰块、糨糊、泥土、粉笔、生米、黄草纸的癖好。神经性耳聋的病因过去不很清楚。新的观察发现，神经性耳聋患者血清铁的含量比正常人要低。补充铁后，有的患者听力有明显改善。

不管怎样，当出现上述病症时，应该去医院检查一下红细胞和血清铁的情况，如发现缺铁，应予以补充。当然，铁过多堆积于人体内也是有害的。曾有人报告：铁过剩与冠心病有关。

(二) 女性容易缺铁的原因

人人都可能因各种原因而缺铁，但在妇女群体中，缺铁的现象就更为普遍。妇女每月必行的月经，使一般妇女会失铁28ml，而经量多者，失铁量就更多。糟糕的是，常常是贫血者或健康状况不佳者，月经量却特别多。一方面缺铁会降低机体抗御病症的能力，导致感冒等疾患；另一方面，这些疾病又会消耗更多的铁元素及其微量元素。

一个人的全部血液中大约含有4g左右的铁质，这么多的铁质刚好够做一颗小铁钉。如果失去这颗小铁钉，红细胞就不能完成自己的主要功能——呼吸功能，人也会因此而死亡。可见，铁对人体健康是多么重要。

有人经过研究后发现，已婚女性易患“主妇综合症”，一个重要原因就是缺铁。“主妇综合症”的症状常常是：一觉醒来，感到全身乏力，懒洋洋不想起床，勉强起床后却又无精打采，什么也不想干，并且看什么都心烦。而到了晚上，睡不着，如此日复一日，总不见好转。美国进行过一项调查：发现在25~50岁的女性中，有2/5或3/5都患有不同程度的“主妇综合症”。

“主妇综合症”的祸根是什么？是缺铁性贫血。据医学家调查显示，在发达的工业国家中，缺铁仍是导致贫血的最普遍因素。这种贫血症有一个特点，验血时缺铁不明显，但实际上肌肉组织中的含铁量却相当低。

(三) 补铁的主要措施

按理，现在生活水平大大提高，怎么还会缺铁呢？一个重要原因是：现代人讲究食品的精细可口，吃米要吃精米，吃面要吃精面。这些经过加工的米面失去了大量的天然铁元素，自然，人体的摄取量也就降低了。如何科学补充体内铁元素呢？可采取以下方法。

1. 轻者食补。服用食物铁。像肝、蛋黄、瘦肉、豆类、海味类、粗磨面粉做的面包、新鲜蔬菜、水果等，铁的含量是很丰富的。值得一提的是，食物铁营养价值的高低不仅与铁含量有关，更重要的是取决于铁的吸收率。如动物肝脏含铁量较多，吸收率也高，所以我们说它的铁质量高；而豆类与肉或蛋一起食用，就会降低其中铁的吸收率。目前城市中多食用冻肉，在冻肉解冻过程中，约有35%的铁元素会随解冻液消失，如果把解冻后的冻液留下来，作为烧肉时的汤用，可权做补救。最近，世界卫生组织鉴于现代社会患缺铁性贫血者增多的趋势，向全世界的家庭主妇推荐我国的民用铁锅。因为铁锅可产生一种无机盐，与胃酸反应而形成人体易于吸收的可溶性铁。

2. 重者食补加药疗。除服用食物性铁外，口服铁剂，价廉方便，是治疗本病的有效药物。根据不同的病情确定服药疗程，效果是很好的。不过使用任何药物，都必须遵照医嘱，因为肝脏和其他脏器的铁质若过于饱和，可引起纤维组织增生，而致脏器功能损害，严重重者可致肝硬化、糖尿病、心衰等。

3. 参加户外运动。男性是极少患缺铁症的。其原因是男性比女性活动量大，尤其是与女性相比，男性在工作之余喜欢外出活动。要知道，一般家务与运动的效果截然不同，运动是一种需氧的活动，而一般家务只需短时间的能量供应，是不需氧活动，只消耗热量及碳水化合物而不加速氧气循环。保持机体内的氧气循环，可促进血液中红细胞的生成速度，而机体对铁的吸收率是和红细胞的生成速度成正比的。所以说，合理的运动和合理的营养联系起来，对缺铁症的防治大有益处。请记住，当你发现自己有缺铁症状时，除食疗、药疗外，切莫忘记体疗，别老躺在床上，要到户外参加体育运动。

## 二、补充黄体激素可调节女性情绪

人的情绪状态不仅与每个人的主观态度有关，而且与身体的生理状况尤其是体内的激素平衡有关。比如，现实生活中夫妻吵架，主要是感情与性格方面的原因，但有关专家经过深入研究后发现，确实有一些夫妻吵架的真正原因是女性体内缺少黄体激素。对于因这类原因导致夫妻经常吵架的，通过补充黄体激素可以调节女方情绪，减少吵架现象。

如何判断夫妻吵架的原因是否缺少黄体激素？对那些吵架比较多的夫妻，男方可以有意识地做点“科学研究”，即把每次吵架的日子及时记录下来，当记录了三四个月后，就可以仔细地查对一下，看看吵架的日期是否有周期性。

如果大的吵架次数差不多每 4 周重复一次，那么吵架的原因，很可能与女方身体状况不佳有关，也可以说成是“经前症候群”。在美国、英国这已成为当前的很重要的研究课题。英语简称为“pms”，即“经前症候群”。

“pms”大概很早以前就已被人们认识到了。只因为它不是生命攸关的病，所以没怎么去进行认真的研究。然而，最近伴随着对女性激素研究的推进，对“pms”的实质有了进一步认识。

对这个“经前症候群”最早着手研究的是英国女学者——达尔顿·李萨丽娜女士。她是激素专家，她从30年前就开始探讨这个问题了。

她在研究中发现，在女性的40%～60%中，每次月经来潮前她们都感到身体不舒服。有的头疼、腰疼、乳房涨疼；还有的出现心情郁闷、精神不振等反常现象。

往往就在这个时候，容易发生夫妻吵闹。50%左右的妇女，症状表现最为明显，可以说，这的确是一种“真正病态”的反映。更突出的例子是，有的甚至出现杀人、打骂、虐待子女的事。

达尔顿女士说：“像这样的妇女，一旦月经开始来潮，就突然变得像另一个人了，心情马上快活了。”她说，不管什么样的妇女，这种心情舒畅的日子，每月至少有连续7天的时间（也就是整个月经来潮期）。随后，这种快活的心情逐渐又慢慢地消沉了。

为什么会出现“pms”呢？目前还没有完全弄清楚。不过，达尔顿等人认为：妇女的月经是靠卵巢激素和黄体激素来调解进行的，一旦这种平衡失调、黄体激素不足时，就会出现“pms”。

达尔顿女士单独使用黄体激素对患有“pms”者进行了治疗。据美国“科学之声”报道，她到目前为止，已对大约3万患者进行了治疗。实践证明，这种方法的确对“pms”患者有很好的疗效。

因此，对因黄体激素不足而导致周期性情绪失控的女性，每隔4周，在夫妻吵架多发的时候，注射一定的黄体激素，或许能对吵架的次数和激烈的程度有一定的控制。同时，应用这一方法的意义不仅在于夫妻吵架，更重要的是对那些因黄体激素不足，而受到周期性情绪折磨的女性也是一个良好的解脱方法。可以使她们以更好的心情面对生活，当然，具体如何应用这一方法，还应当咨询医生的意见。

## 第三节　老年疾病的常用方药

### 一、六味地黄丸可治老年痴呆症

一项动物实验研究显示，中国传统的补肾中药“六味地黄丸”具有抗衰老及抗氧化的作用。对老年痴呆有某种疗效，且有助于增强记忆。

台湾中国医药学院教授谢明村六味地黄丸增强记忆能力进行多年的药理学研究，获初步成果。

过去一般中药方剂对老年痴呆症的临床用药，多以补气安神、促进脑部血液流通、防止或减少脑动脉硬化及脑血栓形成为主，另在痴呆症的用药中，也以滋肾养阴、温肾壮阳等补肾的使用率最频繁。

这项研究从中医补养类方剂中选用主治“肾虚，神不足”的六味地黄丸，具抗衰老和抗氧化作用。西医医学衰老论也已证实，衰老与记忆能力减退有关。

研究还进行一系列小白鼠动物实验，结果也显示，六味地黄丸药物可诱发改善学习记忆障碍，并有助增强记忆，给药时间愈长，药效愈明显。

谢明村表示，六味地黄丸是中国先贤遗留下来的常用补肾药方，已累积数百年的宝贵临床经验。如今经动物实验又发现，对改善健忘症及老年痴呆症有疗效，但仍有待进一步临床试验证实。

## 二、治疗心悸的常用方药

中医所讲的心悸症状，是指人自觉心中悸动不安。实际上是一种心理、生理相结合的症状。它包括惊悸和怔忡。惊悸是由受惊后心动悸不安；怔忡为没有受到惊恐，终日动悸不宁，怔忡比惊悸症状要重。中医认为心悸多因血虚所致，多用补益之方调养。因虚证类别不同，可分别选用相应方药。

### (一) 心气虚

心悸气短，活动则甚，自汗，苔白质淡嫩，脉虚者，可用以下两方。

1. 炙甘草16g，水煎服，每日1剂。用于心气虚所致心悸(甘草能补益心气，常用来治疗心虚所致心悸怔忡、气短)。

2. 莲子肉10g、龙眼肉16g、百合13g、五味子10g。水煎服，每日1剂。治疗心虚所致的心悸、失眠等症（莲子可养心安神，常用于心虚或心肾不交所致的心悸、失眠等)。

### (二) 阴血虚

心悸头晕，面色不华，口干，舌质淡嫩，脉细，中医认为是阴血虚所致的心悸，可用以下5方。

1. 熟地（焙）、当归（焙）、丹参各等分。共研细末，炼蜜为丸，如梧桐子大，每服20~30粒，饭前温开水送服。治疗失血后血虚所致的心悸、月经不调、小腹隐痛等症（熟地能补血，常用于血虚所致的心悸、失眠、头晕、眼花、月经量少，面色淡白等症。常与当归等配伍)。

2. 当归 10g，白芍 10g，川芎 6g，白术 10g，茯苓 10g，泽泻 10g，水煎服，每日 1 剂。治疗妇女妊娠后腹中痛，或心悸、头痛、头重、眼花、小便不利等症（当归可补血，用于血虚所致的头晕、眼花、心悸、疲乏等症）。

3. 生牡蛎、生龙骨（各 16g，捣细，先煎），灵芝 16g，柏子仁、炒枣仁、丹参各 13g，水煎服，每日一剂。治疗心悸、怔忡、失眠等症（柏子仁可安心养神，用于心阴血不足所致的心悸、失眠、健忘、神志恍惚，常与酸枣仁配伍）。

4. 龙眼肉 30g，酸枣仁（炒、捣）16g、柏子仁、生龙骨、生牡蛎（捣细）各 13g，生乳香、生没药各 3g。水煎服，每日 1 次。治疗心悸怔忡，此方又叫“定心汤”（龙眼肉养心安神，用于心血虚所致的心悸、失眠、健忘等症。常与柏子仁、酸枣仁合用）。

5. 猪心 1 个，大枣 10 枚。将猪心去筋切片，大枣去核，共煮汤，加盐及调料。熟后食用。治疗血虚之心悸、面色不华等症（猪心可安心养神，用于心血虚所致的心悸、失眠、精神恍惚等症）。

（三）气阴虚

中医认为气阴虚可致气短心悸，自汗口干，手足心热，咽干口燥，脉细无力，可用以下 3 方。

1. 党参 16g，麦冬 13g，五味子 10g，太子参 16g。水煎服，每日 1 剂。治疗热病伤阴所致的乏力、汗出、口渴、心悸等症（麦冬可养心阴、清心热，用于心阴不足，或有虚热所致的心悸、心烦失眠）。

2. 玉竹、党参、丹参各 16g，川芎 10g，三七 3g（研末，冲服）。水煎服，每日 1 剂。治疗心悸、口干、气短、胸痛或心绞痛（玉竹可养心，用于气阴不足所致的心悸、心绞痛。常配伍党参等同用）。

(3) 灵芝10g，五味子10g，丹参13g，茯苓10g，水煎服，每日1剂。治疗心虚所致的心悸、气短、失眠、多梦等症（灵芝可安心养神，用于心气血虚所致的心悸、失眠、健忘等症）。

(四) 心阴虚

中医认为，心悸神疲，形倦肢冷，口淡不渴，胸闷，苔白滑质淡嫩，脉弱，是心阴虚所致。可用以下方药调理。

炙甘草、桂枝、茯苓各16g。每日1剂，水煎服。治疗心悸怔忡、口淡不渴、舌质淡（甘草可补益心气，用于心虚所致的心悸怔忡、气短、脉结代等症）。

(五) 心肾虚

中医认为心肾虚可导致心悸失眠，活动则甚，腰酸膝软，脉细（左脉明显）等症。可用以下方药调理。

五味子60g，浸于1 000g米酒中，浸20日后服用。每次1小杯，每日1次。治疗心肾虚所致的心悸、失眠（五味子有补气益肾和养心安神作用）。

## 三、治疗神经衰弱的方药

中医认为，神经衰弱常由精神紧张、思虑过度致使中枢神经兴奋与抑制过程失调，高级神经活动规律破坏所引起的一种功能性疾病。常表现为疲劳、神经过敏、失眠、多疑、焦虑和忧郁。中医学所讲的“失眠”，多由肝气郁结、肝火旺、肝阴虚、心脾两虚、心肾不交、气血两虚所致。可用以下方药调治。

1. 党参30g，麦冬13g，五味子10g，水煎服，每日1剂。治疗心悸、气短、汗出、口干之气阴虚患者及冠心病、神经衰弱患者（党参有兴奋神经系统、增加机体抵抗力、升高血糖之作用）。

2. 灵芝30g、米酒500g，灵芝浸于酒内。20日后饮用，每次1小杯，1日2次。治疗神经衰弱（灵芝有养心安神，调节植物神经功能作用）。

## 四、治疗头晕健忘的方药

健忘是由于脑力衰弱、记忆力减退而善忘的病症，又称“善忘”。

中医认为健忘、头晕多因思虑伤脾、肾精亏损或心虚神弱所致。可根据不同的致病原因采用以下方药调治。

### （一）肝肾精血不足

中医认为，肝肾精血不足，可致头晕眼花，健忘失眠，耳鸣，腰膝酸软，月经不调，神倦乏力，遗精，苔少质嫩，脉细，尤以左关尺明显。若头痛，多为头痛头晕，其痛为隐痛，遇劳或用脑过多则痛重。可用以下方药调治。

1. 枸杞子、黄精等量，共研细末，每次3g，1日3次空腹服，温开水送下。治疗肝肾阴虚所致腰膝酸软或酸痛、头昏眼花、耳鸣、健忘等症。肝肾素虚者常服可强身（枸杞子可补肝肾）。

2. 女贞子2份，旱莲草1份，亦可加桑椹子1份，共研细末，炼蜜为丸，每丸重10g。每次服1～2丸，每日3次，空腹时淡盐水送服，治疗肝肾虚所致头晕、眼花、腰膝酸软、精神不振（女贞子有滋补肝肾作用）。

3. 胡桃肉16g，首乌16g，天麻6g，与鱼头或鸡头、或猪脑共煮汤，以肉烂为度，食肉喝汤，治疗肝肾虚所致头晕头痛。

4. 猪脑1个，天麻10g（切片），枸杞子16g，隔水炖食。治疗肝肾虚所致的头晕目眩、健忘，或脑震荡后遗症（猪脑有滋肾补脑作用，可用于肾虚脑髓不足所致的健忘、头晕）。

（二）肾阴虚

中医认为，头目眩晕，健忘，面色白光的，畏寒肢冷，腰膝冷或冷痛，小便清长，液尿多，口淡不渴，或有下肢浮肿、苔白滑质淡胖嫩等现象为肾阳虚所致。可用以下方药治疗。

1. 鹿茸 16g、人参 30g、枸杞子 60g、何首乌 60g。共研细末，炼蜜为丸。每次服 5g，1 日 2 次，空腹服。治疗身体虚弱、精神不振、阳痿早泄、腰膝酸软、头晕健忘、月经延后、贫血等症（鹿茸能温补肾阳、补益精血，可用于肝肾虚所致的眩晕、动则尤甚，健忘和腰膝酸软）。

2. 鹿茸（炙），研细末。每次服 1 ~ 2g，每日 2 次，温酒送下。或用山药 10g 研末，用绢布包裹，与鹿茸 6g，共浸于 500 克米酒中，一周后每次服 1 小杯，1 日 2 次。治疗肾阳虚所致的腰膝冷痛、阳痿、畏寒、小便频数、头昏健忘等。

## 五、治疗失眠常用方药

中医认为，失眠时心中烦乱不安，夜间难以入睡，白天精神倦怠，多因肝火、胆虚或阴虚火旺所致。根据导致失眠原因不同，可分别用以下方药治疗。

（一）气血虚

中医认为，失眠多梦，心悸少气，纳食减少，面色无华，苔白质淡嫩，脉细少力为气血虚所致。可用以下方药治疗。

当归、酸枣仁、远志、茯苓各 10g，党参 15g。水煎服，每日 1 剂。治疗气血不足所致的失眠、心悸、气短等症（当归有补气血的作用）。

### （二）阴血虚

中医认为，心烦不眠，头晕耳鸣，口干，脉细，是阴血虚所致。可用以下方药调治。

1. 生牡蛎25g（先煎），生地25g，白芍17g，黄连6g。水煎取药汁，纳入阿胶10g烊化内服，每日1剂，分2次服。治疗阴虚火旺所致的失眠、心烦、手足心热、口苦、苔少质红、脉细微等症（阿胶有滋阴安神作用，可用于心烦、手足心热、舌苔少质红等阴虚之失眠患者）。

2. 百合30g，生地16g，麦冬10g，生龙齿19g（先煎），水煎服，每日一剂。治疗心阴虚所致的心烦、失眠、口渴咽干等症（百合有养心安神作用，用于热病伤阴，余热未尽，或心阴虚所致的心烦失眠、精神不安、心悸等症）。

3. 小麦50g（布包），柏子仁3g，夜交藤16g，水煎服，每日1剂。治疗心肝阴虚所致的失眠（小麦有滋养心肝作用，可用于心肝阴血不足所致的脏燥症、失眠症）。

4. 龟肉100g，百合30g，红枣10枚，共煮汤食用。用于阴虚之失眠、心烦、心悸等症的治疗（龟肉有滋阴降火作用）。

5. 麦门冬（去心）16g，炒枣仁19g，茯苓13g，共研细末，每次临睡煎服10g。治疗肝血不足所致的失眠、心烦、口干（麦门冬有养心阴、清心热作用，用于心阴不足所致的心烦失眠）。

6. 炒枣仁16g，研为细末，分2次用蜂蜜水送服。治疗心肝阴血不足之心悸、失眠（蜂蜜有滋阴润燥作用）。

7. 五味子10g，生地16g，百合13g，生龙齿19g（先煎），水煎服，每日1剂。治疗心阴虚所致的心烦失眠、心悸、坐卧不安等症（五味子有补气养阴、养心安神作用）。

(三) 心肾虚

中医认为，心烦不眠，健忘心悸，口咽干燥，五心烦热，腰酸梦遗，苔少质嫩红，脉细微为心肾虚所致，可用以下方药调治。

五味子 60g，浸于 1000g 米酒中，浸 20 日后可服用。每次 1 小杯，每日 1 次。治疗心肾虚所致的心悸、失眠（五味子有补肺益肾养心安神作用）。

(四) 胆虚

中医认为，不寐多梦，梦多恐惧，时易惊醒，遇事常心悸为胆虚所致，可用以下方药调治。

白芍 20g，炒枣仁 16g，远志 10g，茯苓 10g，水煎服，每日 1 剂。治肝胆虚所致的失眠、惊恐。

(五) 受惊失眠

医认为，因受惊导致的失眠，可用下方调治。

龙眼肉 19g，酸枣仁（炒、捣）13g，生牡蛎、生龙骨（捣末）各 16g，清半夏、茯苓各 10g，生赭石 13g，水煎服，每日一剂。治疗受惊或心悸、失眠，此方叫“定魂汤”（龙眼肉有养心安神作用）。

## 六、可防治性神经衰弱的常用植物类中药

我国的中草药是一个巨大的宝库，有很多中草药具有兴奋性神经、防治性神经衰弱的作用。适当选用，可促进夫妻性生活和谐，提高性生活质量，有利于心理保健，现选出常用而且有效的介绍如下。

1. 人参。人参为名贵药材，为五加科植物人参的根，主要产于我国吉林、辽宁、黑龙江等地，以吉林产的最佳。人参除

产于我国外，东亚一带国家也有生产。产于朝鲜（韩国）的称“高丽参”；产于日本的称“东洋参”。

性味、归经：甘、微苦、微温。及脾、肺经。

功效：大补元气，补肺健脾，生津止渴。

性保健应用：人参有促进性腺功能。若房事前喝一杯人参汤，有提高性生活质量的作用。

用法：人参 16g，鹿茸 16g，山萸肉 25g，巴戟、肉苁蓉、麦冬、杜仲、柏子仁各 30g，菟丝子、熟地、枸杞子各 60g，共研细末，炼蜜为丸，每丸 10g 重。每次 1 丸，1 日 3 次，空腹服。治疗阳痿、腰膝酸软、畏寒、神疲乏力之肾虚患者。

2. 肉苁蓉。肉苁蓉为列当科植物，苁蓉为其带鳞片的肉质茎。

性味、归经：甘、咸、温。入肾、大肠经。

功效：补肾阳，补肝肾，老干部和阳虚者久服益寿。

性保健应用：用于肾阳虚所致的阳痿、遗精、早泄、女子不孕、小便频数等症。

用法：煎服 6 ~ 9g；或入丸、浸酒。

3. 淫羊藿。淫羊藿为小檗科植物淫羊藿、心叶淫羊藿或箭叶淫羊藿的基叶。

性味、归经：辛、温。归肝、肾经。

功效：补肾壮阳、强筋健骨、祛风除湿、止咳平喘。

性保健应用：《本草纲目》谓淫羊藿“主阴痿绝伤、茎中痛、坚筋骨、补腰膝、强心力”。用治阳痿不举、遗精、房劳腰痛等症。

用法：内服，煎汤 3 ~ 9g，浸酒、熬膏或入丸、散。

4. 巴戟天。巴戟天为茜草科植物巴戟天的根。

性味，归经：辛、甘、温。归肾、肝经。

功效：补肾壮阳，强壮筋骨，祛除风湿。

性保健应用：《本草纲目》谓巴戟天“治男子阳痿不起，强筋骨，安五脏，补中增志盈气”。用于治阳痿，遗精、早泄及房劳腰痛等。

用法：内服，煎汤4～9g，入丸、散、浸酒或熬膏。

5. 仙茅。仙茅为仙茅科植物仙茅的根茎，别名“独脚丝茅”。

性味、归经：辛、温，有小毒，入肾经。

功效：温肾散寒、降湿，强壮筋骨。

性保健应用：《本草纲目》谓“仙茅是填精髓，益房事不倦”。用治阳痿、精冷、遗精、房事过度、男子虚劳、腰痛等症。

用法：煎服4～9g。

6. 旱莲草。旱莲草为薪科植物鳢肠的全草。别名“墨旱莲”、“墨汁草”、“止血草”。

性味、归经：甘、酸、凉。入肝、肾经。

功效：补益肝肾、凉血止血。

性保健应用：《本草纲目》谓旱莲草“乌须发、益肾阴”。用治遗精、房劳腰痛、崩漏等症。

用法：煎服9～30g。

7. 熟地。熟地为玄参科植物地黄或怀庆地黄的根茎，别名“熟地黄”、“大熟地”。

性味、归经：甘微温。入心、肝、肾经。

功效：滋阴补血。

性保健应用：《本草纲目》谓熟地“填精髓、长肌肉，补五脏内伤不足，补益真阴”。用治遗精、滑精、早泄、房劳腰痛、月经不调，崩漏等症。

用法：煎服9～30g；或入丸。

8. 何首乌。何首乌为蓼科植物何首乌的块根。别名“交藤”、“夜合”、“地精”。

性味、归经：甘、苦、涩、微温。归肝、心、肾经。

功效：补肝肾、益精血、通便、解毒。

性保健应用：《本草纲目》谓何首乌“为滋补良药”，“久服长筋骨，益精髓，延年不老”。用治遗精、滑精、崩漏等症。

用法：内服，煎汤9～15g，熬膏、浸酒或入丸、散。

9. 山药。山药为薯蓣科植物薯蓣的块根，也称“淮山药”。

性味、归经：甘、平。归脾、肺、肾经。

功效：健脾补肺、益精固肾。

性保健应用：《本草纲目》谓山药“强筋骨，主泄精健忘、益肾气等”。用治遗精、滑精、带下。

用法：内服煎汤10～20g，亦可入丸、散。常与山萸肉、熟地、金樱子等配伍使用。

10. 枸杞子。枸杞子为茄科植物宁夏杞或枸杞的果实。别名“甘枸杞”、“杞子”。

性味、归经：甘、平。归肝肾经。

功效：养血补阴、益精明目。

性保健应用：《别录》称杞子“补益精气，强盛阴道”。用治房劳腰痛、遗精等症。

用法：内服，煎汤6～12g，亦可入丸、散。常与熟地、山萸肉、金樱子、覆盆子等配伍使用。

11. 芡实。芡实为睡莲科植物芡实的种仁。别名“鸡头”、“鸡头米”。

性味、归经：甘、涩、平。入脾、肾经。

功效：益肾固精、补脾止泻。《本草纲目》提示：“益精气，强志，令耳聪目明。”

性保健应用：治梦遗滑精、白浊、带下等症。

用法：煎服 9 ~ 15g；或入丸、散。

12. 莲子。莲子为睡莲科植物的果实或种子。别名“藕实”、“莲实”。

性味、归经：甘、涩、平。入心、脾、肾经。

功效：养心益肾，健脾止泻，涩精止带。

性保健应用：治遗精、淋浊、崩漏带下。

用法：煎服 10 ~ 30g，或入丸、散。

13. 白果。白果为银杏科植物银杏的种子。

性味、归经：甘、苦、涩。入肺、肾经。

功效：敛肺定喘，涩精止带。

性保健应用：治淋浊语白带、遗精等症。

用法：煎服 3 ~ 9g；或入散、入丸。

14. 韭子。韭子为百合科植物韭的种子。别名“韭菜子”。

性味、归经：辛、咸、温。入肝、肾经。

功效：温肾壮阳、固精。

性保健应用：治阳痿、遗精、带下等症。

用法：煎服 3 ~ 9g。

15. 蛇床子。蛇床子为伞形科植物蛇床的果实。

性味、归经：辛、苦、温。入肾、脾经。

功效：温肾助阳，燥湿杀虫。

性保健应用：治阳痿，妇女宫冷不孕。

用法：煎服 3 ~ 9g。或入丸、散。

16. 罂粟壳。罂粟壳为罂粟科植物罂粟的干燥果实壳。别名

"御米壳"。

性味、归经：酸、涩、微寒。归肺、大肠、肾经。

功效：敛肺止咳、涩肠固肾、止痛。

性保健应用：治遗精、白带。

用法：煎服 2.5 ~ 6g；或入丸、散。

17. 女贞子。女贞子为木樨科植物女贞的果实。

性味、归经：甘、苦、凉。归肝、肾经。

性保健应用：《本草纲目》谓女贞子"强阴、健腰膝"。用治阳痿、遗精、房劳腰痛等症。

用法：内服，煎汤 10 ~ 20g。常与熟地、山萸肉、旱莲草等配伍使用。

18. 锁阳。锁阳为锁阳科植物锁阳的全草。

性味、归经：甘、温。归肝、肾、大肠经。

功效：兴阳固精，强阴益髓。

性保健应用：《本草纲目》谓本药有"补阴血虚火，兴阳固精，强阴益髓"。用治阳痿、遗精，房劳腰膝痿弱。

用法：内服，煎汤 5 ~ 10g，入丸、散或熬膏。

19. 杜仲。杜仲为杜仲科植物杜仲的树皮。别名"思仲"、"思仙"、"木棉"。

性味、归经：甘、微辛、温。入肝肾经。

功效：《本草纲目》谓此药"补中益精气，强筋骨"、"久服轻身耐老"。

性保健应用：治阳痿、房劳腰膝酸软、崩漏等症。

用法：煎服 9 ~ 15g。常与山萸肉、巴戟天、菟丝子等配伍使用。

20. 山萸肉。山萸肉为山茱萸科植物山茱萸的果肉，别名

“山萸肉”，“蜀枣”，“药枣”。

性味、归经：甘、酸、温。入肝、肾经。

功效：《本草纲目》提示：此药“强阴益精”，“补肾气，兴阴道，坚阴茎，添精髓”等。

性保健应用：治阳痿、遗精、房劳腰痛。

用法：煎服 6 ~ 12g。

21. 金樱子。金樱子为蔷薇科植物金樱子的果实。别名“刺梨子”、“山石榴”。

性味、归经：酸、涩、平。归膀胱、肾、大肠经。

功效：益肾、固涩。《本草纲目》提示：此药“涩精气，久服令人耐寒轻身”。

性保健应用：治遗精、滑精、崩漏带下等症。

用法：煎服 4.5 ~ 9g；或入丸、散，或熬膏。

22. 益智仁。益智仁为姜科植物益智的果实。

性味、归经：辛、温。归脾、肾经。

功效：补肾固精、缩小便、温脾止泻、摄涎唾。

性保健应用：治遗精、滑精、早泄等症。

用法：煎服 3 ~ 9g；或入丸、散。

23. 覆盆子。覆盆子为蔷薇科植物常叶覆盆子的果实。

性味、归经：甘、酸、平。入肝、肾经。

功效：补肝益肾，涩精缩尿，明目。

性保健应用：《本草纲目》谓覆盆子“补虚续绝，强阴健阳”。主治阳痿、遗精、滑精、早泄等症。

用法：煎服 4.5 ~ 9g；或入丸。

24. 五味子。五味子为木兰科植物五味子的果实。

性味、归经：酸、甘、温。归肺、心肾经。

功效：敛肺滋肾，生津止汗、涩精止泻、安神养心。

性保健应用：《本草纲目》谓五味子“强阴，益男子精”。主治遗精、滑精、早泄等症。

用法：煎服 1.5 ~ 9g。常与桑螵蛸、益智仁、金樱子、山萸肉等药配伍使用。

25. 沙苑子。沙苑子为豆科植物扁茎黄芪或华黄芪的种子。别名“潼蒺藜”、“潼沙苑”、“沙苑蒺藜”。

性味、归经：甘、温。归肝、肾经。

功效：补肝益肾、固精明目。

性保健应用：《本经蓬原》谓沙苑子“为泄精虚劳要药，最能固精”。用治滑精、遗精、早泄、带下等症。

用法：煎服 6 ~ 9g；或入丸、散。

26. 菟丝子。菟丝子为旋花科植物菟丝子的种子。

性味、归经：辛、甘、平。归肝、肾经。

功效：补肾益精，平肝明目，壮阴道。

性保健应用：《药性论》谓菟丝子“治男子女人虚冷，添精益髓，去腰疼膝冷”。用治遗精、早泄、阳痿、房劳腰痛等症。

用法：煎服 9 ~ 15g。

27. 楮实子。楮实子为桑科植楮树的果实。别名“楮实”、“角树子”。

性味、归经：甘、平。归肝、肾、脾经。

功效：补肝益肾、明目利尿。

性保健应用：《大明本草》称楮实子“壮筋骨、助阳气、补虚劳，肋腰膝”。用治阳痿、房劳腰痛等。

用法：煎服 9 ~ 15g。常与枸杞子、杜仲、肉苁蓉等药配伍使用。

28. 胡卢巴。胡卢巴为豆科植物胡卢巴的种子。别名“芦巴”、“苦豆”。

性味、归经：苦、温。入肝、肾经。

功效：温肾阳、祛寒湿。

性保健应用：用治阳痿、寒疝腹痛。

用法：煎服 3～9g。常与小茴香、吴茱萸等药配伍使用。

29. 补骨脂。补骨脂为豆科植物补骨脂的果实。别名“破故纸”。

性味、归经：辛、苦、大温。入肾、脾经。

功效：补肾助阳，温脾止泻。

性保健应用：用治阳痿、遗精等症。

用法：煎服 4.5～9g。

## 七、可防治性神经衰弱的动物类中药

在中国的医药宝库中，不仅有许多植物类的中药，有壮阳补肾，兴奋性神经的作用，而且有很多动物类中药也具有同样的功效，有的功效甚至比植物类更加明显。现选择常用且效果好的介绍如下。

1. 鹿茸为常用性保健药，首载于《神农本草经》。系鹿科动物梅花鹿、马鹿、水鹿、坡鹿的尚未骨化的幼角，海南坡鹿茸为最佳。

鹿茸含鹿茸精（雄性激素）及极少量的卵胞激素“雌酮”。又含磷酸钙、碳钙、胶质和软骨。

性味、归经：甘、咸温。归肾、肝经。

功效：温肾壮阳，生精补髓、强壮筋骨，养血益阳。

性保健应用：鹿茸为温肾阳和督脉的要药，用治阳痿、遗精、滑精、子宫虚冷，房劳腰痛，耳聋眩晕及虚寒崩漏带下等症。还有抗炎和抗肿瘤作用。

用法：内服。研末，1～2.4g；或入丸、散；亦可浸酒。常与熟地、山萸肉、杞子、杜仲等配伍使用。亦可制成鹿茸精口服、肌肉注射，均有一定疗效。

2. 鹿茸血：锯茸时流出的血液、涂玻璃上晒干而成。有强精壮阳、镇惊、补虚等作用。治阳痿、遗精、心悸失眠等症。市场上有鹿血酒出售。该酒具丰富的活性酶500，补气补血，富人体易缺乏的铁元素。有明显的抗衰老及增强肌体的造血功能。

鹿角、鹿角胶、鹿角霜等功似鹿茸，而效力较差，也是临床常用之品。

3. 鹿尾为鹿科动物鹿的尾。

性味、归经：甘、咸、温。归肝、肾经。

功效：补益肝肾、强腰壮骨。

性保健应用：鹿尾为滋补药，用治阳痿、肾虚腰痛。

用法：内服，煎汤，6～15g；或入丸剂。

4. 鹿肾为鹿科动物雄鹿的外生殖器，也称鹿鞭。

性味、归经：甘、咸、温。归肝、肾、膀胱经。

功效：补肾壮阳、益精髓。

性保健应用：鹿肾又名鹿鞭，用治阳痿、房劳腰痛、肾虚耳聋、耳鸣、宫冷不孕等。

用法：内服、煎汤，6～15g；煮食、熬膏或入丸、散；常与巴戟天、肉苁蓉、仙灵脾、山萸肉等配合使用。

治男子阳痿及女子宫寒不孕：鹿肾1具，补骨脂50g，肉苁蓉50g，杞子50g，韭子25g，巴戟天25g，共研为末炼蜜为丸，15g重，每服1丸，日服2次。

5. 鹿胎为母鹿腹中取出形成的胎鹿。烘干保存或熬成鹿胎胶。可以补血调经。益肾，治疗血气两亏、月经不调，宫寒不孕、崩漏带下等症。

6. 海马为海交科动物克氏海马、刺海马、大海马、斑海马，或日本海马除去内脏的全体。

性味、归经：甘、咸、温。归肾、肝经。

功效：补肾壮阳、活血化瘀。

性保健应用：《本草纲目》认为："暖水脏，兴阴道，治瘕块，治疗疮肿毒"，用治阳痿、房劳腰痛。

用法：内服，煎汤，3~9g；或入散剂，1~3g，亦可浸酒服。常与补骨脂、仙灵脾、九香虫等药配伍使用。治阳痿，海马一对，炙焦，研细粉，每服5分。

7. 海龙为海龙科动物刁海龙或拟海龙或尖海龙，除去皮膜及内脏的全体。

性味、归经：甘、咸、温。归肝、肾经。

功效：补肾壮阳，消肿散结，舒筋活络，止血及催产。

性保健应用：海龙功同海马，同属海龙科动物。但《纲目拾遗》称海龙"功倍海马，催生大捷效"。主要用治阳痿，房劳腰痛等症。

用法：内服，煎汤3~9g；或入散剂1.5~1.8g。

8. 海参为刺参科动物刺参或其他种海参的全体。梅花参为上品。

性味、归经：咸、温。归肾、肝经。

功效：补肾益精、养血润燥。

性保健应用：治阳痿遗精、精血亏损、肾虚尿频。

用法：内服，煎汤10~30g；煮食或入丸剂。

9. 龟板为龟科动物龟的腹甲，金钱龟的腹甲最佳。

性味、归经：咸、甘、平。入肝、肾经。

功效：滋阴润阳、补血止血，益肾健骨。

性保健应用：治滑精遗精，房劳腰痛，崩漏带下。

用法：煎服 9 ~ 24g。常与鹿角胶同用阴阳两补；或与地黄、知母、黄柏、白芍等药配伍使用，亦可制成龟胶用。

10. 鳖甲为鳖科动物中华鳖的干燥背甲。别名：团鱼甲、脚鱼壳。

性味、归经：咸、平。入肝、脾、肾经。

功效：滋阴润阳、软坚散结。

性保健应用：滋阴润阳功似龟板。用治相火妄动、遗精滑精，常与知母、黄柏、山萸肉、丹皮等药配伍使用。

用法：煎服 9 ~ 30g。

11. 牡蛎为牡蛎科动物近江牡蛎或大连湾牡蛎的贝壳。

性味、归经：咸、涩、凉。入肝、肾经。

性保健应用：治遗精、滑精、早泄。

用法：内服，煎汤 10 ~ 30g；或入丸、散。牡蛎 50g，莲须 10g，芡实 20g，水煎服，日服 2 次。

12. 冬虫夏草为麦角菌科植物冬虫夏草菌的子座及其寄主蝙蝠蛾科昆虫虫草蝙蝠蛾等的幼尸体的复合体。别名虫草、夏草冬虫。

性味、归经：甘、温。入肺、肾经。

功效：补肺肾、益精气，止喘嗽。

性保健应用：能平补肾阳和阴精。用治阳痿、遗精，房劳腰痛等症。

用法：内服，煎汤 4.5 ~ 9g；或入丸、散。

13. 九香虫为蝽科昆虫九香虫的干燥全体。

性味、归经：咸、温。入肝、脾、肾经。

功效：补肾助阳、温运脾阳，理气止痛。

性保健应用：《本草新编》谓九香虫能“兴阳益精”，用治阳痿、房劳腰痛等症。

用法：煎服3～6g，常与补骨脂、仙灵脾、杞子等药配伍使用。也可单用炙熟嚼服；或研末服，浸酒服。

14. 对虾原名海虾，始载于《本草拾遗》。对虾补肾壮阳，治肾虚阳痿。治阳痿：对虾适量，白酒浸服；对虾适量与韭菜炒吃。虾头上含有男性荷尔蒙，虾头虾目极为珍贵。

15. 龙虾：补肾壮阳，滋阴健胃，治阳痿、神经衰弱等。治阳痿：龙虾肉50g，胡桃肉15g，仙茅15g，淫羊藿15g，水煎服，日服2次，连续服用。

16. 青虾，补肾壮阳。治阳痿：鲜青虾100g，黄酒适量煮沸，将虾烫死后吃虾和酒，每日1次，连服7天为1疗程。

17. 鳗鲡鱼，滋补壮阳，治阳痿：取肉炖吃补神益气。

18. 泥鳅鱼，治阳痿不举。泥鳅适量，煎吃。

19. 蛤蚧，蛤蚧性平、味碱，有小毒。入药时去头足而用其尾，雌雄合用，效果更佳。补肺益肾，纳气定喘，功同人参。助阳填精，治阳痿，蛤蚧一对浸酒服。

20. 狗肾，也称狗鞭，阴茎及睾丸入药。含雄性激素，暖肾壮阳，益精补髓。治阳痿、遗精：狗肾1具、驴肾1具、鹿鞭1具、海马1对、杞子15g，共研末，蜜炼为丸，15g重，每服1丸，日服2次。

21. 海狗肾，阴茎及睾丸入药，温肾助阳，益精补髓。治阳痿、遗精：海狗肾1具、肉苁蓉50g、白酒500ml浸酒服。

22. 驴肾，驴的阴茎及睾丸入药。补肾壮阳，强筋壮骨。治阳痿：驴肾1具、狗肾1具、鹿鞭1具、海马1对、杞子15g，共研末，蜜炼为丸，15g重，每服1丸，日服2次。

23. 紫河车，即人的胎盘，取健康人的胎盘，割开血管，用清水反复洗净，及时烘干，或制成胎盘粉。补气养血，安神益精。治阳痿、遗精等。量5～10g，日服2次。

24. 麻雀，文乌科动物麻雀。自古以来就被人类做壮阳之药。有补肾壮阳，固涩益精之功。治阳痿、遗精、早泄：麻雀5只（去毛及内脏），益智仁5g，葱白9个，水煎服，饮汤吃肉，日服2次。

25. 青头雀，民间用为补阳药。肉入药。补益，解毒。治阳痿等症。

治阳痿：青头雀肉煮熟食，连续服用。

26. 鱼鳔为石首鱼科动物大黄鱼、小黄鱼或鲟科动物中华鲟、鳇鱼等的鱼鳔。

性味、归经：甘、平。入脾、肾经。

功效：补肾益精、滋养筋脉、止血散瘀。

性保健应用：治肾虚滑精、少精子症及崩漏。

用法：内服，研末，9～15g，煎汤或入丸、散。

27. 桑螵蛸为螳螂科昆虫大刀螂或小刀螂，薄翅螳螂等的干燥卵鞘。

性味、归经：甘、咸、平。入肝、肾经。

功效：补肾肋阳、固精缩尿。

性保健应用：功专收涩，用治阳痿、遗精、早泄、白浊、白带等症。

用法：煎服3～9g；或入丸散。

28. 原蚕蛾为蚕蛾科昆虫家蛾的雄性全虫。

性味、归经：咸、温。入肝、肾经。

功效：补肝益肾、壮阳涩精。

性保健应用：治遗精、滑精、阳痿、白浊。

用法：煎服3～10g；或入丸、散。

29. 鸡睾丸含大量纯正动物激素，具有较强的壮阳作用。

30. 鸡内金为雉科动物家鸡的干燥砂囊内膜。别名鸡肚皮、鸡黄皮。

性味、归经：甘、平。入脾、胃、小肠、膀胱经。

功效：健脾胃、消积滞，止遗尿、化结石。

性保健应用：治遗精、滑精、崩漏、带下。

用法：煎服3～9g；或入丸、散。

31. 乌骨鸡，骨及肉入药。补肝肾，益气血，清虚热、治遗精、滑精、赤白带下：乌骨鸡一只，白果、莲肉各50g，胡椒5g，共为末，纳鸡腹里，煮熟，空腹食之。

## 八、可治男子性神经衰弱的古方

阳痿、早泄是一种男性常见病，在内科、泌尿外科、神经精神科门诊中都能见到。这类疾病，除极少数的属器质性外，多数为功能性，即属于性神经衰弱类病。本病应以心理治疗为主，但对于少数患者须辅以药物治疗。西医多用男性激素及绒毛膜促性腺激素，尤以后者功效为著。我国中医视此病为五劳七伤、阳气少、肾源不足之征，在治疗上积有丰富的经验，为民族的繁盛做出了贡献。《隋书·经籍志·子部医家类》列有我国最古论述本病的著作的名目，如《秘道经》等，可惜的是，这些著作均已亡佚，只在我国东邻日本的医籍中尚保存有一鳞半爪。

日本永观二年（当我国宋太宗雍熙元年，即公元984年），该国丹波康赖氏撰有《医心方》一书，其中载有药方二则，均取自我国古籍，苏州市广济医院张裕康医师曾用此方治疗性神经衰弱病人多例，平均服药一月余即可获得较满意效果。张先生曾在有关杂志上著文推荐此方。现将该方介绍如下，供有此病的患者一试。

1. 秃鸡散：肉苁蓉、五味子、菟丝子、远志、蛇床子。上药等分，捣筛为散。空腹酒下3g，1日3次。

2. 鹿角散：鹿角、柏子仁、菟丝子、蛇床子、车前子、远志、五味子、肉苁蓉。上药等分为散，饭后服3g，1日3次。

## 第四节　药物对老年性功能的调节

### 一、可兴奋男子性神经，增强性功能的常用验方

可兴奋男子性神经，增强性功能的常用验方中药中有不少验方可起壮阳、举坚、抗性老化作用，能兴奋男子性神经，增强性功能，现介绍若干如下，供读者选用。

1. 鹿茸、远志、天雄、僵蚕、女贞、石硫磺、白石英、五味子、白马茎、菟丝子、蛇床子各15g，共研末，每日3次，每次1g，温酒送服。

2. 人参30g，干荔枝肉1000g，2.5L好酒，泡3日即可，每早晚各1次，每次20~50g。

3. 蛤蚧1对，切片泡入1 000g白酒60天，每日1次，20~60g。

4. 大附子30g，麝香15g，蟾酥12g，升硫4.8g，淫羊藿

60g，白酒500g，将大附子、蟾酥、麝香、升硫，共研细末，用酒煮的淫羊藿30g膏，混成24丸贮罐，每用1丸放入脐中固定，不可内服。

5. 鹿茸、山药各30g，研末纳入袋中，泡酒7日，将其末焙干研末，每日服1～2盅，茸末3g。

6. 鲜鹿血200g，白酒1000g，共倒入拌匀，浸泡24小时，取上层清液饮之，每日2次，每次10ml。

7. 海马1对入酒500g，泡15日，每日1次1盅。

8. 猪尾1～2条，杜仲30g，川断25g，加调料入瓦煲内做菜，食肉喝汤，每日2次，服完。

9. 猪肾1付、杜仲15～30g入煲作汤服食，每日1次。

10. 党参30g、猫肉150～250g、桂圆肉100～150g隔水炖熟，隔日1次，服完。

## 二、对性神经有影响的常用西药

有关研究表明，某些西药对性功能有强烈的影响作用。西药对性功能的影响机制是十分复杂的，目前还不十分清楚，一般认为主要是通过影响人体性激素的分泌，进而影响性神经的兴奋或抑制。西药对性功能的影响，个体间有较大差异，吸收率、代谢率、排泄率、剂量、服用时间以及药物之间的相互作用等都可能造成这种差异。下面将对性功能有影响的常用西药介绍如下。

### （一）激素类药物

用雄激素治疗睾丸酮缺乏的男性，可使其性欲或性交能力恢复到基础水平；对睾丸酮分泌正常的男性，通常不增加性欲或性交能力。但是，长期应用中等量或大剂量的雄激素，可抑制男性的下丘脑——垂体——睾丸，而导致睾丸萎缩，并使精子生成显著减少，或导致男子女性型乳房发育。女性应用大量雄激素，也可增加性欲，因为女性性欲是由雄激素支持的，但可发生多毛、痤疮、阴蒂肥大等副作用。如果怀孕妇女服用雄激素，则可能使女性胎儿男性化的危险。

雌激素用于男性患者（如治疗前列腺癌），可迅速使性欲减退或消失，并必然导致阳痿。雌激素用于女性，一般对性欲不会产生直接影响。但用于雌激素缺乏的女性，可维持阴道润滑和阴道黏膜的完整，并使乳房丰满。

（二）抗雄激素类药物

安体舒通它是一种醛固酮拮抗剂。用安体舒通治疗高血压病病人，可使睾丸酮水平降低。近来发现它具有明显的黄体酮活性（黄体酮是一种性抑制剂），所以可引起男性性欲减退（22%），阳痿，女性型乳房；在女性，可导致月经不调，乳房松软。这些影响又与服用剂量大小有关，每日剂量在100mg或小于100mg的病人，性功能很少受影响。

环丙氯地孕酮它是一种雄激素拮抗剂，具有对抗雄激素的作用，故可导致男性性欲减退，勃起功能损害及性高潮反应降低。

（三）自主神经拮抗药

治疗精神病的酚噻嗪类药物（如氯丙嗪），在治疗精神分裂症上有特殊疗效。在每日剂量达400mg或更多时，易发生阳痿。有10%~20%的病人可发生性欲减退。

另一种非噻嗪类药物氟胍啶醇服用此药的男性有10%~20%可发生阳痿；女性病人可发生月经不调。有趣的是，给予小剂量可使睾丸酮增加，但大剂量时，却可抑制睾丸酮的生成。

（四）环类抗抑郁剂（如丙咪嗪）

抑郁病患者（这类人多有丧失性欲者）经治疗后，情绪会得到调整，随着病情的缓解，病人会恢复性欲，对性活动的兴趣会有所提高。但约有5%的病人，用三环类化合物治疗后，尽管其他多数症状消失，但性功能却恶化。所以，对抑郁症的处理须个体化，以适应各个病人的需要。

治疗狂躁症的药物碳酸锂，可降低年青男性血清睾丸酮水平，导致内分泌的改变，某些人则可能发生阳痿。

（五）抗高血压药物

a-甲基多巴具有较弱的抗肾上腺素的作用，是常见的性功能抑制剂之一。随着每日用药量的增大，会使性功能衰减程度加重。

胍乙啶具有抗肾上腺素的性质，对性功能的主要影响是引起男性射精的抑制。抑制程度与服用剂量有关。

利血平和其他萝芙木生物碱具有显著的镇痛作用。可间接地降低性欲；同时常可导致患者出现抑郁现象，使原来患有性功能障碍及性欲减退的患者病性更趋严重。

心得安是一种多用途的β肾上腺素阻滞剂，曾有人报道了几例心得安诱发的阳痿，要引起注意。

（六）安定药、镇静剂和安眠药

减轻焦虑可增强性功能，而镇静剂通常又降低性反应和性欲。安定可能对大脑边缘系统有特异性作用，因而可直接改变性欲或性功能；利眠宁和安定可减轻焦虑，能增强或降低性欲，有人报道在妊娠3个月内服用，有发生先天畸形的危险；巴比妥有时有降低性抑制的作用，因而或增强性功能，但巴比妥服用后，出现性欲减退、阳痿或性高潮反应丧失的现象；安眠酮能增加性功能，但因人而异。

## 第五节　科学用药与老年健康

### 一、药瘾对身心健康的危害

长期服用某些药物容易形成药瘾，这已是人所共知识的事实。但不少人对药瘾对人的身心健康危害性认识不足，常常滥用一些药物，以致酿成了一些本不该发生的悲剧。其实，药瘾是当前世界上出现的新型病，同酒瘾、吸毒瘾属于一类的社会病。药瘾甚至比酒瘾更危险。据瑞典医学界统计，在 2 000 名被送往医院抢救的药瘾者中，死亡率高达 25%。这些药瘾者多半是服用安眠镇静药成瘾的。他们大部分各有自己一段痛苦，小剂量药渐渐不起作用，就加大药量，如此恶性循环下去，终于陷进不依靠镇静药物就难以生活的危境。

如曾经轰动世界的美国女影星玛里琳与世长辞时，年仅 36 岁。对尸体进行了检查，确认她的死是由于过量地服用巴比妥所造成的。据玛里琳的同事回忆，她在电影艺术上虽然赢得了桂冠，但在个人生活上却是个失意者。玛里琳经常独自在家里喝酒，失眠越来越严重，达到不服用药就不能入睡的程度。终因服用安眠镇静药过量而结束了充满不幸与荣誉的短促一生。

不仅在国外，随着改革开放和生活节奏加快，现在国内也需要警惕这种新型病。

如记者李某因职业原因经常难得正常休息。20年前他就开始依赖镇静药片保持睡眠。后来药物种类越来越多，他的衣袋、钱夹、床头柜里到处备有各种药物。他自以为身体好，对各种药物无所畏惧，但是药瘾越来越大，结果是药物的副作用使他身体出现痉挛、精神苦闷、易怒、头晕眼花、耳鸣。整个夏天几乎完全不能入眠，身体消瘦到40Kg。后来在妻子、孩子的帮助下，经过医生的治疗，才戒除了药瘾，恢复了正常生活的乐趣。

女教师王某由于在婚姻问题上受到刺激，整天忧心忡忡，闷闷不乐。为了减轻心中的烦恼，她开始服用镇静剂，后来剂量越来越大，达到不服用镇静药就感到心烦意乱，无法控制自己的地步。最后由于超剂量的服用镇静药导致中毒，送往医院抢救。终因中毒过深而死亡。

以上3个例子的教训告诉我们，如果长期大量服用安眠镇静类药物，就可能成瘾，陷进不依靠安眠镇静药就难以生活的危境，严重威胁自身的健康。为了制止新的社会瘟疫——药瘾的蔓延，在使用镇静药时应注意以下几点。

1. 应严格遵照医嘱服用，不要对其产生依赖心理，同时应注意睡眠卫生，保持乐观的情绪，注意生活规律化，加强体育锻炼，为停药创造条件。

2. 为加强催眠作用并减少副作用，镇静类药物可轮换或搭配着服，剂量宜小不宜大，疗程宜短不宜长，以免成“瘾”或产生耐药性或引起药物蓄积中毒。

3. 对于长期和严重失眠病人，应在药物治疗的同时，配合精神治疗及适当参加一些文体活动，以增强治疗效果。对于偶尔发生的失眠或轻度失眠病人，应尽量不用或少用镇静药。可在临睡前做适量的阅读、散步、洗温水澡或泡脚等，这些方法往往也能起到帮助入睡的作用。

4. 凡有严重肝、肾功能不良的病人，应慎用镇静药，以免加重病情，或者引起药物中毒性肝炎。对有严重肺功能不全的病人应禁用镇静药。

5. 对于服用镇静药物已成瘾者，应主动到医院采用药物和心理综合治疗。同时自己要有意识地加强意志锻炼，逐渐戒除已形成的药瘾。

最后，由于镇痛药、安定药、某些催眠药、精神兴奋药，如长期使用，易引起药瘾或病态嗜好。我们人人都应当牢记“镇静安眠药和提神兴奋药应该放到最后和万不得已时再服用”这句用药箴言，服用此类药物要慎之又慎，对保护身体健康是大有益处的。

## 二、服药不当会引起精神失常现象

通常人们认为只有患精神病的人才会出现精神症状，但有时精神正常的人在服用了某些药物以后也会出现精神失常现象。

据报道，有位患肺结核的女青年治病心切，超量服用抗结核药异烟肼。服药一个多月出现精神症状：兴奋不眠、四处奔走、答非所问。这是什么原因导致的？医生对此作了了解。原来，异烟肼的正常用量应为每日 3 次，每次 0.1g，而这位病人却每日服了 1.2g。据认为，异烟肼服用过量就可使烟酰胺和 $VB_6$ 缺乏，便会出现一系列精神症状，表现为意识不清、产生幻觉、兴奋多语。

其实，能引起精神短暂失常的药物，并非一种。如有人服降压药利血平后，会产生抑郁感和自杀倾向；皮质激素类药物能增加大脑皮层的兴奋性，常会引起欣快感或焦虑不安，严重的会出现思维混乱及各种幻觉；呋喃类药物能引发类精神分裂症；服阿托品过量，也会引起烦躁有安、说胡话、产生幻觉等精神症状。还有一些病人对青霉素很敏感，使用后便会产生精神症状：有的表现为短暂的精神失常，有濒危感和幻视、暂时失明、定向力障碍等；有的表现为忧郁症或夸大狂；也有的类似癔病发作。治胃病的泰胃镁，有些人服用后也可能引起精神症状。人们常用的补药人参，长期过量服用也会出现人格改变等精神症状。

当然，由药物引起的精神症状，只要立即停药，便会在很短的时期内消失，并不会留下后遗症（有精神病史者例外），故不必惊慌。所以在服药时，一定要注意以下几点。

1. 要遵照医嘱，凡是由于过量服用异烟肼、利血平、皮质激素或呋喃类药物、阿托品、青霉素等药而引起精神症状的，只要遵照医嘱按量服用，种种精神症状是完全可以避免发生的。

2. 对有些药物说明书上标明少数人服后可能有精神症状的，应遵照说明书规定，停药或减少用量，如泰胃镁等。

3. 对有些补药，要根据身体状况选择服用，不可滥补，如服用人参应避免长期过量服用。

# 第八章 老干部日常行为与保健

- 保持心理平衡是身心健康之宝
- 健康和谐的人际关系有利于身心健康
- 生活情趣广泛有利于心理健康

# 第一节　保持心理平衡是身心健康之宝

## 一、适时放松可防心理疲劳

现代人生活节奏快，压力大，精神常处于高度紧张状态，如不注意自我调节，久而久之，容易产生心理疲劳。古人云：文武之道，一张一弛。生活中也应当有张有弛，这一点对老干部尤其重要。其实，在紧张的生活节奏中，只要你注意时机，采取适当方式，有意放松精神，就可以收到意想不到的效果。例如经过一天忙碌的工作，人们会感到精神紧张，但只要有几分钟的简单调节，就会放松下来。以下是简单易行的精神放松法。

1. 找一个舒适的地方坐下来或靠一会儿，不要让别人来打搅你。

2. 闭目养神：做深呼吸，把手放在肚子上，小指放在肚脐上，其他手指伸开。要感觉到手在上下移动，好像肚子上有一个小气球在充气。

3. 在控制住呼吸后，让意念周游全身，从脚趾开始，到头顶结束。让意念在每个部位充气，在感到紧张的部位要多停留一些时间。

4. 另一个意念是想象自己在海滩上，随着海浪呼吸。在海浪靠近时吸气，在海浪远去时呼气。

如果你看电视过久或在电脑显示屏前坐了很长时间，眼睛就会酸疼和疲劳，这与你坐着的姿势不正确有关。为了防止这种酸疼与疲劳，可以采取以下的办法，每天做两次。

(1) 在椅子上挺直后背，举起双手，脖子向上伸。右手放在头顶上，脖子向右转5秒钟，肩膀不要动。然后将左手放在头顶上，脖子向左转5秒钟。

(2) 活动脖子：两手在头后交叉，双肘向后活动，这个姿势保持5秒钟。然后头慢慢地向前倾斜。

另外，在电视前或电脑前坐的姿势要正确，腰要紧靠在椅背上，头不要往下缩。显示屏与眼睛的距离保持70厘米，脚要着地，这样，眼睛的酸疼和疲劳就会消失。

## 二、笑是心理保健的良药

俗话说："笑一笑，十年少；愁一愁，白了头。""笑口常开，青春常在"。可见笑对身心健康的重要性。欢快的笑是心理健康的标志、精神振奋的体现，笑能使人产生信心和力量。

### (一) 笑可以全面锻炼身体

笑虽然不是剧烈的运动项目，但其对身心的锻炼作用是任何体育运动项目所无法相比的。美国斯坦福大学医学院的专家们说：笑是一种运动，对整个机体来说是一种最好的体操，或者说是一种静止的跑步。一次欢笑能使呼吸运动加深，肺活动增强。笑又能使胃体积缩小，胃壁的张力加大，消化液增多，饮食增进。笑声中心跳加快，血液流速增强，面部及眼球的血液供应充足，从而使面颊红润，眼睛明亮，容貌焕发。笑能使大量肌肉得到运动，从面部的微小肌肉直到腹部、背部和四肢的大块肌肉。挪威有科学试验证明：3分钟的笑能代替15分钟的体操。

(二) 笑是心理保健的良药

笑的保健作用突出地表现在可以治疗心理方面的疾患。据传，元朝名医朱丹溪遇一青年秀才，秀才婚后不久突然亡妻，终日悲忧哭泣，甚为伤感，终成疾病，久治无效。朱丹溪给他诊脉后说："你有喜脉，看样子已有数月了。"秀才听后，觉得当代名医说出如此荒谬之语，实在可笑。此后常到处将此事作为奇谈笑料，自己也和众人同乐起来。不久，他的病渐渐好了。这时，其家属才告知这是丹溪事先说过的以喜乐胜悲忧的治疗方法。

笑是一种天然的镇静剂，它可以缓解紧张情绪，使人安定，睡眠改善。英国著名化学家法拉第，在紧张的研究工作中，由于得不到较好的休息，影响了身体健康，经常头痛失眠。一次，他请医生看病，医生给他开的药方上不是药名，而是一句英国谚语："一个小丑进城，胜过一打医生。"法拉第明白了其中的奥妙，就经常去剧院看喜剧、滑稽戏或马戏表演，常被逗得哈哈大笑，使紧张的情绪得到了调节，他的健康状况日趋好转，活了 76 岁，为科学事业做出了贡献。

笑是一种天然的镇痛剂。因为它能刺激产生一种激素，引起内啡呔的释放，而这种物质可以减轻头痛、腰背痛以及关节痛。美国有位记者叫卡曾其，他得了一种怪病，行动艰难，浑身疼痛。他经常看喜剧影片，引起大笑。他发现笑有镇痛效果，大笑一次，疼痛就减轻此，浑身舒服一阵。后来便坚持这种笑的治疗，病情大为好转，逐渐恢复了健康。

联邦德国有一个"笑联盟"；美国的一些疗养院让病友读一些妙趣横生的幽默小说，看讽刺可笑的连环画等，并把此方法称为服用"笑剂"。有的医院要求某些病人每天笑 15 分钟。在我国，有些擅长心理治疗的中医，在开完药方之后，常常告诉病人切莫忘了加上一种特殊的“药引子”，这就是每天加8个“笑哈哈”，它不仅马上使情绪忧郁的病人忍不住发笑，而且使他们懂得只有情绪乐观，药物才能取得更好的疗效。

鉴于笑的心理调节作用，人们在治疗生理疾病时，常常运用笑来提高生理治疗效果。英国有个年仅13岁的男孩，因胸肌的丧失，不能自主呼吸，全靠特制的金属背心上的呼吸器来迫使胸腔起伏舒缩，维持呼吸。后来，医生经常带他去看滑稽戏，逗他哈哈大笑。而每笑一声，呼吸器的电流就自动切断，让他自己的胸肌进行呼吸。经过长期的锻炼，病孩自行呼吸的时间已能持续40分钟。可见，老干部只要能笑心常开，就一定能精神焕发，健康长寿。

## 三、倾诉是调节不良情绪的妙方

向别人倾诉自己内心的委屈、苦衷，有助于缓解自己的不良情绪，从面有利于健康。相反，有了委屈、苦衷闷在心里，“打落门牙往肚里吞”，很容易把人闷出病来，对身体十分不利。所以有人指出，女人比男人长寿，一个很重要的原因就是女人喜欢唠叨，喜欢向别人诉说自己的内心感受。

英国的权威心理医学家柯利切尔提出：当人处于逆境时，向亲朋好友倾诉衷肠，是一种值得推荐的办法。实践表明，诉说是释放压力的最好方式，也是最有效的方法。诉说让人觉得有一个倾听者，能感到人际的关怀，获得心理上的被支持感；诉说有将快速的大脑思维变为口头语言的功能，进而起到放慢思维速度，寻求表达的逻辑性，帮助诉说者获得理性，避免长期陷入情绪化的状态。

著名作家巴尔扎克曾经指出：自杀是绝望和思考的结果。倾诉衷肠，可以把人从悬崖上解救下来，重新鼓起生命的风帆。

沮丧和绝望在内心郁积，当狭小的心灵实在难以容纳时，便会发生情感上的“爆炸”，做出鲁莽的行动。如果这时能有知心的好友，进行促膝谈心，就会打开思想上的闸门，让忧伤伴同泪水一起与你宣泄。

从心理学上讲，消极情绪的深度压抑，是心理变态的根源。灾祸临头之际，当事者常爱独居一室，或到深山海滩，把自己严密“封锁”起来，各种悲愤像潮水一般涌向心头。如果有一平时最相信的人日夜伴随，就会感到人世间的温暖。此时倾诉衷肠，有的放矢地进行劝解，慢慢解开思想上的“疙瘩”，就能面对实际困难，找出妥善的办法。比如经济上的损失，可以采取暂借和资助来渡过难关。假若是失恋，倾诉衷肠也会使人慢慢从迷雾中解脱出来。

“人有悲欢离合，月有阴晴圆缺”，在漫长的人生道路上，既有轻车熟路，也有荆棘坎坷，当你有烦恼时，不妨及时找人诉说一番，一定会收到好的效果。诉说的对象通常有：亲人(配偶、父母、亲戚)、朋友、心理专家。

## 四、情绪乐观可健康长寿

关于长寿的秘诀，人们各有说法。多年前，人们曾问一位高龄睿智的导师，长寿的奥秘是什么？是饮食、锻炼、不吸烟，还是其他什么？他不假思索地回答：“生活态度。”美国梅奥诊所所做的一项调查显示，乐观主义者比悲观主义者的寿命长20%，这证明导师的话是对的。实践证明，无论是什么灵丹妙药，都比不上快乐来得有用。这也是波兰年龄最大的老寿星雅尼娜·艾兹维科夫斯卡的观点。艾兹维科夫斯卡现年116岁，她的一生可谓坎坷之极。在她出生后的数十年间一直战事不断，战争使她经常在饥饿与穷困中苦苦挣扎。艾兹维科夫斯卡曾经说过：“我的大半生都在为衣食而忧，但我活过了百岁。相反，如果我什么都不缺，那也许活不到今天了。”艾兹维科夫斯卡老人最大的优点就是能用乐观的态度对待周围的一切，即使遭遇了不幸，她也能很快解脱出来。

纵观古今中外所有的长寿老人，不难发现，他们长寿之道都有其共同之处，那就是“心宽胸大，乐而忘忧，志趣广泛，博学多艺”。我国古代人均寿命仅50岁左右，但孔子为什么能在春秋时代度过73个春秋呢？他曾经说过：“知者乐水，仁者乐山，知者动，仁者静，知者乐，仁者寿。”意思是要讲仁义，要宽厚待人，要正视现实。已故108岁高龄的著名书法家苏局仙老先生曾说过：“一个人要豁达，祥和，乐于助人，无欲无忧，生活有规律，坚持锻炼身体，注意卫生和保养，保持愉快的情绪，就一定能长寿。”这就说明了豁达乐观是健康长寿的首要因素。

那么，怎样才能寻找快乐和开发快乐？心理学家戴维·G·迈尔斯给人们开了8条秘方：(1)不要指望金钱买到快乐。人们赚取金钱的实际数量对快乐与否无甚影响，关键是对自己的收入是否感到心满意足。(2)珍惜每一时刻，快乐来自每天发生的一件件小事，而不是源于偶尔的几件带来好运的大事。(3)学会喜欢自己。据研究，拥有健康的自尊心理的人，在面对挫折时表现得较为坚强。(4)通过制定切实可行的目标来把握自己的生活。(5)偶尔休息几天，花上几个小时独自享受宁静的时光。换上一副快乐的笑脸——即使你并不感到快乐。(6)锻炼。有氧锻炼如散步、跑步和游泳等，可起到矫治轻度忧郁和焦虑症、增添快乐的作用。(7) 睡眠充足。充足的睡眠可使身体重新“充电”，对保持头脑清醒和减轻低落情绪是至关重要的。(8) 建立良好的人际关系。医治烦恼的方法是友谊，如你已结婚，与你的配偶保持良好关系显得尤为重要。

## 第二节　健康和谐的人际关系有利于身心健康

### 一、诚实有益身心健康

可能有人认为，说谎是不好的，但善意的谎言却无伤大雅。心理学家认为，即使是没有恶意的小谎话也会使人焦虑、睡不安宁，同时可能破坏朋友或亲人之间的亲密关系，因此人必须诚实。诚实守信是做人的根本。

心理学家提醒人们，即使在说一些小谎话的时候并不觉得有什么不对，可是这些小谎言往往会使人难以入眠。在现实生活中，几乎很多人都曾有同样的感受：当老板要你对某一件事提出意见时，你可能觉得直言无隐会带来不良反应，于是就避重就轻地说些言不由衷的话，自以为非常得体，可是事情的发展却不是那么令人愉快，最终仍让你十分不自在，深悔当初没有说实话。

为了讨好和避免得罪朋友，可能说了一些谎言，自以为应付得当，可是一旦当朋友发现完全不是那么一回事的时候，友情所受的伤害却常常难以弥补。情侣和夫妻间的谎言对于感情和性生活的不和谐也有非常大的影响，小则引起龃龉，大则导致分手或离异。这主要是因为谎言被戳穿后，男女或夫妇中被欺瞒的一方会有怨恨，而怨恨则成为这种亲密关系的杀手。

美国心理学家布兰顿在《如何以诚实改变生活》一书中说，诚实可以减轻人们心中焦虑和沮丧，从而改善自己的生活和人际关系。布兰顿认为，诚实能使夫妻间的怨恨变成睿智的讨论，经由坦率的沟通解决配偶间的一些争论与不欢。因此，为了自身的健康和幸福，人们应当坚持诚信原则，不说假话、谎话。

## 二、助人为乐可以促进心理健康

生物学家和医学界对衰老的原因进行了大量研究，提出种种学说，多不主张过分强调某一因素的重要性。第15届国际老年学会提出的目标是“健康的老龄化和健康长寿”，主要对策之一是“良好的心理”。国内外心理学家研究表明，经常助人为乐者可使心情愉快，保持心理平衡，因而多健康长寿；而那些经常做坏事的人，既要算计别人，又要防止别人暗算，终日惶惶不安，导致身体功能失调，免疫力下降，无论发病率、死亡率都远远高于施善者。所以人们往往把那些损人利已者称作“短命鬼”，此非因果推论，而是损人利己者失去了良好的心理状态的缘故。多行不义自伤身，如有关调查显示，贪污受贿者往往短寿。故有人讲，损人不一定能利己，自私不一定能“自利”；相反，助人却可以乐己，无私却可能“自利”。世界上的事情有时就是这么相反相成。

老是人生不可抗拒的自然规律，长寿的秘诀取决于个人对生活的态度。一个人要想长寿，必须具备良好的心理状态。助人为乐，多做好事，看起来这是思想道德领域的事，其实，与一个人的身心健康关系是十分密切的。中国古代早就有“大德者必得其寿”的论断。据有关资料介绍，中国的高寿老人中，大多有一颗乐善好施、助人为乐之心。助人为乐之所以有利于身心健康，主要有以下几方面的原因。

1. 可消除孤独感。美国心理学家夏夫尔·马丁把孤独称为随时都可引爆丧身的“定时炸弹”。做好事是一种必须与他人发生联系、接触的活动，做好事后，孤独感自然就会消失，可以以人之乐为乐，心境始终保持愉悦，有助于缓解负性情绪的影响。

2. 有助于增强自信心。人类生活方式是群体性的，既合作又竞争。施善积德实质上是视他人为朋友，乐于奉献，急人所难，竭力相助，在帮助他人的过程中，除了自己心中获得欣慰感之外，还会坚信自己活在世上，于他人有益，会增加许多自信心，使心理处于积极向上的状态。

3. 可促进心理平衡。助人为乐者，一般不存私欲杂念，能宽容待人，心胸坦荡，不图回报，内心极少有个人得失的压抑，更不用花心血去算计他人，因而有助于保持良好的平衡心态。长期保持平衡的心理状态是健康长寿的保证之一。可见祖国医学宝库中早已总结出的“养生先养德”、“善为福寿之本”，其科学哲理是完全正确的。

做好事是现今社会大力宣传的道德标准，有很多道理可讲，然而从自身健康的角度分析，助人为乐是大有裨益的，确有促进健康、延年益寿的作用。

## 三、善于交友有利身心健康

人之所以成为人，就在于他的社会属性。所以马克思指出，人的本质是一切社会关系的总和。人的智慧、能力、情感在很大程度上都是在相互交往中产生和发展起来的，人的身心健康也离不开相互的交往。有很多身心疾病，都与“自我封闭，拒绝交往”有关。现代社会由于知识更新快、工作压力大、竞争激烈，加之子女与老干部单独居住等多方原因，人们交际的机会大大减少，因而精神病、心理障碍发生率高，与精神因素有关的生理疾病的发生率也相应攀升。

“不和别人亲密交往的人，患心脏病的可能性非常大。”这是在美国加利福尼亚大学——巴克雷分校从事医学研究的雷纳德·西姆教授在谈到交际的重要性时。

据这位教授说，没有亲密朋友的人，患心脏病的百分率是那些有很多朋友的人的2至3倍，就像吸烟、高血压和胆固醇增高等一样，容易导致人们心脏病的发生。

那些移居美国的日本人，虽然和在故乡一样继续吃着日本饭食，可为什么他们比在国内的日本人患心脏病的比率要高？这就是西姆教授开始该项研究的起因。

对在日本、夏威夷、旧金山等地的1.7万名日本人进行的调查表明：居住在本国的日本人患心脏病的百分率最低，而居住在夏威夷的日本人次之，居住在旧金山的日本人患心脏病的比率最高。

在加利福尼亚洲居住的日本人中，采取西方生活方式的人，患心脏病的人数是那些仍按照日本风俗生活的人的5倍。对这些方面的研究表明：凡是保持着家庭和睦和好与四邻亲密往来的这种日本传统风俗的人家，患心脏病的比例就低，这难道不能说明一点问题吗？

另外，从旧金山以东的阿拉默达郡的居民里，对其中的6 900多人进行的调查表明：完全没有朋友的人，与不仅朋友多，而且和周围的人交往也频繁的人相比，其死亡率是那些善于交际的人的2至3倍。“老实说”，西姆教授说道，“那些完全不和别人亲密交往的人，不仅患心脏病的危险性非常大，而且还要特别注意患其他的疾病。”西姆教授的研究充分揭示了交友与交往对人心理保健和生理保健的重要作用。

## 四、夫妻和睦有利于身心健康

近年来通过研究发现，夫妻恩爱，精神愉快，可使体内分泌出一些有益健康的激素、酶和乙酰胆碱等物质，这些物质能把血液的流量、神经细胞的兴奋程度以及心理和生理机能调节到最佳状态，从而保证食欲旺盛、睡眠香甜、精力充沛、思维敏捷、抵抗疾病能力增强。

由于夫妻关系是家庭关系中对人的情绪影响最重大的关系，夫妻不和对身心健康负面影响极大。现代医学表明：夫妻反目，心情忧郁，则大脑皮层形成一个紧张的“兴奋灶”，可使某些有益激素的产生出现紊乱，并通过植物神经系统对各个脏器发生抑制，引起焦躁沮丧、食不甘味、睡不安寝、血压波动、心悸气短、月经紊乱等症。情绪不正常还会使吞噬细胞作用减弱，抗体及干扰素生成减少，免疫功能减退，抗病能力降低。长期过度地刺激还可造成大脑皮质类固醇分泌增多，而长期处于紧张状态，则过度消耗体力，使抵御癌细胞的能力减弱，体内某些细胞因失去免疫系统的控制而恶性增长，从而引起癌症的发生。1982年，北京市提供的一组资料表明，癌症病人中过去有明显不良心理因素的高达76%。据美国调查资料表明，中年丧偶，或因夫妻不和离婚者，发病比常人频繁得多，他们的住院时间为同类患者的两倍；死亡率也明显增高，他们患心脏病、肝癌和胃癌的死亡率，为其他人的两倍；高血压的死亡率为3

倍；肝硬化的死亡率为7倍。日本也对离婚者作过统计，发现他们的平均寿命远比美满家庭中的人短，男子可短寿12岁，女子可短寿5岁。再者，夫妻无休止地吵闹会使精神长期受到痛苦折磨，或使大脑皮层失去控制，行动上自我摧残，如借酒消愁、以烟解闷或产生轻生念头等。可以说，夫妻间任何超出现实的猜疑多虑，一味无中生有地纠缠和制造不良气氛，对身心健康都是不利的。只有夫妻恩爱，才能白头到老。

## 第三节　生活情趣广泛有利于身心健康

### 一、背诵诗词能延年益寿

人们在日常生活中发现一个有趣现象：喜欢背诵诗词的人会健康长寿。

在古代，善背诗的长寿者不乏其人。唐朝诗人白居易，与元稹交好，彼此都能背诵对方的佳作，活了75岁。他的前辈诗人杜甫则因遭逢乱世，内心忧郁，借酒浇愁，未能活到花甲之年。杜甫曾经感叹：“酒债寻常行处有，人生七十古来稀。”而白居易却因写诗背诗，活过了杜甫所羡慕的古稀之年。还有南宋的陆游，活到86岁，留下了数以万计的诗。白、陆二人的身世都颇坎坷，都以写诗、背诗破愁解闷而长寿。

在当代不少健在的诗人，因养成了背诗、写诗的习惯，都达到耄耋之年。众所周知的冰心老人，被称为“世纪老人”，她几十年来，一以贯之地背诵古诗，慰藉身心，她认为，背诵诗词一可消除孤寂，二可协调眠食。她经常睡前醒后背诵历代一些优美的抒情诗。还有上海的施蛰存先生，身患绝症，年届九十，他的专著《唐诗百话》，可以说是他经常读诗背诗的成果。至于以写新诗著称的臧克家，博闻强记，对唐宋诗人的名篇佳作，大多过目不忘，对毛泽东诗词，更是背诵如流，他九十华诞向来宾表示，要活到120岁。

背诵诗词为何可以有益身心健康？主要原因在于：一是因为诗词都是高度提炼的文学作品，内容深刻，感情真挚，意境鲜明，背诵诗词的过程，就是一个文学审美的过程。背诵时，背诵者会调动自己的审美思维，体会诗词的意境，抒发自己的情意，产生审美共鸣，获得审美愉快，达到心情舒畅，忘却忧愁烦恼，消愁解闷。二是背诵诗词，可预防大脑细胞衰老。从心理学看，背诗可强化记忆力，扩大联想力，培养审美力，有助于形象思维的丰富和条理性，对预防老年思维混乱或痴呆症，具有明显的成效。三是背诵诗词时，必须安心定神，有助于镇定精神。当人由于外界干扰，心神不宁、寝食不安时，如能静心背诗诵词，可以使人的神志恢复条理，获得心理平衡，从而精神安定，眠食正常。

背诵诗词可以长寿，不可误解背诵诗词就是灵丹妙药，要对所背之诗有较深刻的理解，与各自的感情世界的变化相吻合，才能裨益身心，对长寿起到辅助作用。

## 二、音乐可调适身心健康

音乐对人们的心身有调节作用，在几千年以前就引起了人们的关注。我国二千多年前的《乐记》一书中，就曾指出音乐对调剂人的生活情趣、涵养德性，以及增进健康，有很好的作用。古籍《群经音辨》曰：“乐，治也。”明确地记载着音乐是一种治病的手段。《黄帝内经》一书中的《五音五味篇》，更是依据五行相生相克的规律，运用宫、商、角、征、羽等不同音乐，针对不同的病症，采取对症下“乐”的宝贵经验。在西方，古希腊亚里士多德是第一个指出音乐具有治疗效果的哲学家和科学家。法国外科医生帕特里克·埃塞文在他新近出版的《音乐与医学》一书中，指出了自从八千多年前音乐诞生以来，它与医学的相互平行的历史，认为史前时期的那些实践医生就曾指出过音乐是进行治疗的必不可少的因素。18世纪以后，心理学家和医学家把音乐与人体健康的关系作为科学的课题来进行研究。到了20世纪40年代，把音乐作为一种具体的治疗手段应用于治疗疾病。现在，临床实践已经充分证明，音乐对促进身心健康确实有其独特的功效。

临床实验证实：高血压患者在听了一首轻松愉快的乐曲以后，血压可下降10至20mmHg，让临产的产妇听轻松静谧的音乐，能消除她的不安情绪，减少疼痛的感觉，有利于分娩。有许多人研究了音乐对疼痛的抑制作用，在口腔治疗室、手术室、产房等地方采用音乐来安定病人的情绪，消除恐惧的心情，防止紧张状态的出现，从而提高了痛觉阈限，减低或消除了对疼痛的感受性。例如，英国剑桥大学口腔治疗室就用音乐来代替麻醉药，成功地为二百多名患者拔掉了病牙。在治疗精神病方面，音乐治疗对某些精神和智力方面患有毛病的孩子，有很好的疗效。在治疗某些孤独症、忧郁症和躁狂症患者时，也取得了较好的疗效。近年来在欧美各国，音乐治疗已被广泛使用，许多综合医院、精神病院、养老院以及各种身体康复机构都设有音乐治疗室。现在，音乐作为一种治疗方法来治疗疾病，已经得到公认，并引起人们的广泛兴趣，在我国许多地方的医疗机构也正在开展音乐治疗的工作。

音乐所以能有治疗疾病的功用，是因为音乐对人的心理状态和身体状态能起到某种特殊的作用。一般认为这种作用是通过两种途径来实现的。一是心理的作用，二是物理的作用。

在心理作用方面，音乐能直接影响人的情绪和行为。节奏鲜明的音乐能振奋人的情绪，例如军乐曲、进行曲，一般都具有鲜明的节奏感，可以使人兴奋、激动、热血沸腾。陆游说过："一闻战鼓意气生，犹能为国平燕赵"。一曲《十面埋伏》，会令懦夫立志，壮士奋起。而旋律优美悠扬的乐曲，则能使人情绪安静和轻松愉快。德国音乐家梅亚贝尔与妻子吵架，就以肖邦的名曲《夜曲》使妻子怒气顿消。音乐还可以通过音调影响人的情绪，甚至一种音调就能引起人的一种独特的情绪。汉代的张良利用了节奏悲凉的楚歌，动摇了项羽的十万大军，使楚军不打自败，写下了"一曲散楚"千古佳话。这种现象，早在古希腊时代的人就已经注意到了，他们认为E调安定、D调热烈、C调和爱、B调哀怨、A调高扬，亚里士多德很推崇C调，认为C调最宜于陶冶青年。

由于人的情绪活动不仅与大脑皮层有密切的关系，而且与人的内分泌系统、植物神经系统、大脑边缘系统有着更为密切的关系。大脑边缘系统是调整和支配人体内脏器官活动的最高中枢。这样，引起人们轻松、愉快、舒适和欢乐的音乐，就能改善和加强人的大脑皮质、边缘系统和植物神经系统的功能，从而更好地控制和增进人体各种内脏器官系统的正常活动。

在物理作用方面，音乐可以直接影响人体器官或组织的生理功能。音乐的生理作用首先是通过音响对人的听觉器官和神经的作用开始的，进而才影响到全身的肌肉、血脉及其他器官的活动。由于音响有它自己的振动频率、节奏和强度，如果在传入人体以后，正好与机体内的相应的振动频率和生理节奏相配合，就能引起极大的反应。这种反应称为“共鸣反应”，它能大大激发人体内所储存的潜能，使身体的某些部分由稳定的静止的状态变为动态。节奏鲜明的强烈的音乐能振奋人心，能使人心跳加快，肌肉绷紧起来；而节奏旋律轻悠的音乐，则对人起一种松弛和催眠的作用。现代神经生理学的研究也证明，音乐的音响还能直接影响到对调节人体内脏及躯体功能起重要作用的大脑边缘系统和脑干网状结构。因此，乐曲和节奏、旋律、速度、谐调等的不同，就可表现出镇静作用、兴奋作用、镇痛作用、降压作用和情绪调节作用等不同的效果。

由于音乐能影响人的生理活动、心理活动，特别是情绪的活动，因此，人们就能够用音乐来改善和调剂人体的生理和心理功能，从而达到治疗疾病、增进健康的目的。鉴于音乐对身心健康的重要作用，在日常生活中人们注意提高自己的音乐素养，经常听听音乐、欣赏音乐，以促进自身的健康。

## 三、专心读书可防病治病

人们都知道读书可以长知识、添学问。实际上，读书的好处远不止这些，读书不但可以长知识，还可以治疗心理疾劳。这主要由于读书可以使人意念专注，忘却忧愁烦恼；读书可以陶冶情操，使人胸怀开阔，洞察世界真谛；读书可以愉悦身心，使人精神放松。传说汉文帝少时愚笨，通过“读诵奇文”，弱智症不药而愈。南宋诗人陆游，享年86岁，其长寿秘诀之一就是嗜书如命，以读书舒心养性，且有诗为证：“儿扶一老候溪边，来告头风久未痊。不用更求芎芷药，吾诗读罢自醒然。”清代秦子忧患恶疮“伏枕呻吟，不胜苦楚”，但一部《红楼梦》竟使他忘却病痛，“迎月读竣，而疾亦赖是渐瘳”，书读毕，恶疮痊愈，还写出一部《秦续红楼梦》来。1852年，匈牙利也有人发现读书可以治病，当时的《匈牙利新闻报》报道说：罗库斯医院设有满足病人需要的图书馆。该医院的观点是，病人如果无事可做或没有适合他读的书，就总是想到自己很可怜，不能摆脱悲伤，这本身就妨碍治疗。

匈牙利使用书籍治疗疾病最为成功的医生欧拉赫·安托尔在接受记者采访时说：病人的一个显著特点是失去同自然、自我、同伴和精神世界的真正联系。人要从自然中汲取生活力量，从信念中汲取精神力量。因此，对病人来说，通过读书来加强或恢复这些联系，对治疗是大有裨益的。安托尔先生还指出，不仅神经病人可用读书治疗法，心理性疾病患者也适用此法。事实上，几乎所有的疾病都会受到心理因素的影响，如长期或突然内疚、失望、思想矛盾和思想斗争、失去心爱的东西或亲人，紧张、精神压抑等心理因素，对病人的组织机能和健康都会发生重大影响。

一般情况下，病人心理状态的变化要先于身体病情的出现，胃溃疡、气喘、过敏、肠炎和高血压都是这样。对这些病，除了用药物治疗外，若辅以心理和读书疗法，就较容易治好。质量上乘的书籍中优美的描写、生动的情节、风趣的文字，会对读者的精神产生微妙的影响，从而使其消除烦闷、解开忧郁、忘却痛苦，堪称无声的“心理疏导医生”和无形的“良药”。

当然，要想通过读书来陶冶情操，颐养精神，防病健身，关键是要静下心来专心致志地读书，心不在焉是收不到良好效果的。

## 四、老干部集邮有益身心健康

集邮是以收集鉴赏邮票为主要内容的一项文化活动，它的历史还不到一个半世纪。然而，这项活动已遍及世界各地。集邮的人，数量之大、社会阶层之广，都是其他收集项目所望尘莫及的。据联合国教科文组织的统计材料表明，现在世界上集邮者已超过3亿人。

集邮何以有如此魅力？这主要是由于邮票的特点所决定的。

你看那精美的画面上：花鸟鱼虫、珍禽异兽、历史文物、风土人情，从宇宙、星空到山峦、海底，从远古的遗迹到最新的科学发明，真是气象万千，丰富多彩。它为人们的业余生活增添了新的内容，增长知识、陶冶情趣，也增进了人们的健康。集邮可以促进身心健康的原因在于以下几点。

1. 集邮是一种积极休息。著名的生理学家巴甫洛夫称集邮是积极的休息。他认为，他用来集邮的时间是“充满了真知和发现的最好的休息时间”。有一回，巴甫洛夫对他的医生说：“邮票对我的健康所起的作用，比你给我的溴剂还要好。”

2. 可促使人精神安定。集邮可以使人从思维的烦乱中迅速安静下来，精神暂时松弛、大脑相对地宁静，心情舒畅。据现代医学研究，情绪的好坏，不仅对神经系统有影响，而且对心血管系统、内分泌系统、消化系统等都有一定的影响。大量的临床实践证明，具有良好的情绪则气血流畅、阴阳调和、脏腑功能正常、精力充沛、身心健康。由此可见，一个人的精神好坏是与他的健康是息息相关的。

早在二十多年前，波兰塔拉山区儿童结核病疗养院的医生发现，那些热心从事集邮活动的小患者，要比不搞集邮的小患者更快、更好地痊愈出院。波兰外科医生在开给骨折病人的处方中就有邮票一项，鼓励骨折病孩在病床上集邮，让他们忘掉手术和石膏固定的痛苦，这对机体的恢复起了很好的作用。目前，世界上许多国家已开始用集邮疗法治病，把它列入心理疗法科目中。

3. 让人精神愉快。集邮可以使老干部的精神有所寄托，有助于长寿。老干部经常整理和鉴赏邮票，不仅可从方寸天地中获得艺术享受，使自己心情愉快，也可保持智力，防止脑细胞衰退。老干部收集以往发行的邮票，有助于回忆自己经历过的事件。集邮活动还能增加老干部与社会的交往，因而能克服老干部的孤独感和漠然处世的态度。老干部往往体力不如以往，再加上有老年病，容易孤独、忧郁。如爱好集邮，每当新邮票发行时，去购买新邮票或与邮友互相寄赠首日封，定期至文化宫参加邮票交换活动，参观集邮展览会和阅读集邮杂志等，都能使老干部增加与社会的交往，能乐以忘忧。

老干部易患各种慢性病，在养病期间，欣赏所收集的邮票，能使他们心情安定，从中获得艺术享受，陶冶情操，从而精神愉快而早日康复。临床实践证明，集邮是精神治疗有效的“处方”之一。

此外，收集卫生与健康专题邮票，不仅可使人们增加保健的知识，还能增强人们对生活的热爱。我国和世界各国每年发行的邮票，有许多内容都是与健康有关的，把这些邮票收集在一起，是一项十分有意义的活动。因此，老干部不妨把集邮作为一项健身健心活动，长期坚持下去。

## 五、老干部练书画有益身心健康

人们常说，“书画家多长寿”，此话一点不假。古往今来，书画家长寿者居多。唐代写《孔成宫》的欧阳询，活了 85 岁；写《夫子庙堂碑》的虞世南，终年 89 岁；写《多宝塔》、《麻姑仙坛记》的颜真卿，活到了 76 岁；写《玄秘塔》的柳公权，终年88岁。这些人在古代都是难得的高寿。现代画家齐白石，活到 94 岁；画家何香凝，活到 95 岁。可见书画确实有益身心健康。

为什么练书画能延年益寿？因为书画是一种体力与精神并行的活动，故能健身又健心。首先，书画活动是一种使人神情专注的创造性精神活动，可在书画过程中，陶冶人的感情，培养人宁静致远的情操，养成沉稳平静、不急不躁的情绪。其次，书画活动又需要轻微的体力劳动，对人是一种良好的锻炼。作书画不仅要运用腕力、臂力、指力，而且还要运用腰力，对腰腿锻炼尤为显著。国外有关医学研究表明，腰腿对人体健康关系密切，人的衰老常从腰腿开始，腰部如有伤病，将加速衰老过程，腰腿的锻炼和健康，则可延缓衰老而长寿。

因此，老干部利用空闲时间练练书画，对身心健康大有裨益。当然，要想取得更好的养生效果，练习书画时，要做到“不激不励，心手双畅”，也就是要平心静气，动静有度，心旷神怡。因为老干部时间充裕，书画最好在心情舒畅、意气平和时进行。唐代书画家论书画条件时指出：一定要“神怡务闲”，也就是不要在心慌意乱中勉强书写。否则，起不到养身养心作用。

## 六、老干部下棋有益身心健康

下棋，不仅是一种在平静中包含着紧张激烈的智力竞赛，更是一种趣味无穷、有利身心、延年益寿的文体娱乐活动。古人早就有“善弈者长寿”之说。下棋对老干部身心健康的好处主要有以下四点。

1. 可丰富精神生活。老干部，特别是退休后的老干部，有着比较充裕的时间，如不注意丰富精神生活，无所事事，久而久之就会产生精神空虚，而精神无所寄托，则是身心疾病的大敌。而下棋则是一种十分有益的娱乐，可使人精神专注，乐而忘忧。几位脾性相投的老棋友，纹枰对坐，焚香品茗，横车跃马，杀上几盘，何等乐趣！它使老干部精神生活变得充实而丰富多彩。

2. 可养身冶性。老干部大多有一些慢性顽疾，不能进行激烈的体育活动，往往需要安心静养，以利身体的恢复。下棋虽只需一桌数凳，棋子棋盘摆上便可角逐，但下棋不是一种急活，必须正襟危坐，深入思考，气平心静，谋定而动，谈笑之间决出胜负，性情从中得到陶冶，于老干部健康颇有裨益。

3. 能锻炼思维。下棋是一种有趣味有意义的脑力活动。棋枰之上，虽然只有寥寥数子，却兴味无穷，个中三昧，只有反复思索探研才能得之。调子遣将，是智力的角逐；行兵布阵，是思维的较量。人的脑细胞，用进废退。老干部经常下棋，能锻炼思维，保持智力，防止脑细胞衰退。

4. 使身心舒畅。老干部在家闲坐，难免孤独无聊，出外走走，与棋友相约下上几局，也是一种有益的社交活动，能够增进友谊，加强往来，消除孤寂感，使身心舒畅。老干部如果原来不会下棋，可以培养下棋的爱好，学会后就会有“乐在棋中”之感受。

老干部下棋，有助于长寿，但也要注意几个问题。首先是不要计较输赢，如对胜负得失耿耿于怀，长此下去，会心情郁结，反而伤身。其次是对弈时切忌耗神过度，要适可而止，不能弈而忘返，废食忘寝，否则，会精神恍惚，身心受损。还有，就是下棋应与适当的体育活动相结合，在下棋的同时还要培养一些其他的兴趣爱好。各种生活爱好相辅相成，才能相得益彰，有益健康。

下棋可以延年益寿，促进健康，古今棋手长寿者不乏其人。明末的高兰泉、清末的秋航等，都高寿90岁以上，近代象棋名手林奕仙，去世时93岁。百岁棋王谢侠逊，为我国象棋事业的发展做出了贡献，至今仍然健在。在民间，可以找到很多九旬以上、白发银须、身体健康的善弈老干部。

## 七、养宠物有利于防治心身疾病

有关研究表明，宠物在某种程度上是人类的良友。试验证实，养宠物可调节人的心理，有助于病人恢复健康，甚至可以完全治愈疾病。

现在，全世界正在流行动物疗法，发现势头异常迅猛。美国和欧洲已经开设众多动物疗法医疗中心。在美国，动物已被送到老年公寓，儿童医院甚至军队当医生；英国的一些药店还出售治病的白猫。

调查显示，猫或狗的主人比同龄人长寿4至5年，看病的次数平均少16%。观赏动物的人脉搏跳动次数减少，肌肉组织普遍放松，消化系统好。30%的神经系统疾病患者通过与狗接触可以痊愈。

俄联邦功勋科学家、医学博士鲍里斯舍夫雷金说：“不要对动物疗法持怀疑态度，这是文明和科学的治病、防病方法。我想所有人都知道，养宠物的人少得病寿命长，神经系统比其他人好得多。”

养宠物之所以有利于人的身体健康主要是人们在照料宠物、同它们散步或给它们喂食时，能精神放松，情绪愉悦，得到全面的心理抚慰，提高免疫力，有利于防病治病，促进身心健康。通常适宜饲养的动物主要是狗、猫、鸟、鱼，品种无关紧要，主要看个人的爱好。人们可根据自己的爱好和能力来选择饲养对象。

当然，近年来也发现饲养宠物如处置不当易引起一些人畜(禽)共患疾病，但只要注意选择健康的动物并重视防疫处理(如打狂犬疫苗等)，还是安全的，大可不必因噎废食。

## 八、善于欣赏有益身心健康

欣赏能使人开阔眼界，丰富精神生活，保持心情舒畅，同时也是一种很好的精神调节方式。无论是脑力劳动者，还是体力劳动者，都可以在欣赏中消除疲劳，恢复体力和脑力。特别是离、退休的老干部，学会欣赏更可丰富精神生活，有利于健康长寿。同时，曾有人专门对欣赏名画和静听古典名曲的人群进行测试，结果发现人们在欣赏时，人的心跳、呼吸、血压等生理指标十分稳定，体内各系统的生理功能处于平衡和协调状态。欣赏本身是一种美的享受，欣赏时会使人产生一种满足感、欣快感、轻松感、幸福感，无疑，这些都有益于身心健康，欣赏确实可娱心、健身。

有人讲，欣赏虽是有利于身心健康，但我不是搞艺术的，不懂美学，既找不到欣赏的内容，又缺少欣赏的美学素质。其实，一个人只要学会以欣赏的心态、视角看世界，就会有无穷无尽的欣赏目标和内容。只要有了这种欣赏的心态，即使没学过美术和欣赏技巧，也会自然而然地发现美，领略欣赏美的愉悦，在欣赏中逐渐提高欣赏水平。如果没有这种欣赏的心态，即使置身于艺术宫殿之中，也难产生欣赏的愉悦。你看，美丽的大自然是可供欣赏的宝库。山峦、森林、瀑布、溪流、田野、草坪、沙滩、大海……无处不显露着独特的魅力，充满了自然古朴的风貌。欣赏自然界鬼斧神工的美景奇观，沐浴着明媚的阳光，呼吸着新鲜空气，置身于花香鸟语的绿色世界中，不仅赏心悦目，而且心灵获得净化，情绪得到松弛，筋骨亦得到锻炼。时下风靡全球的假日旅游热已成为时尚。

家中的美也是随处可见：宝宝一个甜甜的笑靥，爱人一套得体的新装，幽默的动作以及雅致的家具，阳台上的花卉，墙壁上富于情调的摄影、画幅，还有那笼中精灵的小鸟、缸中游动的金鱼、案头玲珑的摆设，都是传递美的使者，至于看电影、听音乐、读名著或自书自画、自弹自唱，均不失为较高层次的文化娱乐享受。只要你善于捕捉，学会欣赏，都会给人一种欣快感和满足感。

漫步街头，拔地而起的高楼大厦、阳台上的红花绿叶、五光十色的橱窗、五颜六色的男男女女、花团锦簇的街心公园、入夜闪烁的五彩虹霓，可谓美不胜收。如果有兴趣的话，剧院内精彩的歌舞、杂技、戏剧或相声表演，体育馆里的紧张激烈的体育比赛，或时装表演……只要专注欣赏，都会给你带来美的享受、艺术的熏陶。

虽说欣赏者须具备一定的文化艺术素养，但只要善于不断提高欣赏水平，在欣赏中学会欣赏。因此，切不可以文化水平低为借口，放弃各种有益欣赏的机会。正确的做法是：在不断提高自己的文化素养基础上去欣赏，在不断的欣赏实践中提高自己欣赏水平。值得记住的是：即使欣赏水平不同，但其有益身体健康的效应却是相同的。

**图书在版编目（CIP）数据**

老干部保健手册 /《老干部保健手册》编写组编 . 北京：中医古籍出版社，2007.1

ISBN 7-80174－480－2

Ⅰ. 老… Ⅱ. 老… Ⅲ. 老年人－保健－手册 Ⅳ. R161.7-62

中国版本图书馆 CIP 数据核字（2006）第 142326 号

**老干部保健手册**

本书编写组　编著

责任编辑　朱定华

责任校对　倪印龙

封面设计　马志慧

出版发行　中医古籍出版社

社　　址　北京东直门内南小街 16 号(100700)

电　　话　(010)88282721 / 88282292

经　　销　新华书店

印　　刷　北京市朝阳区小红门印刷厂

版　　次　2007 年 1 月北京第 1 版

印　　次　2007 年 1 月北京第 1 次印刷

开　　本　890 毫米 × 1240 毫米　1/32

印　　张　11

字　　数　247 千字

书　　号　ISBN 7-80174-480-2/R·476

定　　价　26.00 元